DES BONS RESTAURANTS

de Montréal et d'ailleurs

Conception graphique et illustration de la couverture: Nancy Desrosiers

DISTRIBUTEURS EXCLUSIFS:

- Pour le Canada et les États-Unis:
  LES MESSAGERIES ADP*
  955, rue Amherst, Montréal H2L 3K4
  Tél.: (514) 523-1182
  Télécopieur: (514) 939-0406
  * Filiale de Sogides ltée

- Pour la Belgique et le Luxembourg:
  PRESSES DE BELGIQUE S.A.
  Boulevard de l'Europe 117
  B-1301 Wavre
  Tél.: (10) 41-59-66
       (10) 41-78-50
  Télécopieur: (10) 41-20-24

- Pour la Suisse:
  TRANSAT S.A.
  Route des Jeunes, 4 Ter
  C.P. 125
  1211 Genève 26
  Tél.: (41-22) 342-77-40
  Télécopieur: (41-22) 343-46-46

- Pour la France et les autres pays:
  INTER FORUM
  Immeuble ORSUD, 3-5, avenue Galliéni, 94251 Gentilly Cédex
  Tél.: (1) 47.40.66.07
  Télécopieur: (1) 47.40.63.66
  Commandes: Tél.: (16) 38.32.71.00
                 Télécopieur: (16) 38.32.71.28
                 Télex: 780372

DES BONS RESTAURANTS
de Montréal et d'ailleurs

LES ÉDITIONS DE
L'HOMME

Avant-propos

De toutes les rues où Montréal nous convie à l'heure des repas, ma préférée demeure Saint-Laurent. Du *Montréal Pool Room* au *Lux*, du Chinatown à la Petite Italie, la *Main* odorante, appétissante, ventripotente et bedonnante à souhait se répand du sud au nord, invitante. Pas étonnant que cette année plusieurs de mes coups de cœur aient pignon sur cette artère. Qu'on pense indien ou marocain, californien ou italien, la *Main* digère toutes les nationalités avec le même enthousiasme.

Le boulevard Saint-Laurent est également la proie des chaînes de restauration rapide qui pullulent, particulièrement en période de crise économique. Les casse-croûte libanais tiennent le haut du pavé et font désormais la nique aux traditionnels comptoirs de sandwichs aux saucisses européennes. Mais la *Main*, généreuse, ne se formalise pas outre mesure et fait place aux intrus de bonne grâce. Son identité internationale triomphe de toutes les modes.

Dans ce guide, vous trouverez bien d'autres adresses que celles du boulevard Saint-Laurent. J'espère toutefois que vous y retrouverez un peu de son ambiance et cette convivialité unique qui sont le propre des métropoles. Les sections «gougounes friendly» et «prêts-bourses» se sont ajoutées et lancent un clin d'œil complice aux désargentés (que nous sommes tous occasionnellement) et aux étudiants. Dans l'index, une section «chaise haute» permettra également aux petites familles de se retrouver dans un cadre accueillant. Et une page de notes à la toute fin vous permettra de faire la liste de votre «top ten» personnel et de jouer au critique gastronomique. Chacun son tour!

Josée Blanchette,
octobre 1993

Les coups de cœur
1994

LE BOCAGE
424, chemin Moe's River
Compton
Tél.: (819) 835-5653
Ouvert 7 jours, réservations obligatoires.
N'acceptent ni cartes de crédit, ni chèques.
Apportez votre vin.

Au détour du chemin, elle apparaît tel un bateau ivre en équilibre sur les vallons, éclairée à l'intérieur par une pleine lune et à l'extérieur par des flambeaux. L'étrange hublot sous le toit ressemble à un astre (ou un troisième œil) et le cachet de cette vieille demeure victorienne construite en 1825 est à couper le souffle. C'est avec le sentiment que l'inévitable venait de se produire que Dominique et Michel Guilbeault ont fait leur offre d'achat il y a sept ans. *Le Bocage,* leur restaurant, a vu le jour deux ans plus tard et c'est l'un des secrets les mieux gardés des Cantons de l'Est.

Cet ingénieur et sa douce moitié se sont lancés dans le *gentleman-farming,* tout à la joie de se consacrer au retour à la terre. Deux chiens, auxquels se sont ajouté une vache puis un élevage de canards, de lapins, d'agneaux, de cailles et d'oies forment désormais une famille unie. De fil en aiguille l'idée du restaurant a germé et celle d'une cuisine qui n'utiliserait que des produits locaux ou «maison» s'est imposée. Le pain sur la table, le vinaigre dans la vinaigrette, la crème glacée au dessert, chaque détail compte. On sent le souci de laisser les ingrédients s'exprimer en leur donnant le petit coup de pouce nécessaire.

Dans la salle à manger réchauffée d'un foyer, les quelques dîneurs ont le privilège d'être admis à la table de Dominique et Michel. Le menu fixé au préalable est composé de sept services et permet de goûter différentes spécialités concoctées par la ou le chef. Chacun y va selon ses forces et ses goûts. Cette cuisine n'est d'ailleurs que plaisir: plaisir de la concevoir, de l'apprêter et de la servir. Et pour tout dire, le plaisir d'y goûter n'en est que magnifié.

Tout d'abord, le pain est apporté sur la table par la maîtresse de maison qui le fait cuire chaque jour sous forme de jolies couronnes tressées. Élastique à souhait et d'une odeur réconfortante, ce pain a toutefois l'inconvénient de nous assouvir trop rapidement et Dominique ne se lasse pas de mettre ses invités en garde.

Le repas débute avec le pâté de gibier en croûte composé entre autres de canard et de lièvre, de figues et de noix, le tout accompagné de confiture d'oignons et de quelques fines herbes biologiques d'un producteur voisin. La texture est parfaite, le goût intense et le tout légèrement sucré grâce aux figues et aux oignons. J'ai résisté à l'envie de reprendre de la tresse de pain.

Une crème de poivrons rouges tomatée suit dans de jolies assiettes de verre vieux rose qui soulignent d'autant le rouge soutenu de cette crème parfaitement équilibrée entre l'acidité et la douceur. Le pain toujours nous nargue.

Le mille feuille de truite fraîche sur sa sauce au vermouth est présenté en portion dégustation et nous n'en sommes que plus reconnaissants. Décoré comme la célèbre pâtisserie, cette entrée chaude met en évidence la chair du poisson rose dans un écrin de pâte feuilletée à souhait et sur une sauce fort réduite et lipidique mais oh! combien délicieuse. Qu'il serait bon d'y tremper un peu de pain...

Un granité au calvados suit. Je le laisse intact car, comme tous ces granités «trou normand», il endort les papilles en les frigorifiant. Mais le pain, lui, réchauffe l'âme et nous guette toujours quoiqu'avec moins d'insistance qu'au début du repas.

Le plat de résistance est composé de magrets de canard (l'élevage maison, bien sûr) sur sauce au vinaigre de framboises faite avec un véritable fond de canard. Le magret est saignant et cette cuisson le met en valeur. La sauce, succulente aussi. Un gratin dauphinois fort réussi et quelques asperges de la pré-saison accompagnent la volaille.

Nous ne pensons plus au pain et, sur les tables, les bouteilles de vin apportées par les clients tirent à leur fin. Il restera juste ce qu'il faut de ce Sancerre pour arroser le feuilleté de chèvre au miel. Ce miniature sucré-salé fait fureur mais le miel domine un peu, masquant le fromage plus doux.

Quand arriveront les desserts, le silence d'usage (une flotte d'anges passent) fait place à des plaintes mal camouflées à mi-chemin entre le point G et le point Y. À chaque table, on se meurt un peu pour cette terrine de chocolat blanc (réalisée par Michel) au centre de pralin, à peine soutenue par la gélatine, gavée de crème et en accord profond avec la crème anglaise au café. Dans une tulipe de biscuit, une boule de crème glacée à l'orange (création de Dominique) nous titille les papilles juste ce qu'il faut pour nous donner l'impression que les calories s'évanouissent avec le froid.

On n'entend presque plus la voix de Barbara qui chante «*dis quand reviendras-tu, dis au moins le sais-tu*» tant la conversation va bon train entre les trois tables et les trois couples qui les occupent. Une chose est certaine, *Le Bocage* est une adresse où l'on revient et qu'on s'échange entre intimes. Depuis le temps qu'on se connaît, je n'hésite pas un seul instant à vous la communiquer...

Un repas pour deux personnes vous coûtera 70 $ avant taxes et service. La maison offre également l'hébergement au coût ridicule de 70 $ par personne incluant la chambre, le petit déjeuner et le repas gastronomique de sept services! On n'accepte pas les cartes de crédit non plus que les chèques.

CHEZ CLAUDETTE
351, rue Laurier Est
Tél.: 279-5173
Métro Laurier
*Ouvert lundi, mardi et samedi de 6 h à 21 h,
dimanche de 7 h à 22 h et
du mercredi au vendredi de 6 h à 22 h.*

Quiconque a déjà frayé avec la gestion hôtelière sait ce qu'est le *food cost*. En principe, ce fameux coût des aliments doit représenter le tiers du prix payé par le consommateur en bout de ligne. En pratique le *food cost* sert d'étalon aux nombreux restaurateurs qui pratiquent le «jusqu'où puis-je couper sans que le client ne s'en aperçoive». Et en période de crise, on coupe sur les prix pour plaire à la clientèle (par ailleurs fort sollicitée) et on ramène le *food cost* à sa plus simple expression.

La gestion hôtelière m'a toujours profondément démoralisée. C'est l'envers de la gastronomie, de l'inspiration, de la générosité et du don de soi. Mais que voulez-vous, il semble que les meilleurs chefs doivent aussi passer par là, à moins de s'associer à un comptable, auquel cas je ne voudrais pas assister aux règlements de compte...

La qualité de la matière première demeure, en cuisine comme dans beaucoup de domaines au reste, la clé du succès. Personne, même le cuistot le plus doué, n'arriverait à ressusciter un poisson décongelé non plus qu'à redonner du goût à un œuf depuis trop longtemps pondu.

Claudette Boudreau et sa famille connaissent les ingrédients de ce succès: du «bon manger», un bon service, des p'tits prix et du café à volonté, y'a rien de mieux pour commencer la journée. Depuis dix ans que cette entreprise familiale typiquement de chez nous oeuvre à l'angle de Laurier et Drolet, la clientèle s'est passée le mot et les deux salles de même que le comptoir ne suffisent plus à servir les petits déjeuners toute la journée.

On ne vous cause pas *brunch* citadin, croissants, baguette ou gelée de groseilles *Chez Claudette,* mais plutôt œufs-bacon-toast-fèves-au-lard-café et crêpes-beurre-sirop. Les œufs sont parmi les plus frais que j'aie goûté dernièrement et proviennent de la région de Saint-Hyacinthe.

Quant aux fèves au lard à la mélasse, elles sont préparées par le mari de Claudette. Le pain «canadien» grillé ajoute une odeur imbattable à cette assiette, sans parler des pommes de terre sautées, absolument succulentes. Quant aux crêpes, leur texture est trop caoutchouteuse.

Je vous conseille de démarrer la journée avec un verre de jus d'orange frais additionné ou non de banane (de fraises en saison), c'est un réveil vitaminé garanti. D'ailleurs, la clientèle plutôt jeune et branchée semble avoir adopté *Chez Claudette* pour son décor pur casse-croûte et sa cuisine pure «môman». Nous en ferons autant!

Un petit déjeuner pour deux personnes vous coûtera environ 12 $ avant taxes et service.

CAFÉ CÔTE OUEST

4563, boulevard Saint-Laurent
Tél.: 284-3468
Métro Saint-Laurent, bus 55
Ouvert de 11 h 30 à 23 h du mardi au dimanche,
fermé le lundi.

La première fois que j'ai rencontré Kim, nous étions toutes deux de vraies blondes, elle bouclée, moi raide. À la faveur d'un échange interculturel durant la période de vacances scolaires, elle était venue apprendre le français dans ma famille, parachutée de sa Colombie-Britannique natale. Elle avait apporté avec elle du *candy*, (sorte de poisson fumé légèrement sucré) et elle est repartie alourdie de quelques boîtes de sirop d'érable. Depuis cette initiation à nos gastronomies respectives, nous prenons toujours plaisir à nous revoir soit à Vancouver derrière un comptoir à *sushi*, soit à Montréal, dans un bistrot que ma complice anglophone affectionne.

Cette fois, j'ai invité Kim à se prononcer sur la cuisine du *Café Côte Ouest*, boulevard Saint-Laurent. Le chef, Andrew Jone, est originaire de Vancouver et s'est installé à Montréal, il y a 18 mois, par amour pour une Québécoise et non par conviction politique ou par masochisme météorologique. Son petit café n'attire pour l'instant que quelques égarés, quatre pelés et un tondu. La plupart des gens s'arrêtent pour saliver devant son menu et poursuivent leur chemin vers «le grand restaurant italien au coin», sur Saint-Laurent. Ils ne savent pas ce qu'ils manquent.

Le décor de *Côte Ouest* n'a rien d'engageant, il est vrai. Les murs revêtus d'un vert acide, le plancher recouvert de «prélart» saumon font tristounet. Le local manque de vie et un brin de folie. Alors que la cuisine d'Andrew n'en manque pas du tout. On retrouve sur son menu toutes les associations et les ingrédients chers à la côte ouest, plus particulièrement à la Californie. L'influence asiatique supplante toutes les autres et l'influence américaine (deux hambourgeois dans la section sandwich) est bien tenace. «Ça écoute bon» tente mon amie Kim dans son français approximatif qu'elle a rarement l'occasion de perfectionner. Les mots de la carte ont une odeur effectivement; ils sentent déjà bon. De plus, le jazz ambiant donne une couleur sonore très particulière.

La table d'hôte propose une chaudrée de saumon à laquelle ne peut résister Kim. La soupe s'avère délicieuse, d'une texture plus qu'agréable, enjolivée de poivrons et de morceaux de pommes de terre, bien parfumée à l'ail et à l'aneth frais. «Meilleure que ma mère», admet mon invitée ne sachant quel lapsus elle vient de commettre. Pour ma part, je goûte aux rouleaux vietnamiens. Les deux rouleaux faits de pâtes de riz translucide sont farcis aux crevettes, vermicelles, riz et échalotes. La sauce satay parfumée au cari leur donne de l'élan et souligne la fraîcheur des ingrédients employés dans cette entrée.

Même bonheur de vivre pour ce lapin grillé à la sauce aux piments *anchos*, au léger goût de fumée. Les cuisses de lapin à la peau bien noircie reposent sur cette sauce faite de piments grillés eux aussi, le tout légèrement parfumé au paprika. Des légumes grillés dans le plus pur esprit *barbecue*, s'ajoutent à cette superbe présentation sur une grande assiette. Courgettes, tomates italiennes, pommes de terre et aubergines composent un joli tableau.

Un trio de plats végétariens comblera les adeptes de cette religion. On ne s'y sent ni parias, ni tentés de faire marche arrière vers d'autres plats plus substanciels. Le même soin est apporté dans l'élaboration de ces assiettes. La saucisse aux tomates séchées est un amalgame de tofu, de prunes japonaises marinées et de tomates séchées qui donnent une coloration rosée à cette terrine. Déposées sur un coulis de tomates à l'ail rôti et à l'origan, les tranches de saucisses ont un goût et une texture agréables. «Je le trouve un peu *boring*», pense Kim tout en rongeant l'os de lapin qui lui reste à se mettre sous la dent qu'elle a très carnivore.

La corbeille à pain est en fait garnie de deux *scones* tièdes au fromage, au basilic et à la muscade. Un délice bourratif dont il ne faut pas abuser biscotte (dirait San Antonio) la suite... Un Fumé Blanc (Sauvignon) de la maison Mondavi arrosait ce repas sans abuser de notre portefeuille.

Les desserts s'inscrivent dans la même veine que les plats et tant la tarte au chocolat amer que la crème glacée à la tequila et citron ont retenu notre attention. La tarte sur sa croûte de noisettes est dense et veloutée à la fois. Un caramel au beurre et au rhum nappe le fond de l'assiette et change des sempiternels coulis et crème anglaise. Kim l'a tellement aimée que j'ai dû lui arracher sa fourchette pour pouvoir à mon tour m'en délecter. Quant à la glace au citron, sa texture troublée par la présence de cristaux et de goût de congélateur nuisent au goût. La présentation par contre ravit l'œil: du sucre cristallisé sur le bord du verre à cocktail donne un ton *margarita* à la glace.

      Un repas pour deux personnes vous coûtera environ 40 $ avant vin, taxes et service. Table d'hôte le midi entre 6 $ et 9 $ et le soir entre 9,95 $ et 14,95 $.

EL ZAZIUMMM
4525, avenue du Parc
Tél.: 499-3675
Métro Place-des-Arts, bus 80 ou
métro Mont-Royal, bus 97

51, rue Roy Est
Tél.: 844-0893
Métro Saint-Laurent, bus 55

5091, rue de Lanaudière
Tél.: 598-0344
Métro Laurier, petite marche
Ouvert du dimanche au mercredi de 17 h à 22 h,
du jeudi au samedi de 17 h à 22 h

Sur l'avenue du Parc, le désert marocain qu'était le restaurant *Chez Kader* s'est métamorphosé en boui-boui coloré de plage mexicaine. Sable blanc pour sable blond, soleil brûlant pour soleil cuisant, je préfère encore cette version aussi dépaysante qu'amusante. Le *El Zaziummm* a ouvert sa troisième succursale sur le Golfe et le décor vaut cent fois le détour, qu'on soit simple touriste ou Montréalais enraciné.

D'ailleurs, plusieurs clients n'hésitent pas à entrer simplement pour faire le tour du propriétaire, comme au musée. On vient s'inspirer dans ce lieu haut en couleur et en humeur de toutes sortes. Dès l'entrée, le chariot ambulant «DAVE TACOS» nous replonge dans la magie des petites bouffes rapides version *tabarnacos* rouge homard sur bière fraîche limée. Le bar sous la hutte, entouré de bidons recyclés, de sièges de toilettes et de sièges de bicyclettes «banane» reconvertis en tabourets, donne un ton tout à fait vacancier à ce restaurant aux multiples ambiances. Tout au fond, un fauteuil de brocante fleuri semble attendre le coucher du soleil sous la lumière rouge d'une lampe rococo-kitsch.

En fait, l'espace initial a tant et si bien été récupéré qu'on a peine à s'imaginer qu'on y a déjà humé du *couscous*. Vachement psychédélique (les nuages de ouate au plafond) et un brin *pop'art* (les tables vitrées remplies de sable et de débris de plage), ce décor théâtral mérite une mention au livre Guinness de la débrouillardise. Même les gallons de peinture vides font partie du décor, disposés en pyramide sous le manteau de la fausse cheminée.

«Le *El Zaziummm* est aux zazous (ces jeunes excentriques durant la Seconde Guerre mondiale) ce que l'aquarium est aux poissons», m'explique l'une des propriétaires, Lise Bérubé. Lili (de son surnom) règne sur la plage et y a apporté des touches bien personnelles d'imagination débridée. Le *drink* de la maison, le *Lili*, est apporté dans des seaux en plastique et on se sert d'une petite pelle de couleur pour en verser le contenu dans les verres. Mélange savant et fort innocent de rhum, de *ginger ale* et de jus de limette, le *Lili*, même à la chaudière, ne vous fera pas chanter *No soy marinero, soy capitan* pour autant. Ce punch rafraîchissant et dilué convient parfaitement à la cuisine mexi-californienne servie au *El Zaziummm*.

Côté bouffe, les habitués de la succursale sur la rue Roy ou de Lanaudière n'auront guère de surprise: même bouffe américaine vaguement sud-américanisée, même penchant pour l'«hénaurrrrme» légèreté de l'être au détriment de la subtilité, même papier de toilette (*Delsey*) en guise de serviettes de table, même esprit rebelle d'un bout à l'autre du menu tantôt très soupe à l'oignon, tantôt très *guacamole*. Même folie, mêmes rires en prime.

Après avoir grignoté les excellents *nachos* frits maison avec la *guacamole* bien douce servie avec une *salsa* fade et crème sure, mon invité s'est mis en tête de relever le défi du monstre californien. Le monstre en question est un GIGANTESQUE club sandwich tenu en place par un gros cornichon à l'aneth et accompagné de frites. Si la personne qui le commande parvient à le manger en entier, la maison soustrait 20 % sur le prix (9,95 $). Peu de gens réussissent le défi et les quelques rares zazous à être passés à l'histoire mesuraient 6 pieds, pesaient 200 livres et se faisaient la barbe deux fois par jour.

J'ai pu admirer le sens du *fair-play* de mon invité pris au piège devant un sandwich digne de *La grande bouffe*. Fromage râpé à la tonne, pain grillé taillé dans une miche démesurée, bacon croustillant, re-*guacamole*, tomates, mayonnaise et que sais-je encore sont venus à bout de son appétit, de son entrain et de son orgueil, toutes catégories confondues. Au bout du rouleau, il a dû abandonner la course à quelques bouchées du fil d'arrivée. Le genre de défi qu'on ne relève pas une seconde fois...

Plus sobres, les *fajitas* méritent qu'on s'y attarde. Les *tortillas* de maïs sont servies toutes nues dans l'assiette. Dans un poêlon de fonte, on vous présente le poulet, les crevettes ou le bœuf sauté aux piments doux et la crème sure, de même que la laitue, les tomates et la *salsa* pour donner un peu de vie. Heureusement qu'on met aussi de la sauce *Tabasco* sur les tables. Ces crêpes version mexicaine se mangent sans arrière-pensée.

Les *tacos* sont également intéressants, présentés sous une coiffe de *nachos* au fromage fondu. Ces *tacos* roulés et frits, farcis de poulet, ont véritablement l'allure et le goût mexicain, sauf peut-être pour la *salsa* trop timide. On les accompagne de *chili con carne*, de riz, et de salade.

Au rayon des desserts, la maison fait dans le minimalisme et le régime de printemps. *Nada*.

Un repas pour deux personnes vous coûtera environ 25 $ avant le punch *Lili*, les taxes et le service.

LAO THAÏ
5179, avenue du Parc
Tél.: 277-2608
Métro Place-des-Arts, bus 80
ou métro Laurier, bus 51
Ouvert du mardi au dimanche de 17 h à 23 h,
fermé le lundi.

Les nombreux fidèles du défunt *Vientiane* à Côte-des-Neiges seront ravis d'apprendre que leur restaurant thaï préféré s'est refait une beauté et s'est déplacé vers l'est, angle Parc et Fairmount. Boun Nhong et son mari No-loth, le chef cuisinier, sont revenus à la restauration comme on revient au pays après un trop long hiver. La salle désormais immense et le décor en toc racheté à *La Baie*, qui s'en est servi un temps pour enjoliver ses vitrines, mettent désormais en valeur une cuisine qui trop longtemps a vivoté dans l'ombre d'un local miteux où la magie opérait tout de même chaque fois.

Parmi la manne de nouveaux restaurants thaï à déferler, peu réussissent à offrir une cuisine authentique avec tout le piment et tous les parfums voulus. *Lao Thaï* est un des rares à livrer l'essence d'une cuisine indomptable et son menu, aussi long que le fleuve Chao Phraya, risque d'en perdre plus d'un(e) à travers les méandres de la confusion culinaire. Mais à vaincre sans péril on triomphe sans boire...

Dans la centaine d'items proposés, les classiques du *Vientiane* font un retour triomphant avec la salade de mangue verte à la sauce de poisson, les soupes épicées aux fruits de mer, poisson ou au poulet, les ragoûts au lait de coco, cari vert et «basilique» (sic) thaïlandais, les pinces de crabe à la sauce épicée ou les moules au basilic épicé.

Parmi les nouveautés s'inscrivent les paniers d'or, sortes de petites corbeilles de pâte frite garnies de légumes et de chair de crabe à la sauce aigre-douce épicée. Même engouement, sur un autre registre, pour les moules à la sauce aux trois saveurs. Servies tièdes dans leurs coquilles, elles baignent dans une vinaigrette sucrée qui les tient au chaud. Parmi les nombreuses salades, celle aux calmars à la citronnelle est arrosée de sauce de poisson et garnie d'oignons crus, de menthe et de coriandre fraîche.

La dose de piment est juste (c'est-à-dire conforme à ce qu'on retrouve en Asie du sud-est) mais autour de moi on réclame de l'eau à cor et à cri sans savoir que cela n'éteindra pas l'incendie. Un peu de sucre, une bouchée de riz ou une gorgée de bière seraient plus indiqués.

Avec le bœuf au cari «musulman» aux oignons, citrouille et lait de coco épicé on a ajouté quelques légumes comme des choux de Bruxelles, des pommes de terre et des carottes. Le ragoût bien relevé est servi dans une soupière et la sauce imbibe le riz collant (*sticky rice*) présenté, lui, dans des petits paniers de couleur. Nouveau plat également, le poulet aux mangues allie la saveur douce et la couleur orangée du fruit fétiche au lait de coco, à une bonne dose de piment et aux lanières de poulet tendre. Superbe de simplicité.

Les cuisses de grenouilles à l'oignon et basilic sont toutes simples, avec les poivrons rouges et verts et la sauce au poisson pimentée qui relève le tout avec passion. Mes copines au palais susceptible y ont à peine touché, persuadées qu'on essayait d'attenter à leurs vies. Pour ma part, rien ne me réjouit davantage que cette charge de citronnelle, de coriandre, de cari, de basilic poivré ou sucré, de piments, de reflux lacrymaux et de parenthèses *Kleenex*.

Au rayon des desserts, on souhaiterait trouver davantage que des fruits en conserve. Les *rambutans* farcis aux ananas en boîte sont rafraîchissants et les graines de basilic dans le lait de coco sucré sont garnies de morceaux de cantaloup frais et font oublier un peu l'insoutenable intensité de cette divine cuisine.

Un repas pour *trois* personnes vous coûtera environ 50 $ avant bière, taxes et service.

LUNA
3435, boulevard Saint-Laurent
Tél.: 844-0616
Métro Saint-Laurent, bus 55
Ouvert du lundi au vendredi de 12 h à 15 h,
du dimanche au mardi de 18 h à 23 h 30,
du mercredi au samedi de 18 h à 1 h.
Réservations fortement recommandées.

La pleine lune revêt pour plusieurs des allures de coup de foudre, de marée haute, de délivrance, de féminité, de sueurs froides ou chaudes, de coups de tête, voire de non-retour. Tous les serveurs de bars vous diront noter, ces soirs où la lune diffuse sa froide lumière, beaucoup plus d'agressivité et d'émotivité chez leur aimable clientèle.

Luna éveille chez moi ce type d'émotivité contraire à tout esprit critique (prétendent certains). C'est ce qu'on verra! Cette ancienne taverne «revampée» dans un style cher aux années 50 n'a plus ce côté froid et légèrement désincarné qui la caractérisait. Deux foyers naturels ont été ajoutés de part et d'autre de cet immense local, histoire d'y mettre du feu dans la cheminée. Le bar central a été conservé et permet d'y attendre une table ou carrément d'y prendre un verre (ou le repas) entre célibataires ou amis.

Luna séduit d'emblée parce qu'on y a créé une ambiance et surtout parce que cuisine et service y sont à la hauteur du défi. La cuisine de Louisa Violanti, telle un joyau mis en valeur par un somptueux écrin, laisse chanter son accent italien mais aussi un attachement à quelques plats bistrot. Le bon goût triomphe en tout; comme quoi peu importe le sujet lorsqu'on est doué.

Le potage Crécy bien crémeux et passé à la moulinette plairait déjà beaucoup mais on lui ajoute une touche d'originalité supplémentaire: des zestes d'orange frits. Si on juge un restaurant français par ses potages, on fait de même pour un restaurant italien avec ses *antipasti*. Ceux-ci sont tout simplement divins.

Dans cette large assiette généreusement garnie, on trouve de quoi se sustenter à deux. Petite croûte aux calmars vinaigrette, canapé de pain noir au saumon fumé, calmars frits, salade de bulbe de fenouil et fèves, canapé à la tapenade de tomates séchées, friture de mozzarella et concassé de tomates fraîches, feuille de vigne farcie au veau, sauce au thon, *prosciutto* et melon, huître fraîche vinaigrette sont regroupés dans le plus charmant désordre et comblent les amateurs de fraîcheur et de petites bouchées.

La bavette du *Luna* est préalablement marinée dans un mélange d'huile végétale, de sauce soja, de *saké*, de pâte de tomate, laurier, citron, ail et gingembre. Ce dernier imprègne de son parfum caractéristique cette pièce de viande qui est désignée pour être cuite saignante. Les frites qui l'accompagnent sont irréprochables.

Le foie de veau balsamique à la sauge met en vedette une tranche de foie rosée dans une sauce faite de demi-glace et de vinaigre balsamique. Un beau bouquet de sauge fraîche repose sur la pièce d'abat. Des légumes en julienne croquants et simples s'ajoutent à ce plat santé, de même qu'un médaillon de pâte farci aux champignons (cèpes, pleurotes, Paris) et à la poudre d'amandes. Délicieux!

La corbeille de pain vous offre le choix entre un pain noir ou un pain blanc de bonne facture. Quant à la carte des vins, on l'a soignée et on y trouve même quelques demi-bouteilles dont ce Château de la Louvière.

Les desserts ont une carte bien à eux et ils le méritent. Le gâteau truffé au chocolat mérite bien des éloges car il ne déçoit pas l'amateur de chocolat noir en nous. Ganache mêlée de beurre et d'œufs et biscuits croquants aux noix de pacanes caramélisées en font l'essentiel. Quant aux mignardises, elles reprennent l'esprit libertin des *antipasti* et réunissent des aubergines confites (il faut aimer le clou de girofle), un sablé à l'abricot, une datte fourrée à la pâte d'amandes, une caissette à la pâte de truffe au Cointreau, un morceau de palais-royal (noisettes-chocolat), une tartelette miniature à la crème pralinée, une fraise (hors saison) trempée dans le chocolat noir. Chacun en a pour sa dent creuse avec une telle assiette et je soupçonne la gent féminine d'y succomber plus volontiers. Une intuition!

Un repas pour deux personnes vous coûtera environ 55 $ avant vin, taxes et service.

LE PALAIS DE L'INDE
5125, boulevard Saint-Laurent
Tél.: 270-7402
Métro Laurier, bus 51 ou métro Saint-Laurent, bus 55
Ouvert du lundi au samedi de 11 h 30 à 14 h 30,
du lundi au dimanche de 17 h à 22 h 30.

*L*e *Palais de l'Inde* est vite devenu mon restaurant indien préféré, pour les mêmes raisons qui m'attachent au populaire mais étroit *Restaurant Golden* (tout en allée de quilles) juste en face sur la même rue. Ce dernier a fait des petits et la cuisine y est toujours aussi succulente et parfumée. Chez le cousin, le décor est davantage étudié et la musique vous met instantanément dans l'ambiance. Mais surtout, les parfums sont restés intacts, le service aussi efficace et le menu à la portée de toutes les bourses.

En entrée, les fritures d'oignons *baajhi* accompagnées d'un *chutney* sucré ou, mieux, les foies de poulet *tandoori* sur riz *basmati*, parfumés à la coriandre fraîche, ont à la fois du mordant et du moelleux à revendre. Si vous n'avez jamais tâté du poulet au beurre, celui-ci est succulent, mélange subtil de crème et d'épices, d'amandes, de raisins et de poulet. L'agneau au cari (*Vindaloo*, *Madras* ou *Kashmir*) est également bien dosé, un délice avec le pain *nan* encore tout chaud, sorti du four d'argile et dont on se sert comme d'un prolongement de la main.

La bière en fût anglaise est de rigueur avec cette cuisine des dieux et, personnellement, jamais il ne me viendrait à l'idée de terminer avec un dessert... histoire de conserver un bon souvenir!

Comptez environ 30 $ pour deux personnes avant bière, taxes et service.

SOUVENIRS D'INDOCHINE
243, rue Mont-Royal Ouest
Tél.: 848-0336
Métro Mont-Royal, bus 97
ou métro Place-des-Arts, bus 80
*Ouvert du lundi au vendredi de 11 h 30 à 14 h 30 et de
15 h 30 à 22 h 30,
samedi et dimanche de 17 h 30 à 22 h 30.
Horaire d'été: tous les jours de 11 h 30 à 23 h.*

S'il est une culture et des coutumes alimentaires diamétralement opposées aux nôtres, ce sont bien celles du Viêt-nam. Ses gens et leur extrême délicatesse ont toujours fasciné l'Occidentale gauche et bruyante qui se manifeste chez moi à l'occasion. Leur détermination académique et cette facilité à parler notre langue en font des élus sur le plan de l'immigration en terre québécoise. Et avec l'arrivée des premiers bateaux, les restaurants se sont implantés à leur image, offrant qui une cuisine délicate, qui un autre menu chargé de brochettes pour faire compétition au resto grec voisin.

En attendant d'aller moi-même aux confins des rizières et des plantations de palétuviers, je retournerai sans me lasser au *Souvenirs d'Indochine*, refaire le parcours de ce menu comme on circule dans une barque le long des canaux. Un peu comme l'ont fait Ha Nguyen et Su Le Thien il y a quelques années au pays de leurs ancêtres, je humerai ce parfum insistant de citronnelle dont se servent les paysans pour éloigner les moustiques rapaces. Normal qu'ils en mettent autant dans leur cuisine, qui n'a rien de repoussante par ailleurs.

Pour tous ceux qui fréquentaient l'*Escale à Saïgon*, rue Laurier, *Souvenirs d'Indochine* s'imposera en matière de cuisine vietnamienne car les deux associés ont quitté le premier pour fonder le second. Ils nous livrent l'essentiel de leurs pérégrinations au Viêt-nam et des souvenirs pêle-mêle de la cuisine de leur enfance. Cuisine de femmes que celle-là, cuisine où grillades et légumes du jardin, fines herbes et *nuoc mam* (la sauce de poisson) occupent une place prédominante.

Le menu fait chanter les papilles et s'y trouvent des bijoux présentés dans l'écrin blanc des assiettes. La soupe au tamarin et fruits de mer réunit dans un fumet exquis des pétoncles, des crevettes et des langoustines. Percent des parfums de citronnelle, de piment et du fruit du tamarinier. Cette soupe vous remet l'âme en selle, le cœur en branle et la tête sur les épaules. Le velouté d'asperges et de crabe est beaucoup plus doux, légèrement sucré à cause du crabe et tout à fait saisonnier même si les asperges sont en conserve.

Ce midi-là, nous avons opté pour deux entrées plutôt que deux plats de résistance. Les soufflés de langoustines sur canne à sucre figuraient au menu du restaurant de la rue Laurier et s'y retrouvent à nouveau rue Mont-Royal. Davantage quenelle que soufflé, cette chair rosée et douce s'agglutine autour des bâtonnets de canne à sucre. On mange les soufflés trempés dans le *nuoc mam* d'abord puis on se fait les dents sur la canne à sucre.

Autre entrée absolument exquise, quoique très discrète, ces rouleaux farcis à la vapeur servis eux aussi avec le *nuoc mam*. Une caresse pour l'œsophage que ces ravioli viets dont la texture pâteuse fait ressortir davantage le goût du porc et des champignons. Un peu de *salami* asiatique décore l'assiette.

J'aurais pu tout aussi bien jeter mon dévolu sur la salade de papaye verte au foie de génisse grillé ou la salade d'ananas frais et crevettes ou encore sur le suprême de pamplemousse et calmar grillé en salade, car le chef sait les faire à merveille.

Les grillades du menu sont également omniprésentes et Ha Nguyen me souligne que les roulés de bœuf aux feuilles *Lôt* (les feuilles du poivrier) servis sur paillasson de vermicelles ainsi que le canard croustillant Indochine (cuit au four, désossé et le jus de cuisson dégraissé) lui rappellent tout spécialement son Viêt-nam natal.

Les desserts ne sont pas de reste pour une fois. Ils ont même droit à une petite carte bien à eux. Goûtez impérativement (et de concert) à la glace à la banane et à celle aux noix de coco. Ce moment où le froid fait place à la perfection des nuances du fruit en inondant le palais ne dure qu'un fugace instant. À saisir au vol en fermant à demi les yeux…

Parmi les desserts chauds, les bananes au tapioca et lait de coco ont quelque chose de rassurant et de quasi érotique. Texture des bananes et douceur du lait de coco sur billes de tapioca expliquent peut-être cette impression. Il faudra que j'y regoûte un de ces soirs.

Justement, une dame de ma connaissance m'appelait l'autre jour pour obtenir l'adresse d'un restaurant romantique où enguirlander son galant. Lui soulignant que la nappe rose, les dentelles, les chandelles et le carré d'agneau (pour deux) sont décidément du plus mauvais goût en matière de préliminaires, je lui proposai plutôt d'aller tâter de l'Indochine afin de prédisposer l'Amant. La suggestion vaut pour vous aussi!

Un repas pour deux personnes vous coûtera environ 40 $ avant vin, taxes et service.

Table d'hôte le midi de 7,75 $ à 10,75 $.

LE TAGINE

5168, boulevard Saint-Laurent
Tél.: 495-3976

Métro Laurier, bus 51
ou métro Saint-Laurent, bus 55

Ouvert du mardi au dimanche de 17 h 30 à minuit, fermé le lundi.

À plusieurs reprises, je suis passée et repassée devant la vitrine invitante du restaurant *Le Tagine*. Chaque fois j'ai eu cette réflexion: que de femmes assises là! En fait, je dois vous confier que l'absence de l'autre solitude me frappe de plus en plus dans la plupart des restaurants. Mais où sont les mâles? À la *Cage aux sports*? Chez maman? Dans la section non-fumeurs?

N'allez pas croire que ma soirée serait gâchée sans eux, mais il me semble qu'il y manque un petit quelque chose d'essentiel à l'équilibre, au paysage, au plaisir de se zieuter discrètement et de mesurer les différences. Je ne suis d'ailleurs pas la seule à constater cette désertion massive. Mohamed, propriétaire et chef cuisinier du restaurant *Tagine,* m'avise qu'elles sont nombreuses, surtout en semaine, à hanter les murs (par ailleurs charmants) de son restaurant marocain. Selon lui, les femmes seraient plus ouvertes à la nouveauté et prendraient davantage de risques quand vient l'heure de s'attabler. Avis aux célibataires, ces messieurs se terrent peut-être chez *Desjardins Seafood!*

À nous, donc, *Le Tagine* et son hôte charmant, à nous les mille et une épices à défaut des mille et une nuits, à nous les danseuses du ventre (tiens, je sens que je commence à les intéresser!) en oxygénant le thé à la menthe d'un geste ample, étendues sur nos coussins de velours. La belle vie prend ses aises boulevard Saint-Laurent et se conjugue au féminin.

Côté carte, Mohamed force un peu la main aux client(e)s et leur fabrique des petits menus «où vous pourrez goûter à tout» en moins de temps qu'il n'en faut pour soupirer «oui, je le veux»! Pour tout vous dire, Mohamed sait parler aux femmes: il leur raconte comment sa mère fabrique le pain marocain, il leur confie aussi que s'il se promène avec une tuque sur la tête, c'est qu'il s'est fait raser le coco après avoir perdu une gageure. Il remet ça dix minutes plus tard avec les recettes de sa grand-mère qu'il reproduit de mémoire et son amour pour la cuisine qui lui colle à la peau malgré son métier d'ingénieur. Bref, vous en saurez beaucoup sur lui, les femmes de sa vie (Casablanca en étant une), son pays et l'hospitalité marocaine après être passé(e)s à sa table. Car Mohamed vous reçoit comme chez lui dans sa salle à manger et avec beaucoup de passion.

Ce soir-là, il offre à tous les client(e)s la soupe *harira* bien tomatée, garnie de pois chiches, légèrement aigre-douce et où domine le parfum entêté de la coriandre fraîche. Puis les salades marocaines (carottes au cumin et tomates anémiques) copinent avec une *merguez* succulente et bien épicée. On nous fait aussi goûter à la *pastilla* (cailles ou poulet), cette «pâtisserie» traditionnellement garnie de pigeons, d'amandes et parfumée à la cannelle et la fleur d'oranger. J'avoue que cette version m'a semblée un peu sèche et la pâte phyllo trop humide mais il faut aussi dire que je ne m'emballe pas facilement pour cette entrée souvent trop sucrée.

Les *tagines* sont moins connues chez nous que l'éternel *couscous* et pourtant, elles sont aussi importantes en cuisine marocaine. Cuites dans un récipient en forme de chapeau qui porte leur nom, ces *tagines* réunissent souvent viandes, fruits, noix et épices dans un ragoût parfumé et sublime. Le *tagine* d'agneau aux pruneaux et amandes est une réussite à tous points de vue. Mohamed utilise du gigot d'agneau frais du Québec qu'il nous sert rosé et baignant dans son jus de cuisson légèrement fruité. Quant au *tagine* de poulet, safran, olives vertes et citron confit, ce dernier confère un goût extrêment salé (on fait confire les citrons dans le sel) à l'ensemble. Même grand-maman serait d'accord avec moi!

Le vin dans cette maison vous est facturé en fonction de la quantité prélevée dans la bouteille. Si vous buvez 1/4, vous payez 1/4 et si vous en buvez la moitié, on vous fait payer la moitié de la bouteille et on conserve le restant pour les copains en fin de soirée. Le château Mornag ne nous a coûté que 9 $, la sobriété étant une de nos vertus. Quant au pain marocain, maman étant malade, nous n'avons pu y goûter.

Mohamed vous invite à passer au salon à l'heure du thé et des douceurs. Il en vaut la peine (le salon!) et vous transporte instantanément sous la tente au beau milieu du désert. Autant l'avant du restaurant est coquet et bourgeois, autant l'arrière tient du théâtre et de la mise en scène. Sur les plateaux de cuivre, le patron vous sert le thé et les petites pâtisseries orientales (aux dattes, amandes et fleur d'oranger) d'une fraîcheur incroyable. La fin de semaine, une danseuse s'y produit et chaque soir l'envie de s'envoler pour le Maroc est au rendez-vous.

Un repas pour deux personnes vous coûtera environ 40 $ pour deux personnes avant vin, taxes et service.

TOQUÉ

3842, rue Saint-Denis
Tél.: 499-2084
Métro Sherbrooke
*Ouvert du lundi au vendredi de 11 h à 14 h et du lundi
au samedi de 18 h à 23 h,
fermé le dimanche.*

Deux soirs consécutifs j'y suis allée m'attabler. Deux soirées à émettre des plaintes et des sons gutturaux quasi indécents dans un lieu public. Deux fois j'ai bien cherché à me rendre à l'évidence sans rien trouver à redire. Même mon ami André, qui n'a pourtant pas la langue dans sa poche, s'est momentanément retrouvé sous anesthésie locale. Dans sa bouche le venin s'est fait miel. «On va se faire arrêter pour grossière indécence», a-t-il pléonasmé sur un ton vicieux.

Dès le tartare de saumon à l'avocat et ciboulette coiffé de chips de *taro* et servi sur huile de poivrons, nous savions nos heures comptées. Le chef Normand Laprise nous a fait perdre le sens de l'orientation en moins de temps qu'il n'en faut pour crier *Toqué*, le nom de son nouveau restaurant. «C'est pas un chef, c'est un *pusher*» a insisté André en se flattant la bédaine qu'il a aussi proéminente que l'ego. En matière de stupéfiants, André ne connaît que l'herbe-à-chat. Mais en art culinaire, on peut lui faire confiance car il exécute avec *maestria* toutes les recettes conjuguées du *Larousse Gastronomique* et de Daniel Pinard. Comme ce dernier, il est convaincu de ne jamais se tromper et fait du moindre raté un succès.

Après la délicatesse du gâteau de saumon cru surmonté de *guacamole* verte, (moelleuses saveurs contrastant avec le croustillant des chips légèrement sucrées), nous plongeons sans retenue dans le ballot d'asperges vertes et poulet de grain au basilic et framboises. Rien que d'entendre le nom vous met dans de bonnes dispositions. Les asperges croquantes sont entourées de languettes de poulet juteux et simplement déposées sur une vinaigrette au jus d'orange et huile de basilic assortie de framboises écrasées avec moutarde de Dijon et huile d'olive. L'esprit est tout à fait californien, comme l'était celui du *Citrus*, le restaurant où travaillait Normand Laprise avant d'atterrir de ses propres ailes rue Saint-Denis.

André s'amuse à relire mes notes tandis que je m'attarde davantage à l'assiette pour essayer de deviner les arômes et leurs agencements. «Tu es profondément troublée, mon ange. Tu n'as pas connu pareil émoi depuis des années», lance-t-il avec sa superbe habituelle. Son métier de graphologue l'autorise à trouver toutes sortes d'indications sur mes états d'âme, avoués ou non. André radiographie les êtres à travers leurs écritures et c'est bien ennuyant que de s'exécuter devant lui. Chaque fois on a l'impression de se mettre à nu pour un examen médical annuel. D'ailleurs, je ne suis pas la seule à éprouver ce malaise. André ne reçoit jamais de cartes de vœux à Noël.

Coiffés de leurs casquettes orange, les cuisiniers du *Toqué* s'activent derrière la vitrine. De la rue, les passants peuvent participer des yeux à l'élaboration des assiettes, voire se laisser tenter et entrer. Les présentations sont superbes et on voudrait photographier chaque assiette pour se les faire réapparaître les jours de disette et de frigo vide.

Le cadre du *Toqué* a charmé André dès son arrivée. Il n'est pourtant pas séduit par le retour des *fifties,* (une époque qu'il a mieux connue que moi), en décoration. Mais ces murs tendus de velours synthétique grenat et ces chaises capitonnées signées David Burry sont à la fois confortables et du plus bel effet. «On se croirait dans un film de Jacques Tati», dit-il. Cette salle ingrate et rectangulaire a été exploitée de façon brillante en séparant fumeurs et non-fumeurs, en divisant l'espace pour mieux y régner. Le ton est jeune, les couleurs franches et on se sent la permission d'enlever un soulier pour prendre son pied sous la table.

Le magret de canard poêlé aux bleuets, avec salade de haricots verts et confit à l'ail des bois est tout à la fois: maîtrise de la cuisson, fruité de la sauce sur volaille saignante, haricots *al dente* et ail des bois sacré liés dans la graisse de confit. On s'y perd et on s'y retrouve tant les saveurs se complimentent les unes les autres et surprennent par leur entêtement. Même réussite pour ce cuisseau de jeune cerf rôti avec un gratin de ratatouille au parmesan. Les morceaux de chevreuil saignants s'accomodent de cette sauce plus traditionnelle au fond de cerf et aux amandes rôties. Quant à la ratatouille, elle n'a rien en commun avec cette bouillie pour les chats, décomposée par trop de cuisson. Celle-ci met en valeur tant la courgette que l'aubergine, l'oignon ou la tomate. On y a ajouté du parmesan qui en modifie la structure provençale et le goût.

Le pain dans la corbeille provient de l'excellente boulangerie *Le Fromentier*. Je ne peux qu'en souligner la fraîcheur, la tenue irréprochable de la mie et cet arrière-goût tout à fait discret de levain. Sans être trop californienne, la baguette rappelle néanmoins l'esprit du *sourdough bread* américain. Une Blanquette de Limoux 1983, Sieur d'Arques (à 30 $, c'est moins cher que le Krug Grande Cuvée à 150 $ et ça fait tout autant de bulles) arrosait ce repas dans un esprit festif.

Les desserts sont tout aussi exceptionnels sur cette carte sans table d'hôte et d'une sobriété exemplaire. Trois choix ce soir-là: la tarte aux figues avec glace au chocolat, le gratin de fraises à l'orange et la diététique poire pochée à la rhubarbe et sorbet aux fraises. La tarte aux figues chaude tient du délire et la glace au cacao et Pur Caraïbe (*Valrhona* bien sûr) lui va à ravir. Quant à ces fraises nappées de sabayon à l'orange et gratinées sous la salamandre, c'est le p'tit Jésus en culotte de velours. André est tout émoi: «Cette cuisine est éthérée et hétéro.» Si ses jeux de mots l'amusent... Après tout, c'est lui qui paie la note!

Je ne lui en souffle mot mais demain je reviens sans lui, juste au cas où son influence me ferait perdre tout sens critique. Il faut savoir s'affranchir de ses mentors à l'occasion...

Un repas pour deux personnes vous coûtera environ 65 $ avant vin, taxes et service.

Prêts-Bourses

AU BISTRO GOURMET

2100, rue Saint-Mathieu
Tél.: 846-1553
Métro Guy-Concordia
Ouvert du lundi au vendredi de 11 h 30 à 15 h,
du lundi au dimanche de 17 h 30 à 22 h 30.

Ce resto est on ne peut plus humble et se nomme avec sobriété *Au Bistro gourmet*. Pour une fois qu'on ne vous raconte pas de menteries, profitez-en. En plus, le menu du midi est fixé à 6,95 $ incluant potage et plat garni! Quand Gabriel Ohana (patron et hôte de son état) vous cause potage, ça n'a d'ailleurs rien à voir avec les habituels petits bouillons clairs où flottent quelques légumes épars. Non! Cette crème de légumes corsée vous fait oublier qu'il neige déjà dehors et vous comble le palais sans gâcher l'appétit.

Suivra peut-être ce midi-là une tranche de foie de veau «aller-retour», c'est-à-dire à peine grillée, encore toute rosée à l'intérieur. Mon «côte-à-côte» (sur la banquette) ne m'en a pas laissé une bouchée: c'est signe qu'il appréciait cet aller simple. J'ai pu lui chiper des frites par contre, croustillantes et fines à souhait mais détestables pour la ligne, j'en conviens.

Pour ma part, j'ai goûté à l'escalope de saumon sur sauce aux poireaux, cuite à point, déposée sur une sauce riche et délicate à la fois. Les poireaux ajoutent du tonus et le saumon ne s'en plaint guère. Des petits légumes croquants accompagnent le plat.

Le pain frais demeure la seule chose à ne pas être fabriquée sur place. Je vous conseille incidemment de vous attarder aux desserts: tous maison et d'essence bistrot. Ce feuilleté aux poires mérite des éloges tant la finesse de la poire s'allie à merveille avec la crème pâtissière et le feuilletage au beurre. Le café n'est pas de reste, du genre à vous regaillardir pour l'après-midi... Pour les amateurs d'infusion, c'est la sieste assurée!

Comptez environ 14 $ pour deux personnes le midi avant vin, café, dessert, taxes et service (et quoi encore!). Table d'hôte du midi à 6,95 $ et le soir entre 9,95 $ et 21,95 $.

AU PARADIS DU VÈGE
3620, rue Saint-Dominique
Tél.: 499-9941
Métro Saint-Laurent, bus 55 ou métro Sherbrooke
*Ouvert du dimanche au jeudi de 11 h 30 à 22 h 30 et
le vendredi et samedi de 11 h 30 à 23 h.
Brunch le dimanche.
Terrasse.
Livraison et plats pour emporter.*

Le *Paradis du Vège* sur la rue Saint-Dominique cô-toie les brochetteries païennes de la rue Prince-Arthur et s'arme des meilleures intentions du monde. Toute la journée, un buffet végétarien chaud et froid «des cinq continents» est composé d'une vingtaine de plats. Ce dépaysement culinaire est offert dans une atmosphère sans fumée et sans alcool. La fraîcheur est au rendez-vous et ce paradis retrouvé nous change drôlement de la bouffe granole et usinée du *Commensal*.

Quatre chefs officient aux fourneaux du restaurant: un Indien, un Roumain, un Libanais et un Brésilien. Ce qui explique la présence de cette pizza *zattar* épicée au goût du Liban, cette salade *fattouch* égyptienne, ce plat de fèves noires cubaines et plusieurs plats indiens, tous succulents. La sauce Taj Mahal aux champignons, gingembre, cayenne, ail et crème sur le riz *basmati* au gingembre et clou de girofle font un mariage heureux. De même le concentré de soja en cubes (semblable au *seytan*) sauté au lait de coco et aux épices indiennes aux côtés de l'*okra* Massala parfumé aux tomates, cumin, gingembre et coriandre fraîche.

La maison offre des jus fraîchement sortis de l'extracteur, aux tomates épicées, au cantaloup ou aux fraises. Des bières sans alcool comme la Heineken sont également disponibles pour se désaltérer. Et si votre soif de «grandir» vous dépasse, une librairie ésotérique vous attend à l'étage supérieur.

Buffet à volonté à 6,95 $ le midi et à 9,95 $ le soir avant taxes et service.

BAGEL ETC...

4320, boulevard Saint-Laurent
Tél.: 845-9462
Métro Mont-Royal, bus 97
Ouvert lundi de 18 h à 00 h 30,
mardi de 14 h à 3 h 30,
jeudi de 11 h à 3 h 30,
vendredi de 11 h à 6 h,
samedi de 9 h à 6 h,
dimanche de 9 h à 1 h 30.

Les *brunchs* ont valeur de symbole et les incondi-
tionnels en la matière choisissent leur endroit méticuleu-
sement. Il y faut une bonne dose d'intimité et un brin de
proximité, le tout baignant dans une musique choisie. Le
service doit se faire rapide sans être expéditif et le café
aussi bon sinon meilleur qu'à la maison.

Bagel etc... semble être le digne compétiteur de
Beauty's dans le domaine du *brunch* juif new-yorkais. À la
différence que *Bagel etc...* (anciennement *Cookie's Main
lunch*) est un *diner* (prononcez da-y-nere) et qu'il possède
une longueur d'avance sur son prédécesseur en matière
de café. Le *diner* est fondamentalement américain et s'est
multiplié au cours des années 30 pour atteindre un som-
met dans les années 50. Volontairement rétro, *Bagel etc...*
offre un décor unique en son genre fait de banquettes,
d'un comptoir *snack-bar*, rehaussé d'acier inoxydable aux
reflets art déco, de lampes et d'éléments décoratifs au cachet indéniable. On se sent ici chez soi, sans façon et rajeuni de quelques décennies. Même la musique se met de
la partie pour vous y faire croire.

Parente avec la célèbre omelette de *Beauty's*,
l'omelette brouillée *mishmash* était présentée avec un *bagel* grillé et des pommes de terre rôties. Ces œufs brouillés, généreusement garnis de saucisses fumées (*kolbassa*),
de salami au bœuf, de poivrons et d'oignons grillés,
contentaient largement. Par contre, la texture un peu
sèche des œufs décevra les amateurs d'omelettes ba-
veuses. Le *brunch* classique était composé, lui, d'un jus
d'orange fraîchement pressé et de deux œufs frits ou
brouillés servis avec *bagel*. Les œufs sur le plat étaient
réussis à la perfection et c'est beaucoup plus difficile qu'il

n'y paraît. Quant aux pommes de terre rôties de la maison, elles sont tout simplement vicieuses, les Américains traduiraient par *addictive*.

Autre spécialité du *brunch* de *Bagel etc...*, les *blintzes*, ces petites crêpes juives farcies d'un mélange de fromage et aussi aux bleuets ou aux pommes. Nappés de crème sure ou de confitures (trop commerciales), les *blintzes* au fromage étaient délicieux. Le café au lait, présenté dans un petit bol rétro en verre teinté de rose, accusait une belle mousse aérienne en surface et le café utilisé avait toute l'intensité voulue.

Un *brunch* pour deux personnes vous coûtera environ 20 $ avant taxes et service. Spécial du jour de 7,50 $ à 11,50 $.

BYBLOS

1499, rue Laurier Est
Tél.: 523-9396
Métro Laurier, bus 27
Ouvert de 10 h à 23 h du mardi au dimanche,
fermé le lundi.

On y sert quelques spécialités libanaises, probablement pour justifier la raison sociale, mais la véritable idéologie chez *Byblos,* c'est la cuisine iranienne. Cuisine de femmes, cuisine mystérieuse aux parfums éloignés, cuisine dédale et labyrinthique, on s'y perd avec délices, conquis dès les premières bouchées.

Rue Laurier Est, ce petit café perse détonne. Les murs plâtrés en mosaïques de diverses couleurs transpirent un goût certain et n'ont d'égal que ces reproductions moyen-orientales qui ornent les surfaces restées vierges. Chaque objet de ce petit restaurant a sa raison d'être, tant cette horloge travaillée par le temps suspendue au-dessus du passe-plat de la cuisine que cette bibliothèque garnie de livres lus, et cette magnifique pipe à *kif* dissimulée derrière une plante verte.

Les objets parlent, ont un «vécu». Par eux, on se sent admis à partager l'intimité d'une famille iranienne l'instant d'un repas. Sur le comptoir du bar traînent, aux côtés du bocal à poissons rouges, un jeu d'échecs et un autre de *Scrabble* dont les habitués des heures creuses de l'après-midi font bon usage. *Byblos* est aussi un café de quartier où l'on vient avec plaisir siroter son café turc, arabe ou italien pour tuer le temps et ce printemps qui n'en finit plus d'accoster.

Le menu initie le nouvel arrivant aux rudiments de la cuisine du Moyen-Orient. La propriétaire, Hemela et sa fille Nina feront le reste en y ajoutant leur sourire de contes des mille et une nuits. Gentillesse, doigté, grâce et vérité qualifient tant la mère que la fille, toutes deux vêtues d'une petite veste brodée façon orientale. Iranienne du nord, Hemela Pourafzal nous présente cette cuisine quasi végétarienne où toute la place est faite au riz, aux aubergines, aux œufs, au yogourt et aux épices telles la cardamome, le safran, le cumin, la muscade, la cannelle et la coriandre. S'y ajoutent l'eau de rose et de fleur d'oranger, la menthe et l'aneth comme autant de parfums d'un jardin gardé secret.

Le menu est présenté sous forme de chapitres regroupant des plats de même famille sous un même chapeau. Les entrées (nombreuses) forment ce qu'on appelle le *mazza*, cette première étape du menu moyen-oriental où tous les petits plats sont déposés sur la table et se consomment avec le pain arabe. On peut même faire tout son repas de ces petites assiettes fort bien garnies.

Chez *Byblos,* on peut, pour démarrer, choisir un plat de yogourt aux légumes, soit aubergines, épinards, betteraves ou concombres. Celui aux betteraves relevé à la menthe avait une belle couleur rosée. L'arrière-goût sucré des betteraves coupait dans l'aigreur du yogourt. La salade *tabbouli* libanaise s'offrait en guise de plat national. Ce mélange de persil haché, de tomates concassées, de *bulghur*, d'oignons et de menthe fraîche, le tout abondamment arrosé de jus de citron rafraîchit l'haleine et la digestion.

Inscrites au deuxième chapitre, les purées de légumes sont un *must* de la cuisine perse. La purée d'aubergines aux tomates et aux œufs parfumée à l'ail, était servie tiède et surpassait le traditionnel caviar d'aubergines libanais. Des rouleaux au poisson et aux épinards servis dans une pâte feuilletée très légère complétaient cette deuxième étape. La pâte avait perdu de son croustillant naturel à la suite de son séjour au frigo mais n'en demeurait pas moins délicieuse.

Troisième étape de ce repas haut en couleur: le *koukou*, cette omelette iranienne servie en pointe de tarte. Le *koukou* au poulet, aux oignons et au safran était apporté chaud et se détachait sous la fourchette avec délicatesse. Le parfum insistant du safran donnait du tonus aux œufs garnis de morceaux de poulet. Les *pirojki* aux épinards et au fromage doivent leur nom à la cuisine russe. Ces triangles de pâte feuilletée garnie d'épinards étuvés et de fromage *feta* avaient quelque parenté avec le *spanakopita* grec.

Du pain iranien *barbari* parfumé à l'aneth accompagnait divinement ces plats et remplaçait avantageusement le *pita* arabe. Le vin rosé est des plus appréciés en France avec cette cuisine, mais l'est moins ici où on lui préfère souvent la bière. Un Château Sainte-Roseline de Provence arrosait à merveille ce repas. Les desserts sont loin d'être négligés chez *Byblos*. On peut à sa guise choisir les desserts occidentaux tels les gâteaux au chocolat, au fromage ou les tartes aux fruits ou encore faire une plongée du côté des desserts orientaux tels ces sorbets maison ou ce flan à la cardamome. Les sorbets, sorte de neige givrée, étaient parfumés soit au cantaloup et à l'eau de rose (un délice), soit aux griottes, soit à l'orange et à la fleur d'oranger. Tous trois avaient une saveur maison imbattable. Le flan à la fécule de blé parfumé à la cardamome était découpé en losanges et servi sur un coulis de griottes amères.

Thés et cafés ont une place de choix dans cette cuisine. La Turquie n'est pas bien loin et son café corsé non plus. Le thé à la menthe façon arabe est servi sucré ou non dans une petite théière de porcelaine. Le verre déposé sur un petit plateau d'étain côtoie une minuscule soucoupe garnie de morceaux de sucre blanc. Le café arabe est présenté dans une jolie petite cafetière ouvragée au long bec. Abondamment parfumé à la cardamome, ce café se sert sans sucre et on le dit moins fort que le café turc. Ne vous fiez pas à l'inoffensive tasse de porcelaine fleurie, ce breuvage tient de la dynamite. Grand-mère préférera sûrement le lait chaud ou l'infusion.

Un repas complet pour deux personnes vous coûtera environ 30 $ avant vin, taxes et service. Table d'hôte à 9,95 $ et 12,50 $ le soir et à 6,95 $ le midi.

CHEZ GATSÉ
317, rue Ontario Est
Tél.: 985-2494
Métro Saint-Laurent ou métro Berri-UQAM

Ouvert du mardi au vendredi de 11 h 30 à 14 h 30,
du mardi au jeudi de 17 h 30 à 21 h 30,
le vendredi jusqu'à 22 h 30,
le samedi et dimanche de 13 h à 22 h 30,
fermé le lundi.
Terrasse.

Petit restaurant tibétain doté d'une magnifique terrasse ombragée en plein cœur du quartier latin, *Chez Gatsé* est un spéciment unique rue Ontario. À noter la touche d'humour derrière la raison sociale, Shigatse étant la deuxième ville en importance au Tibet. Un modèle d'intégration sociale!

Le soir où j'y ai mis les pieds pour la première fois, nous étions plusieurs à attendre à la porte malgré notre réservation. Disons que pour toute excuse, *Chez Gatsé* nous permet de faire connaissance avec l'une des plus petites communautés ethniques du Québec. Tout son personnel est tibétain pure laine (de yak), ce qui n'empêche personne de s'adresser à vous en français et avec une extrême gentillesse.

La bière accompagne à merveille cette cuisine aux consonances légèrement chinoises et portée sur le végétarisme, bouddhisme oblige. On apporte aussi les baguettes avec les ustensiles de métal. Mais surtout vous aurez intérêt à méditer avant d'arriver, histoire de ne pas vous impatienter. Le cuisinier semble préparer les spécialités table après table dans l'ordre d'arrivée. Une technique éprouvée mais qui risque de nuire au bon déroulement des opérations à la longue.

La soupe au fromage bleu, en entrée, marie deux éléments qui me semblent discordants. Mais la tradition voulant ce qu'elle veut, je me borne à laisser à d'autres ce brouet clair au goût de brebis égarée. La soupe aux lentilles jaunes accuse elle aussi une légère fadeur, mais on y retrouve des vitamines et des fibres comme diraient nos diététistes.

Dirigez-vous plutôt du côté des plats de résistance et goûtez aux *momos*, ces *dumplings* farcis au bœuf et présentés avec une sauce tomate pimentée. Au Tibet, on dit «avoir la bouche comme un *momo*» pour signifier qu'on a la bouche bien fermée. Le fin du fin, quand on les prépare, est d'arriver à terminer le dernier bout de pâte avec le dernier morceau de viande à farcir. *Chez Gatsé*, on les présente avec du chou et des fèves germées marinées, du brocoli cuit, des tomates et du concombre.

Le poulet frit *lassah* met en évidence des morceaux de poulet marinés avec du gingembre, de la coriandre et de l'anis étoilé, puis mis à frire. La chair tendre de la volaille semble faite pour s'entendre avec cette sauce brune légèrement épicée, proche parente de notre sauce *barbecue*. On peut aussi y ajouter de cette sauce pimentée et tomatée. Le poulet est servi avec du riz ou des petits pains *timo* cuits à la vapeur et brûlants.

Comme dessert, on propose des fraises ou des mandarines à la crème. Comme quoi l'exotisme parfois nous ressemble.

Comptez environ 20 $ pour deux personnes avant bière, taxes et service. Table d'hôte midi et soir à 7,25 $.

CHEZ SOI
421, rue Marie-Anne Est
Tél.: 847-7598
Métro Mont-Royal
Ouvert du lundi au vendredi de 17 h à 19 h.
Repas pour emporter.

Depuis six ans, je passe et repasse devant ce petit resto sans jamais oser m'arrêter. Davantage qu'un restaurant de quartier, *Chez Soi* est une «popote roulante» et un appendice de la cuisine de nombreux résidents du Plateau Mont-Royal. Par beau temps, le trottoir sert de terrasse et il n'est pas rare de voir les clients manger leur assiette sur les genoux. J'ai toujours cru, à tort, que cette enseigne était le lieu de rendez-vous d'une secte et d'une poignée d'initiés. En fait, *Chez Soi* est un resto Krishna, végétarien et à but non lucratif, mais auquel tous les non-croyants ont accès.

Gilles, une grosse cuillère en main, nous accueille avec un sourire fendu jusqu'à la casquette. «C'est votre première fois?» demande-t-il pour se faire rassurant. Nous avons manifestement l'air de débutantes au temple, un peu gauches et intimidées par l'odeur d'encens. Devions-nous enlever nos sandales à la porte et nous signer avant d'entrer? On a presque l'impression de se joindre à un repas de famille déjà entamé. «Je vous sers une assiette de *kithri* avec salade, poursuit Gilles. Vous avez de la vinaigrette ici et trois sortes de pain. C'est 4,50 $ à volonté avec le dessert. Mais le dessert, c'est moi qui fixe les quantités!»

Gilles nous avait averties: le danger croît avec l'usage et la plupart des clients sont aussi des habitués, certains y reviennent chaque jour de la semaine. Et puis, c'est tout aussi équilibré que la cuisine de maman, sans compter qu'on ne fait pas la vaisselle. Le *kithri* est un plat indien fait de lentilles *daal*, de riz et de légumes tels que haricots verts, carottes et pois. Le tout est épicé à l'indienne avec force gingembre et coriandre fraîche. Un délice avec la salade romaine et le *papadum*, galette indienne frite à l'anis.

Chaque jour, le menu solo change et, m'explique Hélène Archambault, l'une des fondatrices, on peut aussi bien servir du pâté chinois végétarien, des fèves noires avec *salsa* mexicaine, une lasagne aux aubergines, qu'une salade-repas aux légumineuses, céréales et noix. Les desserts varient eux aussi: parfois biscuits au caroube (ouache!), parfois desserts indiens ou tartes aux fruits. «Ce resto est unique, souligne Hélène, parce que la nourriture est offerte à Dieu.»

Ce resto est surtout unique parce qu'on a l'impression d'y manger entre frères et sœurs, sans avoir à faire sa prière avant le repas et sans se faire vendre quoi que ce soit sinon un plat de lentilles indiennes. Avis aux hommes et femmes de bonne volonté.

Un repas pour deux personnes vous coûtera 9 $ avec taxes et avant service.

CUCINA
5134, boulevard Saint-Laurent
Tél.: 495-1131
Métro Saint-Laurent, bus 55 ou métro Laurier, bus 51

Ouvert de 11 h 30 à 23 h du lundi au mercredi, de 11 h 30 à minuit du jeudi au samedi et de 16 h 30 à 23 h le dimanche.
Terrasse.
Pas de réservations sauf pour les groupes.

*S*pot branché du Mile-End, le bistrot-pizzeria *Cucina* nous plonge dans une atmosphère mi-rétro, mi-avangardiste, autant à cause de l'espace superbement utilisé que de la musique de *juke-box* qui y ajoute sa touche chaleureuse redevenue contemporaine. De ses fenêtres hautes, le restaurant a pignon sur la *Main* et partage avec son voisin, l'*Avocado Café*, un jardin destiné à verdir. *Cucina* s'emploie très simplement à proposer des en-cas, casse-croûte, petits repas pris sur le pouce ou avec les cinq doigts de la main.

La pizza au four à bois est évidemment de la partie et les *calzone* aussi. Sur les menu-napperons, les *antipasti* font figure d'entrées et on peut même en faire son repas. La salade de légumes était un mélange de légumes cuits tels carottes, choux-fleur, poivrons, oignons servis en vinaigrette. Cette entrée légère et fraîche respectait à tous points de vue l'esprit italien. Le *carpaccio*, quant à lui, était présenté sobrement, les minces tranches de filet de bœuf tapissant l'assiette et une mayonnaise légère et parfumée à l'estragon complétant l'ensemble.

Les pizzas sont composées d'ingrédients frais et le menu propose la panoplie habituelle des *quatre saisons*, *capricciosa*, *napoletana* et *primavera* mais on peut aussi se laisser tenter par la section «internationale», soit la pizza à l'alsacienne (qu'on appelle là-bas tarte flambée) à la crème sûre aux oignons, lardons et fromage, ou encore la pizza arménienne à la viande épicée, et la californienne au fromage de chèvre. La pizza *koscher* était présentée sur croûte de blé entier. Enduite de crème sûre, recouverte de saumon fumé, de tomates, d'oignons et de fromage, cette pizza tenait ses promesses. Les tomates auraient simplement gagné à être plus rouges (mais les importations sont ce qu'elles sont) et la croûte plus mince.

La maison a un faible pour les pâtes fraîches et les sert en demi-portion ou portion complète. Les *tortellini* aux épinards farcis à la viande reposaient mollement dans une sauce crémée aux épinards, bien verte et bien intense.

Le pain dans la corbeille était des plus frais et même servi un brin tiède. La mie dense et la croûte farineuse du pain italien n'a décidément rien à envier à la baguette française. Une bouteille de Chardonnay Angove's arrosait ce repas bien honnêtement.

Les desserts de *Cucina* font dans la glace *Häagen-Dazs*, les yogourts glacés aux fruits frais et le *tartufo*, mais on peut aussi y goûter des petits gâteaux pas banals d'allure américaine. J'en veux pour preuve ce gâteau aux bananes entrelardé d'une crème de bananes et nappé d'une mince couche de ganache au chocolat. Le gâteau avait la fraîcheur des grands jours et la ganache donnait à ce classique anglo un peu de panache. Quant au gâteau au fromage, il était d'une légèreté peu commune résultant d'une technique sans cuisson. Personnellement, je préfère la véritable version *cheesecake* de ce grand classique américain.

Un repas pour deux personnes vous coûtera environ 33 $ avant vin, taxes et service. Table d'hôte du midi à 6,95 $.

L'ENTRECÔTE SAINT-JEAN
2022, rue Peel
Tél.: 281-6492
Métro Peel
Ouvert de 11 h à 23 h du lundi au vendredi
et de 17 h à 23 h le samedi et dimanche.

L'Entrecôte Saint-Jean a fait ses preuves à Québec et s'est installée rue Peel, offrant un décor lumineux, des prix compétitifs, un service rapide et un menu des plus réduits où l'entrecôte vous est imposée d'office. Végétariens, adeptes du régime anti-cholestérol, écologistes portés sur l'anthropomorphisme, prière de s'abstenir! On ne fait aucune concession dans ce restaurant à l'allure de brasserie parisienne, si ce n'est sur la cuisson.

Qu'on choisisse la formule rapide (11,50 $) de l'entrecôte-frites-salade ou celle plus élaborée (14,50 $) à laquelle s'ajoute un potage et des profiteroles au chocolat, les enjeux sont les mêmes et la convivialité règne d'un bout à l'autre du restaurant. Pas de chichi, pas d'indécis, pas de retour de plats, pas de gaspillage, pas de mauvaises surprises, pas d'engorgement en cuisine, vous savez exactement où vous allez. Et en cette période où la plupart des restaurateurs et clients tirent de l'aile pour survivre, la formule est d'autant plus appréciable qu'elle garantit aux clients le meilleur rapport qualité-prix possible. Faute de choix, on obtient du moins une garantie de fraîcheur.

Les tables trop rapprochées vous donnent «pignon sur conversation» chez les voisins immédiats. On rentabilise l'espace au maximum. Pour peu qu'on ait des rondeurs, on risque de se tremper les fesses au passage dans le potage d'un convive ou de ne plus pouvoir s'extirper de la banquette une fois le repas terminé!

Le potage de poireaux a la consistance et la saveur voulues. Fait maison, il rappelle les bonnes crèmes réconfortantes de l'enfance. Présentée à l'américaine, avant la pièce principale, la salade aux noix réunit des feuilles de laitue Boston ainsi que des noix fraîches soutenues par une vinaigrette corsée.

L'entrecôte, de bonne facture, se veut généreuse, nappée d'une sauce bien grasse à la crème, au beurre et aux multiples épices secrètes (incluant le cari). Les pommes frites, pas tout à fait allumettes mais bien dorées, excellentes et fraîchement retirées de l'huile font honneur à la maison. On insiste à *L'Entrecôte* pour utiliser des produits québécois: du bœuf d'ici plutôt que de l'Ouest, des pommes de terre de l'Île d'Orléans et des laitues fraîches dès que la verte saison est de retour.

Le pain dans la corbeille gagnerait à être moins aérien et la carte des vins propose une sélection passe-partout et peu imaginative de vins sans vice ni vertu. Une demi-bouteille de Mouton-Cadet arrosait ce repas.

Les profiteroles au chocolat font partie de ces desserts bien français appréciés tant des grands que des petits. Ces deux petits choux fourrés de glace à la vanille fondent littéralement sous l'épaisseur de sauce au chocolat. Le chocolat est de bonne qualité et quelques amandes viennent décorer tout ça. Que demander de plus sinon une addition tout à fait digeste?

Un repas pour deux personnes vous coûtera environ 30 $ avant vin, taxes et service.

LE FLAMBARD
5064, rue Papineau
Tél.: 596-1280
Métro Laurier, bus 27 ou métro Papineau, bus 45
Ouvert de 18 h à 22 h 30 du lundi au mercredi et de
18 h à 23 h du jeudi au samedi,
fermé le dimanche.

On confond souvent prix excessifs et qualité, décor pompeux et assiettes bien garnies, service empesé et connaissance de la gastronomie, serveur cravaté et doigté. Je connais pourtant des maîtres d'hôtel qui ne savent ni comment couper une pointe de brie ni à qui faire goûter le vin quand c'est une femme qui le commande. Je leur conseillerais d'ailleurs de lire (et à vous aussi) le livre de Margaret Visser, *The Rituals of Dinner*. Cette bible des rites dînatoires traite d'un point de vue tout autant sociologique qu'anthropologique des façons que nous avons, nous Occidentaux, de passer à table et de s'en relever vivants!

Du pourquoi et du comment je ne disserterai pas davantage bien qu'au trop recherché je préfère la simplicité et aux restaurants flamboyants, *Le Flambard*. Ce restaurant réussit avec très peu de moyens, ce que d'autres tentent de bâtir à coup d'emprunts et de faillites. L'endroit est chaleureux (malgré l'air climatisé), sympathique, sans aucune prétention sinon celle de vous faire passer un moment agréable. Bref, le genre d'adresse que j'hésite toujours à communiquer (sauf durant les vacances) parce que la célébrité leur monte trop souvent à la tête.

Le décor est reposant et jumelle le jaune beurre et le brun Van Dyck, les photos de Robert Doisneau et des prises de vue d'un Paris noir et blanc. Les gens du quartier ont adopté *Le Flambard* mais le bouche à oreille a lui aussi tranquillement fait son travail.

Au menu, le *gaspacho* donne un coup de fouet au temps lourd et à un appétit au ralenti. Excellente et de belle consistance, cette soupe froide à base de tomates, oignons, concombres et poivrons fait honneur à l'Espagne mais abuse de l'ail et de notre digestion. La salade de *ravioli* au chèvre regroupe quelques *ravioli* maison servis chauds. Farcies au fromage de chèvre et à l'estragon (une herbe fétiche dans ce restaurant), ces petites bouchées sont entourées de salade romaine relevée à la vinaigrette.

L'entrecôte canaille occupe presque toute la place dans l'assiette. Cette belle pièce de bœuf tendre est au mieux avec une sauce classique (crème et vin blanc) parfumée au vinaigre à l'estragon. Des frites croustillantes et point trop grasses accompagnent la grillade bien saignante. Quant aux noisettes d'agneau Germaine, on a fait appel à l'oseille, au vin blanc, au fond de veau et à la crème pour rehausser un agneau tendre mais sans saveur caractéristique malgré une cuisson juste. Des petits légumes fort bien roulés et des pommes de terre purée à la douille garnissent l'assiette.

La baguette dans la corbeille a du goût et une fraîcheur exemplaire. On apporte du soin à la présentation du beurre. La carte des vins présente quelques bons petits achats comme ce Picpoul de Pinet et le patron ne retient que 40 % de plus que le prix de la SAQ. Une aubaine!

Les glaces et sorbets maison annoncés s'étaient absentés. Restait ce fraisier fort convenable affichant le charme des pâtisseries faites à la maison: pur beurre, pur fruit, pur sucre. L'Opéra (de la *Pâtisserie Bruxelloise*) regroupe crème au beurre au café et ganache au chocolat sous une même couche de chocolat pur et de génoise au chocolat.

Un repas pour deux personnes vous coûtera environ 40 $ avant vin, taxes et service. Table d'hôte de 7,95 $ à 11,50 $ le midi et de 11,50 $ à 18,75 $ le soir.

HERMÈS
1014, rue Jean-Talon Ouest
Tél.: 272-3880
Métro Acadie ou métro Jean-Talon, bus 92
Ouvert de 11 h à 5 h tous les jours!!!

La devanture rococo bleue et blanche ne laisse aucun doute sur la facture de ce restaurant perché rue Jean-Talon. Le nom d'*Hermès* en toutes lettres complète le portrait. Ne manque à cet étalage de clichés dignes des panneaux publicitaires du Club Med qu'une statue ou deux de jeunes adonis musclés à jamais métamorphosés en portiers.

Depuis plus de 25 ans, ce restaurant fait les beaux jours (dans le plus grand secret) de la communauté grecque montréalaise. Il s'attire en prime une clientèle revenue des brochettes de la rue Duluth et mal remise des coûteuses *psarotavernas* de l'avenue du Parc. Une presque Grecque m'a initiée aux subtilités de la cuisine de Costas par un soir d'automne pluvieux.

À l'intérieur du restaurant, le décor ne manque d'aucun élément kitsch nécessaire au passage dans l'au-delà de la mythologie. La musique emboîte le pas au ventilateur de plafond (la brise du large ne ferait pas mieux) pour recréer l'ambiance des *tavernas* où visiteurs et insulaires coulent des jours tranquilles. Familière avec la langue et les coutumes, mon invitée m'explique que les Grecs cuisinent le matin avant que ne s'installent les chaleurs cuisantes de l'après-midi. Dans les familles, on mange les repas du midi et du soir tièdes, à la température de la terrasse. Que ce soit les frites, la *moussaka* ou le café, tout a été préparé d'avance.

Chez *Hermès,* on retrouve un peu de cette façon de faire. Le menu manuscrit n'existe pas et les plats, tous préparés le matin trônent sur une table chauffante au fond du restaurant. On choisit son repas en pointant du doigt et en demandant des explications au besoin. Les odeurs et les couleurs se chargent de guider les instincts. Chaque semaine, midis et soirs, une cinquantaine de plats différents défilent derrière ce comptoir. On y retrouve l'essence de la cuisine du terroir grec, de celle que fricotent encore les grands-mères et les nostalgiques.

La *skordhalià*, par exemple, fait partie de ces spécialités méditerranéennes simples et savoureuses mais tellement plus longues à préparer qu'une vinaigrette *Kraft*. Les Grecs font la même utilisation de cette «sauce» que les Français de l'aïoli, quoique la préparation se rapproche davantage de la brandade de morue provençale... la morue en moins!

Simplement dégustée sur une épaisse tranche de pain grec, cette trempette est un pur délice mais gare aux effets secondaires! Une tête d'ail (ne pas confondre avec une gousse) par pomme de terre en purée montée en mayonnaise à l'huile d'olive avec un peu de vinaigre et de pain trempé, c'est à peu de choses près ce en quoi consiste cette petite entrée tiède. Vous aurez intérêt à brouter du persil pendant quelques heures, histoire d'être civilisés.

Le *saganaki* est une autre entrée de fromage de chèvre frit, très salé et arrosé de jus de citron frais. Cette fondue au fromage locale s'accompagne de tomates et de concombres rafraîchissants et d'olives noires succulentes.

Parmi les plats du jour, la chèvre, le gigot ou la tête d'agneau, le veau et les cailles se donnent la réplique. Des tomates farcies et de la chicorée sauce citron ainsi que des pommes de terre rôties ou des petites pâtes *manestra* assurent la contrepartie. Des *spanakopita* aux épinards et fromage *feta* peuvent également soutenir le siège.

Le veau braisé aux oignons et aux épices, recouvert de fromage et parfumé à la cannelle s'offre sans résistance à la fourchette. Jamais veau ne fut plus heureux que dans cet environnement aux consonances familiales. Les *manestra* tomatées s'accouplent à la viande juteuse ayant conservé tous ses sucs.

Même façon admirable de saisir les chairs à feu lent en ce qui concerne la chèvre fondante servie avec des oignons perlés. La viande caprine plutôt inusitée pour nos palais nord-américains accuse des saveurs prononcées rappelant vaguement le mouton. Monsieur Séguin lui-même aurait apprécié. Les tomates farcies de riz font partie des classiques grecs qu'il faut à tout prix goûter.

Inutile de commander autre chose que la *retsina* en carafon pour arroser cette cuisine costaude. Le pain dans la corbeille est des plus frais, tout ce qu'il y a de grec.

Le chef pousse parfois l'amabilité jusqu'à venir prendre le café avec ses clients. Le *galactobouryko*, un flan absolument délectable entre deux épaisseurs de pâte phyllo, remplace avantageusement le *baklava*. Le temps de terminer son dessert et c'est presque l'heure de la lecture dans le marc de café épais comme de la vase au fond de la petite tasse…

Un repas pour deux personnes vous coûtera environ 30 $ avant *retsina*, taxes et service.

NATARAJ

1639, rue Sainte-Catherine Ouest
Tél.: 938-1395
Métro Guy-Concordia
*Ouvert du lundi au dimanche de 11 h 30 à 14 h 30 et
de 17 h à 22 h.*

Trop de restaurants ont souscrit à des exigences platement économiques depuis le début de la récession et bien peu ont réussi à maintenir la qualité nécessaire pour nous prendre par les sentiments (lire l'estomac) en plus de la raison. Je vous ferai tout de même partager une découverte au centre-ville. Pour plusieurs, le découragement y atteint son paroxysme le midi car les mauvais rapports qualité-prix pullulent. Le restaurant *Nataraj*, situé juste en face du Faubourg Sainte-Catherine, gagnerait à être connu, et vite, avant qu'il ne ferme ses portes. Sept jours par semaine, un buffet de mets cuisinés indiens est mis à votre disposition où vous pouvez vous servir (et vous resservir) autant de fois qu'il vous semblera nécessaire contre 6,95 $ le midi et 9,95 $ le soir. Qui dit mieux?

Toujours perdante dans ce type d'arrangement culinaire, parce que je n'ai pas les yeux plus grands que la panse, je dois pourtant convenir qu'il est impossible de ne pas manger pour son argent au *Nataraj*. De plus, la vitesse à laquelle vous aurez terminé le repas (vous éliminez toute attente et faites le service vous-mêmes), vous enlèvera au moins une excuse pour aller chez *Mike's* ou au *McDonald* du coin.

La soupe *daal* aux lentilles vous attend sur le réchaud et les nombreuses épices qui la parfument vous requinqueraient un mort. Suivent de nombreux plats végétariens comme le *saag Paneer* (épinards et fromage), les pois chiches au cari et coriandre, le chou-fleur et petits pois en cari sec ou le riz *basmati* au clou de girofle. Des plats carnés tels le poulet au beurre ou au cari et les crevettes *tandoori* s'ajoutent à cette nomenclature de plats indiens épicés juste à point.

Du pain *nan* vous est apporté à table et un bar à salades s'ajoute à cette variété stimulante de plats. On peut aussi faire trempette dans le *chutney* aux mangues ou à la menthe. Quelques desserts indiens s'ajoutent à ce festin populaire. De façon générale, les plats ne souffrent pas trop (hormis les fritures) de cette attente sur réchaud à la vapeur et les caris réchauffés ne s'en portent d'ailleurs que mieux.

Un repas pour deux personnes le midi vous coûtera 13,90 $ avant bière, taxes et service. Buffet du midi à 6,95 $ et le soir à 9,95 $. Samedi et dimanche midi à 7,95 $.

L'OLIVIER DU PARC

356, boulevard Saint-Joseph Ouest
Tél.: 279-9746
Métro Laurier, bus 51 ou métro Place-des-Arts,
bus 80
Ouvert tous les soirs de 17 h à minuit.
Terrasse.

L'Olivier du Parc niche boulevard Saint-Joseph et on s'y retrouve dans une ambiance typique de l'Afrique du Nord avec sa musique, son artisanat, ses odeurs d'épices secrètes. Les ustensiles au manche ambré sur les tables témoignent d'un souci du détail rare. Le décor est lui aussi minutieusement travaillé et typiquement berbère, avec tout ce que cela suppose de nostalgie et de touchants détails. Il réussit parfaitement à faire oublier les défuntes administrations.

En entrée, les pois chiches au cumin mêlent savamment les légumineuses encore fermes sous la dent aux oignons, au cumin, au persil et à l'huile d'olive. Le *brik* aux champignons est une version inusitée de cette spécialité frite. Du fromage, du basilic et des champignons mouillés de crème tiennent lieu de farce à celui-ci. Arrosé de citron frais, le *brik* n'en est que meilleur. Mais j'avoue préférer le *brik* traditionnel à l'œuf encore baveux ou au thon.

Les *couscous* sont rois dans cet établissement. Celui aux *merguez* est présenté avec les légumes dans le bouillon. La semoule est excellente et les *merguez* à l'agneau aussi. Les végétariens ont droit à un *couscous* arrosé d'huile d'olive, sans bouillon mais avec de nombreux légumes pour un repas plus léger.

Autre spécialité de l'endroit, cette épaule d'agneau sauce *kabyle* faite de fond de veau parfumé au basilic. L'agneau mijoté dans cette sauce s'y détache facilement et laisse échapper des parfums subtils. Un Côte du Rhône de la maison Dubœuf arrosait ce repas tiré d'une carte où les vins oscillent entre 20 $ et 30 $.

Les desserts méritent un détour si l'envie y est. Ces beignets farcis aux dattes et à la pâte d'amandes arrosés d'une sauce à l'orange au beurre n'ont d'égal que ces roulés de poudre d'amandes et de pistaches dans la pâte phyllo sur sirop à la fleur d'oranger. Un petit thé à la menthe avec ça?

Un repas pour deux personnes vous coûtera environ 35 $ avant vin, taxes et service. Table d'hôte de 16,75 $ à 17,95 $.

PIAZZETTA
4097, rue Saint-Denis
Tél.: 847-0184
Métro Sherbrooke
*Ouvert du dimanche au mercredi de 11 h 30 à minuit,
du jeudi au samedi de 11 h 30 à 2 h.*

À l'occasion de la quinzaine des sciences, *McDonald* a fait parvenir aux médias une affiche où sont démontrées noir sur blanc les propriétés insoupçonnées du fromage, du pepperoni et de la croûte dans l'art de fabriquer la PIzza (accent tonique sur la première syllabe). Joli coup de marketing. Qu'on en juge: «Sous l'effet de la chaleur, la couche de fromage subit une transformation d'état, passant d'un état solide à un état liquide.» Ce fromage fondu constitue un réservoir d'énergie thermique, poursuit le communiqué, qui garde le système chaud longtemps. La pâte, quant à elle, «devient un pain constitué d'un grand nombre de minuscules poches d'air non reliées les unes aux autres en faisant ainsi un excellent isolant». Pour ce qui est du pepperoni, la matière grasse qui le caractérise se liquéfie et devient un bassin thermique. Rien de moins!

Je vous épargne les considérations hautement scientifiques qui accompagnent la nature de la boîte de carton (faite de fibres recyclables) et de son pouvoir isolant. Mais je retiens que tout devient prétexte à justifier la disparition des papilles gustatives. Dans quelques générations, on fera peut-être une quinzaine des sciences là-dessus: la PIzza crée-t-elle l'organe ou l'organe la PIzza? J'en retiens aussi que votre pizza peut goûter le carton (ou vice-versa), en autant qu'elle soit chaude et servie en moins de trois minutes... Que de parents se servent de leurs enfants comme prétexte pour rebouffer de ce pain-là...

Je préfère pour ma part m'en tenir à des croûtes plus légères (et moins thermiques) réchauffées par une chandelle de table. *Piazzetta*, nouvellement établi rue Saint-Denis, s'est dédié corps et âme à la pizza ultra-mince agrémentée de quelques ingrédients discrets et faire-valoir.

Originaire de la ville de Québec, cette chaîne mise sur une cuisine réduite à sa plus simple expression, la fraîcheur des ingrédients et la rapidité du service. Mais cela n'en fait pas un *fast-food* pour autant. Pizza toute garnie au *prosciutto* ou aux trois fromages (mozzarella, ricotta, parmesan) valent le détour même si elles sont cuites au four à gaz.

Même simplicité pour la salade romaine, pour l'unique bouteille de vin (Merlot dans le rouge et Soave dans le blanc) et un coup de cœur pour ce gâteau au chocolat dense. Les prix tiennent du miracle et les pizzas individuelles sont détaillées entre 3,75 $ et 5,50 $. Quant au décor, il s'inspire des lignes épurées en vogue à *La Pizzaiolle* et chez *Pizzédélic* avec deux angelots (vous les retrouverez aussi chez Saint-Hubert) comme marque de commerce.

Un repas pour deux personnes vous coûtera environ 25 $ avant vin, taxes et service.

LA PIZZAIOLLE
1446A, rue Crescent
Tél.: 845-4158
Métro Guy-Concordia

3616, boul. Saint-Laurent
Tél.: 842-6383
Métro Saint-Laurent, bus 55

5100, rue Hutchison
Tél.: 274-9349
Métro Place-des-Arts, bus 80 ou métro Laurier, bus 51
Ouverture à 11 h 30 du lundi au vendredi
et à 12 h les samedi et dimanche.
Fermeture à 23 h du dimanche au mercredi
et à minuit du jeudi au samedi.
Fermeture (rue Crescent) à 23 h 30 le jeudi, minuit le
vendredi et 1 h le samedi.

Quand l'été bat son plein, dévorer des yeux ça ne fait pas grossir, même que ça mettrait plutôt en appétit. Et où vont-ils manger ces jolis cœurs de braise aux yeux de velours? À *La Pizzaiolle,* bien sûr, histoire de consumer lentement (faute de pouvoir consommer) devant l'âtre du four à bois une passion naissante aux accents italiens et parfois même marocains. Tranchons pour les intonations chantantes des Méditerranéens, l'amour est encore une religion dans ce coin-là du globe.

De jolies hôtesses respirant la santé des clubs sportifs et des serveurs tout droit sortis du dernier *GQ* (*Gentlemen's Quarterly*) s'emploient dans ce repaire branché de la pizza «yuppisée» à vous faire oublier que vous mangez justement une pizza. Loin des relents miteux qui caractérisent le *fast-food* (d'ailleurs, on n'assure pas la livraison si ça peut servir d'indice), à cent lieues de la médiocrité graisseuse et du fromage au latex, *La Pizzaiolle* impose avec beaucoup de style une nouvelle vision de la restauration rapide belle-bonne-et-pas-chère.

La succursale de la rue Crescent est beaucoup mieux dans sa peau à cet égard depuis la redécoration. On a délaissé les néons criards et bonbon pour du solide vaguement rétro: du bois aux lignes épurées, des chaises de *trattoria* toutes simples, des banquettes recouvertes de tissus riches, des fours aux tons plus doux autour desquels on peut casser la croûte sans se presser. Vous avez, de ces loges bien chauffées, tout le loisir d'observer Alex étendre mollement les pâtes à pizza deux par deux du plat de la main. Une louche de sauce tomate épicée, un peu de jambon, des olives et des artichauts et voilà une *Lucreziana* (no 15) prête à cuire dans ce four incandescent où les pizzas transitent à peine quelques minutes.

Les meilleurs choix à *La Pizzaiolle* sont extrêmement variables puisqu'il est possible d'y aller de ses petites inventions personnelles (sauf quand tout le monde est «dans le jus»). Par exemple, vous choisissez une *Disperata* (no 2) à la tomate, parmesan et à l'huile d'ail et vous y ajoutez un extra *capicolo* (jambon épicé) ou saucisses italiennes et tomates fraîches, ou encore des artichauts ou des crevettes et des olives avec oignons, moins sauce tomate, extra béchamel avec ou sans fromage. Compliqué? Moins pour vous que pour le cuisinier.

Les connaisseurs ne se gênent pas non plus pour demander leur pizza bien cuite, au blé entier (excellent avec ratatouille et fromage), demi-pâte (plus mince) ou double pâte (style Giorgio). Parmi les pizzas toutes faites, mes préférences vont à la *Monalisa* (béchamel, œuf, jambon, oignons, fromage) et à la pizza au saumon fumé (béchamel, oignons, câpres et saumon fumé). Les serveurs n'hésiteront pas à vous recommander leur mélange spécial. Ainsi, Jean-François opte pour le «biscuit» (demi-pâte au blé entier, bien cuite, demi-sauce tomate, demi-fromage parmesan avec ou sans artichauts) en guise de repas léger, Pierre remplace la sauce tomate par de la sauce béchamel dans sa «all-dressed», Jean-Jacques se fait faire un mélange de câpres, olives et extra tomates sur la sienne. À ne pas dédaigner non plus la pizza aux escargots, oignons et extra parmesan avec l'huile à l'ail... J'y ajouterais même de la béchamel si j'étais vous!

Ceci dit, la croûte est toujours aussi savoureuse, la cuisson parfaite, les ingrédients de première qualité (sauf pour les olives en boîte qui laissent un arrière-goût désagréable) et les portions si généreuses que d'aucuns préfèrent commander une pizza pour deux avec leur salade César. Les sorbets du *Bilboquet* (mangue-framboises ou cassis-citron) font une excellente finale.

Un repas pour deux personnes avant vin, taxes et service vous coûtera environ 38 $.

PIZZÉDÉLIC

3509, boulevard Saint-Laurent
Tél.: 282-6784
Métro Saint-Laurent, bus 55

1329, rue Sainte-Catherine Est
Tél.: 526-6011
Métro Beaudry

370, rue Laurier Ouest
Tél.: 948-6290
Métro Laurier, bus 51

*Ouvert tous les jours de 11 h 30 à minuit
et du jeudi au samedi jusqu'à 2 h sur Saint-Laurent.*

Malgré les efforts répétés des diététistes de tous poils, la revanche du *fast-food* a sonné, celle des matefaim et des étouffe-chrétien aussi. Les seuls endroits où l'on s'empresse désormais sans remords, c'est devant la porte de ces casse-croûte de luxe déguisés en restaurants, davantage buvettes «branchaga» (*dixit* ma voisine parisienne) que véritables piliers de la restauration.

Quoi de neuf sous le soleil et sur la pizza? Le four à gaz fait un retour remarqué dans ce petit restaurant tout en longueur où viennent languir les amours «jeu-naissantes» des environs sur fond musical *swing*. Le décor minimaliste plaira ou non: ce four sur pattes omniprésent tout d'acier inoxydable revêtu, ces grappes de raisins dionysiaques, ces miroirs-écritoires de même que chaises et tables rustiques en font l'essentiel.

Le menu? Rien de plus simple. La pizza sens dessus, avec dessous, mince comme on aimerait l'être encore après les écarts orgiaques du temps des Fêtes, vous est offerte toute simple ou toute compliquée à des prix qui défient toute concurrence, soit de 3,75 $ à 5,75 $. Le gaz est un combustible épatant à tous points de vue!

La pizza de *Pizzédélic* est généralement recouverte d'une sauce tomate épicée à laquelle on ajoute des noix (rances) et du fromage de chèvre, ou encore du fromage *feta* et des olives grecques, du jambon de Parme et des poivrons ou bien celle aux trois fromages, une classique trahissant le fromage bleu. Chaque ajout vous est compté et permet de personnaliser votre prise. De façon générale, les pizzas sont délicieuses et on les secoue un peu avec l'huile de piment (pas encore assez relevée) et l'huile de basilic disponibles sur chaque table. D'ailleurs, trône sur le comptoir de l'entrée un spécimen du genre poids lourd, une immense carafe aux courbes sensuelles remplie d'huile d'olive dans laquelle flottent les piments forts.

Sur ce menu simpliste une salade fort honnête s'offre pour la bonne bouche. Du vin au litron ou à la bouteille (de 19 $ à 27 $) fera le bonheur des sans-le-sou que nous sommes.

LA SALSA

4306, boulevard Saint-Laurent
Tél.: 982-9462
Métro Saint-Laurent, bus 55
*Ouvert du dimanche au mercredi de 12 h à 22 h,
jeudi au samedi de 12 h à 23 h.*

Sur Saint-Laurent, un resto mexicain à la formule californienne rassemble une jeune clientèle fauchée ou pressée par le temps. On peut manger sur place ou rapporter avec soi les mets mexicains de ce nouveau *fast-food* aux couleurs gaies.

La Salsa porte bien son nom. Tout au fond de ce restaurant-comptoir, un bar à *salsas,* réunissant sauces douces et fortes, rouges ou vertes, piments *jalapenos* et coriandre fraîche, ajoute un peu de couleurs locales aux plats offerts.

Salade *fiesta* au poulet garnie de *frijoles* et morceaux d'avocats dans une coquille de pâte de maïs frite, *enchiladas* au poulet ou *tacos* végétariens sont offerts sur assiettes de stiromousse et arrosés de bière en fût locale (Boréale) ou importée (Carta Blanca ou Corona) dans de vrais verres. Certains se laissent tenter par les *margaritas* à l'ananas ou aux bananes mais entre vous et moi rien n'est plus authentique que ces *salsas* et ces *tortillas* de maïs maison grillées sur la braise. *Hot, hot, hot!*

Comptez 30 $ pour deux personnes avant bière, taxes et service.

LA SELVA
862, rue Marie-Anne Est
Tél.: 525-1798
Métro Mont-Royal
*Ouvert du mardi au samedi de 17 h 30 à 23 h,
fermé dimanche et lundi.
Apportez votre vin.*

Petit resto ethnique fort charmant qui existe depuis dix ans et qui présente la même souplesse au chapitre des boissons: *La Selva*. Pour qui aime les humeurs chaudes de la cuisine péruvienne et connaît déjà Ciro, son propriétaire au charisme certain, *La Selva* se passe de présentations. Ici aussi on joue à guichets fermés presque tous les soirs et si vous avez envie d'étirer la bouteille de vin plus longtemps, personne ne vous pressera de libérer la table. On ne fait pas d'*over-booking!*

Les spécialités vont de l'illustre *ceviche* (garni d'épis de maïs et d'un morceau de patate sucrée) au poulet aux arachides en passant par ces pommes de terre bouillies nappées d'une sauce aux arachides pimentée et surmontées de quelques crevettes cuites. La soupe de légumes est excellente et on y ajoute du cumin, de la coriandre et du paprika, histoire de la rendre bien convaincante.

Les plats du jour (deux ou trois items) vont selon le marché.

La truite saumonée, simplement grillée, est des plus fraîches. L'assiette est garnie de riz, de haricots et de salade. Très honnête. Le poulet aux arachides est tout aussi généreux de sa personne. La sauce lui va à merveille et les mêmes garnitures solides vous en donnent pour votre argent.

Les desserts ne semblent pas être le fort de la maison, aussi me suis-je abstenue.

Comptez 25 $ pour deux personnes avant service.

Gougounes friendly

L'ANECDOTE
801, rue Rachel Est
Tél.: 526-7967
Métro Mont-Royal
Ouvert du lundi au vendredi de 7 h 30 à 22 h,
samedi et dimanche de 9 h à 22 h.

3751, rue Saint-Urbain
Tél.: 282-0972
Métro Saint-Laurent, bus 55
Ouvert du lundi au vendredi de 7 h 30 à 20 h,
samedi de 9 h à 20 h,
fermé le dimanche.

L'Anecdote est le prototype même du petit casse-croûte de grande envergure où vedettes et sans-le-sous se partagent banquettes et tabourets du comptoir-service. Du hambourgeois régulier (à 3 $) au hambourgeois fromage-bacon (4,50 $), on met les bouchées doubles car ces phénomènes de la nature ont la prétention de vous en boucher un coin. Les grosses frites molles et dorées (en version «sauce» ou non) font la joie des nostalgiques du *snack-bar* d'antan. Les gâteaux maison (2,95 $) valent leur pesant de carottes, de bananes, de courgettes, d'oranges ou de chocolat. Un grand verre de lait avec ça?

AVOCADO CAFÉ
5142, boulevard Saint-Laurent
Tél.: 271-3234
Métro Saint-Laurent, bus 55 ou métro Laurier, bus 51
Ouvert tous les jours de 11 h 30 à minuit.
Brunch-pyjama le samedi et dimanche de 10 h à 15 h.

Le *Prego* n'est plus. Vive l'*Avocado Café*! Je ne serai pas de ceux qui pleureront sa disparition mais cette transformation me laisse perplexe. J'ai toujours soupçonné que Gérald Loiselle (l'heureux père du *Prego* et de *Cucina*) était un homme d'affaires doté d'une vision. Avant que ce ne soit le mot d'ordre général, il a contribué à faire de la nouvelle cuisine (et de sa *cucina dell'arte*) une épidémie. Puis sentant le vent tourner, il s'est modestement mis à l'heure de la *trattoria* l'an dernier avec l'huile d'olive sur les tables et les verres à dents pour boire du gros rouge.

Le voici qui récidive dans le même local avec une atmosphère «beach bum sur le retour d'âge». On y fait dans la cuisine californienne pour plagistes, teintée d'accents *tex-mex* et même jamaïcains (vous trouverez du *Jerk chicken* au menu). Les murs aux teintes chaudes, le *juke-box* à certaines tables, la télé encastrée (où sont diffusés tour à tour les *comics* et les *clips*) et l'immense enseigne de Coca-Cola donnent le ton. La musique nous replonge qui dans l'adolescence, qui dans l'Antiquité. On flirte avec le «rétro» des années 60-70.

Le parti-pris *relax* du menu imprimé sur les napperons en papier saute aux yeux dès les premières lignes: *nachos*, ailes de poulet grillées, *bagel* au saumon fumé, frites-sauce (fromage bleu, crème de coco, sauce *guacamole*, cajun, etc...), tout y est pour s'encanailler rondement en arrosant le tout de bière pression et en attendant la prochaine vague de chaleur.

Pour résumer, l'*Avocado Café* jouirait certainement d'une immense popularité s'il s'était établi à Paris ou à Milan car l'exotisme de la formule y serait magnifié, la distance et les fantasmes de type Marlboro aidant. Pour le Nord-Américain de souche, il en ira peut-être autrement malgré le pari apparemment audacieux du propriétaire des lieux.

Les ailes de poulet sauce cajun ont ce petit goût épicé de revenez-y (tabasco, paprika, cayenne et origan) et on les commande au nombre de 6, 12 ou 18. Les crevettes sautées sont présentées flanquées de deux godets de plastique, l'un rempli de *guacamole* (on en aurait pris davantage) et l'autre d'aïloli. C'est gentil, c'est coloré et c'est frais.

Dans la section *burgers*, le Thaïlandais m'a surprise, puis séduite mais comme le soulignait mon invité, à la longue ça tombe sur le cœur. Le pain *kayser* est garni de poulet grillé, de carottes râpées, d'oignons et de cresson, le tout arrosé d'une préparation au jus de lime, crème de coco et ail dans les tonalités aigres-douces. Différent, certes! La salade californienne qui accompagne (en lieu et place des frites) ce compromis eurasien, m'a souverainement déplu en grande partie à cause du vinaigre de framboises employé. Les verdures avaient connu de meilleurs jours.

Quant à la bavette marinée, on retrouve avec plaisir cette belle pièce de viande saignante relevée d'anis étoilé, d'ail, de coriandre et marinée dans la sauce soja. Les frites saupoudrées de sauge sont succulentes et je retiens cette idée de les accomoder à l'italienne.

La bière pression (Griffon, St-Ambroise, Maudite ou Blanche de Chambly) convient tout à fait à ce type de repas sans façon. Des bières importées en bouteille tiennent lieu d'alternative de même que bières et vin sans alcool pour les tripeux nouvel âge.

Un repas pour deux personnes vous coûtera environ 35 $ avant bière, taxes et service. Table d'hôte midi et soir de 6 $ à 9,95 $.

L'EXCEPTION

1200, rue Saint-Hubert
Tél.: 282-1282
Métro Berri, sortie Saint-Hubert
*Ouvert du lundi au vendredi de 11 h à 22 h 30,
samedi et dimanche de 16 h à 22 h 30.
Terrasse.*

Comment reconnaître l'arrivée du printemps en ce qui me concerne? Par une envie irrépressible de casser la croûte... dans un casse-croûte! Mais entendons-nous bien, un vrai casse-croûte digne des années 50 avec de la graisse suintant des murs et de l'atmosphère à revendre, des portions étouffe-chrétien (pas Jean, l'autre) et du *ketchup Heinz* bien en vue sur les tables comme dans l'annonce.

Aux autres les asperges d'importation, les laitues californiennes et les fraises trompeuses en forme d'espoir, je préfère terminer cette longue hibernation par quelques solides nourritures sans prétention. Rien de mieux pour combattre le SAD (*Seasonal Affective Disease*), pour renforcer ce qu'il reste de moral, pour s'épaissir la couenne en prévision des trous dans la couche d'ozone, que ces mégahamburgers et bonnes grosses frites de l'ancien temps.

L'Exception fait dans le casse-croûte rétro depuis quelques années déjà et une clientèle de jeunes fidèles encourage le vice, été comme hiver. Le menu, relativement élaboré pour la définition stricte d'un casse-croûte, dérape dans la quiche-salade mais, bon, fermons les yeux...

La soupe aux légumes rappelle les bonnes soupes maison, le bouillon fade en moins. La salade verte de la maison mise sur la romaine et une vinaigrette au yogourt tout à fait de circonstance.

Pour ce qui est du hamburger régulier garni de fromage mozzarella sur pain viennois, ou du hamburger double garni en plus de bacon et de cornichons, tant la taille que la qualité de la viande séduisent. On a intérêt à avoir très faim pour venir à bout de ces deux mastodontes. Les frites de taille «américaine» (par opposition aux françaises) sont absolument délicieuses et croustillantes, sans relent de graisse.

Il restait à mon vis-à-vis une brèche à colmater avec un morceau de gâteau au chocolat à l'ancienne, bourré de glaçage très sucré mais bon au goût et d'une texture fraîche. Avec un grand verre de lait... pour les vrais de vrai.

Comptez environ 25 $ pour deux personnes avant le Pepsi en bouteille, les taxes et le service.

FRITES ALORS!

1562, rue Laurier Est
Tél.: 524-6336
Métro Laurier, bus 27

5235A, avenue du Parc
Tél.: 948-2219

Métro Place-des-Arts (ou Parc), bus 80
*Ouvert mar-mer-dim de 11 h 30 à 22 h,
jeudi et samedi de 11 h 30 à 23 h et vendredi de
11 h 30 à minuit,
fermé le lundi.*

Derrière son comptoir elle s'active depuis un moment déjà. Face à elle, il n'y a que des hommes assis en rang d'oignon. Les uns boivent de la Stella Artois, les autres du cola italien ou une Orangina. Ils se servent eux-mêmes dans le frigo, c'est ça de moins à faire pour elle. Les habitués du comptoir ont une drôle de tronche aujourd'hui: «ça doit être la pluie», qu'elle se dit. Certains l'appellent par son prénom, avec des airs de propriétaires et des sourires qui en disent long. Elle laisse dire car son véritable petit nom c'est Val et celui-là elle se le garde.

Le jour, Valérie est serveuse chez *Frites Alors!* pour arrondir les fins de mois. Le soir, Val est massothérapeute et reçoit les clients, surtout les clientes, dans son petit appartement de la rue Brébeuf. Val est plus que discrète à ce sujet car elle s'évite les remarques gaillardes et les sous-entendus grivois d'usage. Ses techniques de massage sont éprouvées et sérieuses, à mi-chemin entre le suédois, le *trager* et la réflexologie. Elle connaît chaque muscle et chaque tension du corps humain. Mais le soir venu, elle donnerait cher pour se faire tripoter à son tour les muscles trapèzes et les ischio-jambiers.

Son nouveau boulot ne lui laisse pas beaucoup de répit pour revoir sa théorie anatomique ou lire des romans Arlequin, son vice. Valérie n'a que le temps de se refaire le chignon à l'occasion et de se repoudrer le nez entre deux gorgées de Club Soda citronné. Il fait chaud et humide dans le local et la graisse des pommes de terre fait coller tout ça sur la peau. Un client en complet et cravate termine son hamburger et sa frite en moins de dix minutes et semble sur le point d'éclater. La grenouille s'est faite plus grosse que le bœuf. Une fois de plus, il lui demandera de l'Alka Seltzer et lui laissera un gros pourboire.

Juchée sur un tabouret qui vient de se libérer, je déguste lentement ces frites belges cuites dans la graisse de bœuf et servies en cornets de papier, tout simplement succulentes avec un peu de sel. Mon voisin de gauche y ajoute du vinaigre et demande du poivre de Cayenne. Moi le vinaigre, je garde ça pour laver les planchers. Je goûte plutôt à la sauce américaine épicée au poivre de Cayenne, au paprika et à la *harissa*. Chez *Frites Alors!* on tente de ré-inventer la frite belge assortie de son éternelle mayonnaise en proposant une dizaine de sauces maison plus ou moins exotiques. Mais rien n'est aussi révélateur que le sel pour savoir si une frite a la pêche.

Valérie me tend mon sandwich-baguette garni d'une salade de poulet au cari. Succulente combinaison et les frites apportent la petite note croustillante juste ce qu'il faut. Le monsieur à ma droite est en train de terminer un hot-dog choucroute d'une main et un *thriller* (*La Firme*) de l'autre. Nous entamons une discussion sur cette histoire haletante que Tom Cruise a reprise au cinéma. La conver-sation dévie inévitablement sur les frites. Il les préfère plus grosses, moi légèrement plus fines, à la française. Mais nous sommes tous deux d'accord pour dire que celles-ci valent le détour, surtout entre novembre et avril, quand les pommes de terre sont juste assez amidonnées.

Les gens s'arrêtent sur le trottoir et achètent des frites en cornet par la fenêtre coulissante. Vaya con Dios s'époumone et mon voisin de gauche s'est mis à jouer du crayon sur une tablette. Il dessine Valérie, ses boucles brunes et ses yeux bleus perçants, qui ne semble pas s'en douter. Avant de sortir, il lui tend le dessin. La serveuse automate, un instant, en oublie les odeurs de friture et l'humidité. Elle lui offre une tablette de chocolat au lait belge pour le remercier. Il lui demande son prénom et dans un seul souffle elle laisse échapper: Val...

Un repas pour une personne vous coûtera environ 10 $ avant taxes et service.

GALAXIE DINER
4801, rue Saint-Denis
Tél.: 499-9711
Métro Laurier
*Ouvert le dimanche et lundi de 7 h à 23 h,
mardi et mercredi de 7 h à minuit,
jeudi et vendredi de 7 h à 1 h.
Terrasse.*

Le *Galaxie*, nouveau *diner* parachuté rue Saint-Denis, ne fait pas exception et confirme le besoin, en cette triste fin de millénaire, de se surpasser et de déguiser le manque à gagner. Vaut mieux s'oublier qu'en pleurer! Et le *Galaxie* réussit parfaitement l'exercice. On y fait un tour de manège et on s'y étourdit le temps d'un Coke et d'une poutine.

Le côté *fifties* et chromé du bâtiment attire les foules depuis son ouverture. La clientèle bigarrée fait du coude à coude dans le portique en attendant que se libère un *stool* ou un *booth*. Le chauffeur de taxi côtoie un court instant le médecin du boulevard Saint-Joseph, les disciples des Doc Martens contrastent avec les *preppies* et tout ce beau monde étrenne le *Galaxie* comme un cadeau de Noël arrivé avec le printemps.

Les serveuses bleu poudre ont l'air de s'amuser autant que les clients et si l'efficacité n'est pas nécessairement au rendez-vous, elle est largement compensée par un désir évident de satisfaire tous et chacun et de fidéliser les disciples éternellement. Pour tout dire, le *Galaxie* est encore en train de compléter ses *road tests* et la cuisine n'est pas au point. Le coke chaud et le hamburger froid trahissent certains casse-tête techniques encore irrésolus. La bonne volonté a ses limites même au royaume du kitsch.

Le menu propose donc six sortes de hamburgers garnis différemment (avec ou sans fromage, avec ou sans cornichons, etc...). La viande rosée mais tiède, le pain trop mou et froid et les garnitures classiques (fromage, oignon, tomate, laitue) accompagnent les assaisonnements *all-dress* apportés séparément. La frite sauce est décevante, vaguement figée, et les frites trop américaines et molles pour me plaire.

Le club sandwich a du potentiel mais lui aussi a eu le temps de refroidir. La dinde cuite sur place, la laitue romaine, la tomate livide de saison ainsi que le bacon font bonne figure dans ce sandwich universel. La mayonnaise maison servie séparément est un peu figée dans son ramequin mais au moins ce n'est pas de la *Miracle Whip*. Les frites nature ont attendu elles aussi.

Le coke n'est malheureusement pas servi en bouteilles au grand dam des puristes. Mais le proprio insiste pour dire que c'est un pré-mix (le même contenu qu'en bouteille mais à la fontaine) plutôt qu'un post-mix (le sirop dilué habituel). Personnellement, j'ai trouvé que cet ersatz manquait de bulles et de fraîcheur.

Au rayon des desserts, la tarte au sucre est de facture traditionnelle et le *sundae* au chocolat serait très convenable si on évitait de parsemer ces noix rances sur la garniture de crème Chantilly véritable. Un petit *Jell-O* avec ça?

Un repas pour deux personnes vous coûtera environ 23 $ avant taxes et service.

LA PARYSE

302, rue Ontario Est
Tél.: 842-2040
Métro Berri

Ouvert du lundi au vendredi de 11 h à 23 h, samedi de midi à 22 h 30, dimanche de 14 h à 22 h 30 et de 16 h à 23 h au mois de juillet.
Les cartes de crédit ne sont pas acceptées.

Paryse Taillefer, une pionnière dans le domaine, a inauguré *La Paryse* il y a plus de six ans. La formule était simple et consistait à offrir à la clientèle un hamburger comme à la maison: boulettes difformes, bacon ruisselant, fromage dégoulinant et frites coupées à la main. Succès bœuf garanti!

Le Régulier emprisonne dans son pain viennois un quart de livre de bon bœuf maigre, de la mozzarella, des cornichons, des oignons, des tomates, de la laitue, de la mayonnaise et j'en passe. Le Spécial, au fromage à la crème et au bacon, est également un des préférés.

Le décor usé tapissé de vieilles affiches, l'armoire de «nananes» à cinq sous et les gâteaux à l'ancienne au chocolat et aux carottes complètent l'inventaire de *La Paryse*. Les hamburgers vont de 3,95 $ à 5,55 $. Table d'hôte du midi à 5,95 $. Comptez 24 $ pour deux personnes avant taxes et service. Menu pour enfants à 4,95 $.

PAT-RÉTRO
1983, rue Saint-Michel (angle McGuire)
Sillery, Québec
Tél.: (418) 681-8536
Ouvert de 10 h à 23 h,
samedi et dimanche de 10 h à minuit.
Terrasse.

Sur les murs de «préfini», des publicités d'époque, des affiches de spectacles et une photographie d'Elvis se disputent votre attention. Quelques *Scopitones* (*juke-box*) mettent en vedette Richard Anthony (*J'entends siffler le train*), Christophe (*Je ne t'aime plus*), les Têtes blanches (*Blue Jeans sur la plage*), les Classels (*Tu le regretteras*) et Petula Clark (*Pour ceux qui n'ont pas de cœur*). Ces boîtes à musique au goût d'hier vous distillent un refrain suave tout en vous gratifiant d'un extrait de spectacle des uns et des autres repiqué sur bande vidéo.

Le très prolo *Pat-Rétro* sévit dans la chic bourgade de Sillery pour le plus grand bonheur de ceux qui n'ont pas peur d'accuser leur âge. Un charmant retour dans les *fifties* que cette petite salle à manger d'un «Roi de la pata-te» tout ce qu'il y a de désarmant. Y flotte une odeur de graisse et les relents de souvenirs en forme de *milk-shake* aux cerises pour deux.

Qu'on ne s'y méprenne pas. *Pat-Rétro* ne fait ni dans le hambourgeois granola garni de luzerne et de bou-lettes au tofu, ni dans le burger à l'ancienne pour *yuppies*, triomphant du haut de ses étages de viande hachée, de fromage à la crème, d'oignons frits, de tomates et autres ajouts tous plus dégoulinants les uns que les autres. Non! Ce bon vieux *Pat* s'en tient au hamburger digne des meilleurs casse-croûte d'autoroutes. Du pain blanc, de la viande hachée très aplatie, du fromage *single* orange, bref que du bon et du frais!

Pour qui voudrait varier, les poutines (italiennes ou ordinaires) font également partie du menu, de même que les club sandwiches et les œufs dans le vinaigre qu'af-fectionnait ma grand-mère. Les frites, grosses et grasses, sont bien meilleures sans sauce. *Pat* compte même dans ses rangs un champion éplucheur de pommes de terre in-scrit au Guinness: 1000 livres en 4 heures et demie! Le seul hic, ce sont ces numéros de coupons de caisse beuglés dans le micro (on n'assure pas la livraison) en plein milieu du vidéoclip des Classels chantant *Ton amour a changé ma vie*...

Un repas pour deux vous coûtera environ 12 $ avant taxes et service.

Pause Red Rose

LA BRIOCHE LYONNAISE
1593, rue Saint-Denis
Tél.: 842-7017
Métro Berri

Ouvert de 9 h jusqu'à minuit tous les jours,
sauf le dimanche de 10 h à minuit.
Terrasse.

Rue Saint-Denis, face au théâtre et à l'avalanche de l'après-cinoche, *La Brioche lyonnaise* tient lieu de pâtisserie-comptoir où quelques tables réunissent gourmands repus et repentants. Murs de pierre et chaises de bois assez inconfortables pour permettre au client de ne point s'attarder, le décor massif n'ajoute rien en légèreté au contenu de l'assiette. Les pâtisseries nous sont servies en portions restreintes, heureusement. Pur beurre, pur chocolat, pur sucre et pur fruit, voilà autant d'alliages sûrs qui en font d'excellents desserts qu'il est avisé de savourer lentement. Le succès au chocolat ressemble à une rondelle de hockey miniature dans laquelle une génoise s'entrecoupe de ganache au chocolat. Le goût du chocolat y est franchement sincère. Le soufflé glacé au Grand-Marnier, riche à souhait, velouté et crémeux, avait de quoi rappeler l'existence du foie dans l'organisme. Il dissimulait tout au fond une mince couche de sorbet aux framboises qui rafraîchissait l'ensemble.

Le choix de thé (en sachet) assez restreint nous fit opter pour les savoureux *cappuccini* et le coupon de caisse se chiffra à 12 $, avant taxes et service. Table d'hôte midi et soir à 8,95 $.

CAFÉ EL DORADO

5226, boulevard Saint-Laurent
Tél.: 278-3333
Métro Saint-Laurent, bus 55
ou métro Laurier, bus 51

Ouvert de 11 h à minuit du lundi au jeudi,
de 11 h à 3 h le vendredi, de 10 h à 3 h le samedi,
de 10 h à minuit le dimanche.

Cette réplique à peu près conforme de la *Brûlerie* de la rue Saint-Denis offre de quoi se mettre sous la dent et surtout des cafés et des thés à profusion. On torréfie les grains de café sur place et ce parfum inimitable flotte dans l'air du matin au soir. Au sous-sol, on peut apercevoir la «locomotive» à torréfaction. Au rez-de-chaussée, la machine à *espresso* fonctionne à toute vapeur.

L'ambiance chez *El Dorado* est résolument enlevante, le service dynamique, le décor rafraîchissant et les tables ingénieusement réparties sur trois niveaux. Le choix musical est des plus contemporains et donne le ton. La carte propose toute une panoplie de cafés avec ou sans alcool, décaféinés ou non. On vous fait payer 2,25 $ un *cappuccino* honnête, mais ça ne bat évidemment pas celui du *Café Italia* à 1 $. D'autant qu'on a la mauvaise habitude dans les cafés *yuppies* de saupoudrer de la cannelle sur la mousse de lait. De quoi tuer n'importe quel café. Au *Café El Dorado,* on parsème également la surface du cappuccino de vermicelles de chocolat au lieu de cacao amer comme le veut la tradition.

Le café Abidjan, café glacé parfumé au Grand-Marnier agrémenté de crème glacée à la vanille et de Chantilly, était plutôt décevant et l'amertume du café trop agressante.

Les gâteaux maison présentent un certain intérêt, entre autres, celui d'être frais. Fabriqués à partir d'ingrédients de qualité, ils sont servis en portions copieuses et à des prix raisonnables. Le gâteau viennois, fait à partir d'une pâte aux noix, était entrelardé de crème fouettée au café. La crème étant sensible aux odeurs, un léger goût de frigo persistait en arrière-goût, mais rien de dramatique.

Le gâteau à la mousse au chocolat était fait à partir de la même pâte à gâteau, celle-ci entrecoupée de mousse au chocolat très aérienne et de crème Chantilly. Le tout était recouvert d'une crème au beurre au chocolat. On peut aussi choisir parmi les quelques variétés de gâteaux au fromage. Et ne manquez pas de goûter au chocolat Valrhona offert en tablettes sur le comptoir, vous aurez la piqûre, foi (et foie) de «droguée».

Le dessert et le café pour deux personnes vous coûteront environ 15 $ avant taxes et service.

LA CHARTREUSE
3439, rue Saint-Denis
Tél.: 842-0793
Métro Sherbrooke, sortie Ouest
Ouvert mardi au jeudi de 11 h à minuit, vendredi de 11 h à 1 h, samedi de 16 h à 1 h, le dimanche de 12 h à minuit et de 16 h à minuit durant l'été.

Dans la plus pure tradition viennoise; Mozart en sourdine, boniches en tablier et fauteuils capitonnés, *La Chartreuse* a misé sur le style (le grand!) pour se faire connaître. L'effet est plutôt réussi dans cette reconstitution fin-de-siècle des habitudes décaties de la «haute».

Par contre, on apprécierait un service plus chaleureux quand vient le moment d'attaquer le célèbre *Sacher Torte* (pas assez chocolaté) ou le *Rigo Jancsi* fait de génoise, de ganache et de fondant (tous au chocolat un peu trop sucré).

La Chartreuse propose, en plus de sa carte, un dessert de la semaine, tel ce gâteau recouvert de Chantilly, punché au rhum gavé d'une crème pâtissière et d'une ganache au chocolat... Divin!

Les thés sont présentés en théière de porcelaine et on ne sert ni *espresso* ni *cappuccino,* Autriche oblige! Comptez environ 15 $ pour 2 personnes avant taxes et service. Cartomanciennes en consultation les jeudis et dimanches. Guitare classique et violons les vendredis et samedis.

LA DESSERTE

5258, boulevard Saint-Laurent
Tél.: 272-5797
Métro Saint-Laurent, bus 55
ou métro Laurier, bus 51
Ouvert du dimanche au jeudi de 11 h 30 à 23 h,
les vendredi et samedi de 11 h 30 à 1 h.
Brunch les samedi et dimanche.

D'ascendance suisse-allemande, Claire Hersber-
ger s'est découvert un faible pour la pâtisserie qu'elle pratique en autodidacte accomplie. Son minuscule salon de
thé possède une quarantaine de gâteaux au fromage à son
répertoire (dont cinq ou six disponibles chaque jour) et
presque autant de gâteaux viennois, de cakes aux fruits, de
tartes et de *strudels*. On peut s'offrir deux ou trois bonnes
tranches de ces desserts pur fruit, pur beurre, pur sucre et
pur chocolat Valrhona, d'une fraîcheur incomparable.

Claire Hersberger travaille ses propres purées de
fruits frais, moud ses noix et si elle pouvait faire son fromage à la crème... ma foi (son foie!), elle le ferait.

Essayez le gâteau au fromage aux prunes et aux
noix, une version raffinée et crémeuse du carré aux
dattes. Ne manquez pas la tarte aux pommes garnie de
raisins et d'amandes dans sa pâte sablée, non plus que le
gâteau aux noisettes et chocolat fourré d'une pâte de truffe et de crème au beurre.

Quant à la tarte aux noix de Grenoble, peu s'en faut
pour crier au génie. Caramélisée sans être trop sucrée,
elle s'immisce à merveille entre deux résolutions de régime
et le thé à la vanille. Les meilleurs gâteaux au fromage de
Montréal seraient cachés ici? Possible. Il me faudrait y re-
goûter... Tous les gâteaux sont disponibles sur commande,
48 heures à l'avance. Comptez 15 $ pour deux personnes
avant taxes et service.

FRANNI
5528, rue Monkland
Tél.:. 486-2033
Métro Villa-Maria

Ouvert du mardi au dimanche de 11 h à 23 h, sauf vendredi et samedi jusqu'à minuit. Fermé le lundi. Gâteaux pour apporter et sur commande. Terrasse.

Sur la rue Monkland, le royaume des desserts orgiaques, célestes, je dirais même symphoniques, attend votre petite famille. *Franni* a ses lettres de noblesse dans le quartier et je dois avouer que je n'y avais pas remis les pieds depuis des lunes: un gâteau au fromage n'est rien de plus qu'un gâteau au fromage après tout!

Eh bien! *Franni* n'a pas cessé de nous étonner. Toutes sortes de nouvelles apparitions méritent le détour dans son petit café exigu. On peut même rapporter chez soi (une solution *cocooning*) ces petits trésors et goûter plusieurs gâteaux sur une même assiette.

Incapable de trancher devant cet étalage prometteur, j'ai décidé de comparer les anciens gâteaux au fromage (lire chocolat suisse et amandes, Amaretto et truffé au chocolat) avec des nouveautés comme le *Gianduia* (fromage au chocolat et noisettes), le *Rhapsodie* (fromage au chocolat et mousse au chocolat) et le *Valentino* (gâteau noisettes, mousse aux fraises et mousse à l'orange, couverture de chocolat).

Précipitez-vous sur les trois derniers, en portion ou en entier. Par comparaison, les trois premiers manquent de subtilité (trop d'essence d'amandes dans le chocolat et amandes), de finesse dans la texture (truffé au chocolat) et d'intensité (Amaretto).

Le *Gianduia*, quant à lui, est la perfection faite gâteau au fromage. Puissance des saveurs chocolatées et pralinées, texture de pur beurre, croûte fine et chocolatée définissent cet ensemble sans fausse note. Le *Rhapsodie* m'a fait chavirer tant ce mariage de croûte biscuitée au chocolat surmontée d'un mélange fromagé au chocolat et d'une mousse de même nature (sans compter la couverture noire pour sceller ce pacte avec le diable) est équilibré.

Le *Valentino* n'a aucune parenté avec les gâteaux au fromage et offre deux mousses de fruits frais légères, soit orange et fraise, dans un gâteau aux noisettes recouvert d'un simple nappage au chocolat noir. Ce séducteur vous laisse une impression aérienne mais ne vous y trompez pas, les futurs bourrelets se dissimulent dans chaque bouchée.

Comptez environ de 2,25 $ à 4,75 $ par portion de gâteau avant taxes et service.

LA GARONELLE
207, rue Saint-Jean
Québec
Tél.: (418) 524-8154

Ouvert du mardi au jeudi de 16 h à minuit,
vendredi et samedi de 11 h à minuit,
dimanche de 15 h à minuit.

Ce restaurant fait l'objet d'une chronique particulière sous la rubrique «Vaut le détour» (voir p. 277).

JARDINS DU CAFÉ DE PARIS

Hôtel Ritz Carlton
1228, rue Sherbrooke Ouest
Tél.: 842-4212
Métro Peel

*Terrasse ouverte du 1er mai au début octobre,
de 6 h 30 à 11 h 30 et de 6 h 30 à 10 h samedi et dimanche (petit déjeuner),
de 12 h 00 à 14 h 30,
de 15 h 30 à 17 h (thé) et
de 18 h à 22 h.*

Terrassés par la quiétude des jours ensoleillés et par le subreptice passage de l'été, nous ne savons plus à quel coin de verdure nous vouer. Alors que les terrasses avec pignon sur trottoir à caractère latin ont connu leurs heures de gloire, les arrière-cours et les jardins secrets à l'anglaise ont désormais la cote chez les adeptes du pique-nique en pleine ville.

Lovés au cœur du centre-ville, loin des regards indiscrets de la populace, les *Jardins du Café de Paris* coulent des jours tranquilles derrière la façade du bon vieux *Ritz Carlton*. Ce jardin ne serait qu'une autre terrasse d'hôtel sans cette fameuse mare où pataugent les vilains petits canards, sans le murmure de la cascade d'eau qui tient lieu de musique et sans ces vieilles Anglaises qui, à l'heure du thé, font faire de l'exercice à leur auriculaire.

Car c'est pour la pause *Red Rose* (de 15 h 30 à 17 h) que les *Jardins* sont le plus accessibles au commun des mortels. Durant les heures creuses, on peut profiter à loisir d'un service astiqué de près et de la sérénité des lieux tout en se laissant aller à rêver en sirotant une tasse de thé. Même les petits moineaux se mettent de la partie et viennent quémander leur part directement sur la table avec des airs de propriétaires.

Les pâtisseries en font craquer plus d'un et quelques-unes durant cette heure bénie mais préférez à tout les *scones* tièdes (encore que pas assez), la gelée de groseilles ou la confiture de cassis et la crème Devonshire bien épaisse, un classique du *four o'clock* anglais. Le thé complet regroupe d'ailleurs tous les clichés disponibles en matière de bouchées miniatures.

Trois petits sandwiches toastés en demi-cercle tiennent lieu de plat de résistance, alors que les *scones* (2) et les petits fours (5) font office de desserts. Le thé en feuilles est présenté dans des théières chinoises mais versé dans des tasses de faïence anglaise. Qu'on y aille pour l'*Orange Pekoe* et le classique *English Breakfast* ou pour le Jasmin ou l'*Earl Grey* parfumé à la bergamote, le choix de thés est vaste, ses adeptes nombreux.

Un thé complet pour deux personnes coûtera 24 $ avant taxes et service.

KILO

5206, boulevard Saint-Laurent
Tél.: 277-5039
Métro Saint-Laurent, bus 55
ou métro Laurier, bus 55

Ouvert de 10 h 30 à minuit le mardi, mercredi,
le jeudi de 10 h 30 à 1 h,
le vendredi de 10 h 30 à 3 h, de 13 h à 3 h le samedi,
de 17 h à minuit le lundi
et dimanche de 13 h à 0 h 30.

Kilo, sur le boulevard Saint-Laurent, se livre à la concupiscence, à l'entretien des bourrelets et lutte contre la déprime hivernale jusqu'aux petites heures du matin. Gâteaux et tartes d'une fraîcheur irréprochable, café honnête, ambiance assez jeune et plutôt sympathique (si on exclut la musique trop envahissante) doublé d'un service gentil résument *Kilo.*

On comprend mal pourquoi la section arrière de ce salon de thé s'obstine à rester fermée alors qu'on fait la queue à la porte, mais j'imagine qu'on s'est inspiré du syndrome *Da Giovanni* dans cette manœuvre hautement «marketing». De toute façon, le gâteau Manhattan au chocolat et à l'orange mérite bien cinq minutes d'attente. Cette pâte à gâteau compacte (à l'ancienne) fourrée d'une mousse à l'orange (un peu trop artificielle et orangée) et recouverte d'un fondant au chocolat noir est au mieux dans votre assiette. Quant au gâteau à la mousse au chocolat, j'attendrais bien dix minutes tant les saveurs intenses et cette mousse ferme sans être sèche font bon ménage. Le cacao saupoudré sur la surface du gâteau ajoute à l'expérience une note plus que positive.

Tout près de la caisse, à la sortie, des bocaux de «bonbons à la cenne» reluquent le client amateur de nananes. De la réglisse aux caramels en passant par les «smarties», les baisers Hershey's, les sous en chocolat, les jujubes, les bâtons forts et les suçons, tout y est pour assurer la retraite confortable de tout un cabinet de dentistes «à la dent longue».

Comptez environ 15 $ pour deux desserts et cafés avant taxes et service.

ROBERTO GELATERIA
2221, rue Bélanger
Tél.: 374-9844
Métro Jean-Talon, bus 95
Ouvert de 10 h à 23 h; fermé le lundi.

Pas tout à fait dans les circuits italiens mais tout à fait dans l'esprit estival, *Roberto,* rue Bélanger, a rajeuni sa *gelateria* et a fait peau neuve tout en respectant son premier mandat. Des glaces et encore des glaces! Bien sûr, on y sert un menu substantiel, des pizzas, des pâtes et toute la merveilleuse diversité de l'italianité. Mais la spécialité de *Roberto,* ce sont les *gelati* un peu molles, souples comme de la crème, qu'on remue à grands coups de spatule de bois avant de les étendre généreusement dans les moules à *cassata,* à gâteaux italiens ou à bombe glacée. Foies sensibles s'abstenir!

Une dizaine de variantes s'offrent à vos capacités respectives. Soit l'*Igloo* fait de glace à la vanille, à la pistache et au chocolat, entrelardé d'un biscuit sec friable. Soit le *Panettone,* version rafraîchissante du classique gâteau de Noël aux fruits confits, mais cette fois imbibé du mélange Roberto (au cognac) et farci de glaces diverses, noisettes, nougat, chocolat et pistaches. D'autres encore, avec des montagnes de fruits frais et des coiffes de crème Chantilly; ajoutez à ça du rhum, du Grand-Marnier, peut-être une liqueur de café, une génoise à l'occasion ou un biscuit *amaretti,* et vous aurez une bonne idée de l'ambiance qui règne dans ce haut lieu de la concupiscence italienne.

Par contre, le décor, bien qu'amélioré dans le sens esthétique du terme, est à présent froid comme une glace de congélateur et trop éclairé pour donner envie d'y prolonger la soirée. Heureusement, le service est d'une chaleur à faire fondre toute réticence.

Les *gelati* coûtent entre 1,50 $ et 5,50 $ avant taxes et service et on peut commander les pains de glace en entier si l'envie nous prend de savourer l'expérience dans la paix et l'intimité de notre foyer (de 2,50 $ à 6 $ pour un litre).

TOMAN PASTRY SHOP
1421, rue Mackay, 2e étage
Tél.: 844-1605
Métro Guy-Concordia
Ouvert de 9 h à 18 h; fermé les dimanche et lundi.

J'aime par-dessus tout ce petit salon de thé aux allures «vieille Europe» et aux relents réconfortants de Tchécoslovaquie profonde. Chez *Toman,* l'ambiance est un baume pour âmes seules et l'accent lourd de la propriétaire, un délice pour l'ouïe.

Toman fabrique ses propres chocolats et de minuscules caissettes fourrées au *marzipan* (pâte d'amandes), au chocolat, aux noisettes ou aux liqueurs, toutes recouvertes d'un chocolat foncé d'excellente qualité.

Les gâteaux maison (une vingtaine) sont offerts en alternance et accusent une fraîcheur exemplaire. Le gâteau praliné au beurre de noisettes, recouvert de chocolat et tapissé de framboises, est divinement bien équilibré.

Le *shortcake* aux fraises garni de crème fouettée à peine sucrée est spongieux et fruité à souhait. On peut aussi commander les gâteaux: *strudels* aux pommes, gâteaux au fromage au chocolat, à la mousse aux fraises, aux marrons, à l'orange ou Forêt-Noire.

Peu importe où vous jetterez votre dévolu, ils ont tous fière allure et ne laissent pas beaucoup de miettes dans l'assiette.

Comptez entre 3,75 $ et 4,50 $ par portion avant service.

Gâteaux entiers sur commande 48 h à l'avance.

Revoir ses classiques

AU 917

917, rue Rachel Est
Tél.: 524-0094
Métro Mont-Royal

*Ouvert du mardi au dimanche de 17 h à 23 h,
fermé le lundi.
Apportez votre vin.
Réservations recommandées.*

Il fait froid. Vous avez un début de grippe, du moins un frisson annonciateur. Le patron s'est montré détestable aujourd'hui. Vous venez de réussir votre premier examen de la session sans tricher. La femme (ou l'homme) de votre vie a remis son tablier. Vous allez au théâtre à 20 h. Le frigo est une zone sinistrée par votre adolescent de service. Même plus de surgelés au congélo. Pas le moral. Vous avez gagné à la 6/49... 10 $. Non, ça change pas le monde. Diagnostic: panne d'inspiration culinaire généralisée. Trente-six excuses, trente-six joies et misères et heureusement autant de restaurants où aller sans avoir l'impression de se ruiner ou de tricher avec sa conscience.

Le *917* semble exister justement pour répondre aux petits et grands besoins de tous les jours, aux familles éclatées comme aux amants les plus unis. La façade de cet ancien casse-croûte s'est refaite une beauté et arbore désormais un air de circonstance et des panneaux de bois aux riches reflets acajou. À l'intérieur, on a repeint et décoré l'espace toujours aussi exigu. Y règne un joyeux brouhaha où la proximité est de mise sans compter les conversations partagées, de gré ou de force!

Restaurant de quartier où l'on apporte sa bouteille de vin et son humeur du moment, le *917* s'est bâti une clientèle solide qui ne demande qu'à revenir dès qu'une excuse se présente, bonne ou mauvaise. On vous accepte même les mains vides et le service est exécuté avec rapidité si votre horaire ne permet pas d'étirer langoureusement la soirée.

Le potage de légumes a l'apparence d'une crème au vert pimpant mais le goût du navet prend indéniablement le dessus. Quant à la mousse de foie de volaille maison, elle fait la nique aux rillettes et terrines du commerce. Présentée sur une immense assiette, cette mousse généreuse et aérienne faite de foie de canard et de beurre s'accompagne de croûtons grillés mais surtout d'une poire pochée découpée en éventail. La douceur du fruit compose avec celle de la mousse qu'on voudrait peut-être plus «punchée» ou alcoolisée.

Les plats de résistance sont présentés avec le même souci du détail. Les mignons de porc aux raisins baignent dans une sauce demi-glace sucrée et légèrement crémée. Un gratin dauphinois et quelques légumes *al dente* forment une trilogie inséparable. Quant au feuilleté de saumon aux petits légumes, il repose sur une sauce crème-vin blanc tout ce qu'il y a de classique et de satisfaisant. Le saumon aurait pu gagner en fraîcheur et aurait atteint la perfection dans cette assiette où julienne de légumes tels poireaux et carottes se nichent au creux du feuilleté avec ledit saumon légèrement trop cuit. La corbeille se compose d'une baguette correcte et de beurre qui a eu chaud.

Si vous avez encore une petite dent creuse pour le dessert, goûtez-moi ces profiteroles réconfortantes et généreuses pour deux, nappées d'un bon chocolat fondu, ou encore ce gâteau-mousse praliné légèrement trop sucré sur un biscuit nougatine croustillant.

Un repas pour deux personnes vous coûtera environ 45 $ avant taxes et service.

AU PETIT EXTRA

1690, rue Ontario Est
Tél.: 527-5552
Métro Papineau, bus 45
Ouvert du lundi au vendredi de 11 h 30 à 14 h 30,
du dimanche au jeudi de 18 h à 22 h,
vendredi et samedi de 18 h à 22 h 30.

Le *Petit Extra* fait partie des «restaurants du cœur» et il règne dans cette maison une atmosphère de coude à coude quasi familiale ponctuée par un service très copain-copain. On ne s'embarrasse pas ici des petits plats dans les grands, non plus que des menus alambiqués. Sur d'immenses tableaux noirs, on inscrit jour après jour les plats vedette, les vins sympas, les prix inoffensifs et la pensée de l'heure tirée de la réserve du patron.

Midi et soir, ce restaurant qui n'en cesse pas de grandir et d'agrandir accueille toujours plus d'habitués. Car c'est un bistrot d'habitudes que ce *Petit Extra* où l'on prend ses aises, malgré la rumeur parfois assourdissante des conversations, malgré la vue imprenable sur le va-et-vient en cuisine et surtout grâce ou malgré la proximité des tables. Pour l'intimité il faudra repasser!

Au menu du midi, une bisque de crevettes honnête ou du céleri-rave râpé en mayonnaise s'offrent en guise d'entrées en matière simplettes. Suivra une succulente cuisse de canard confite en salade tout ce qu'il y a de grassement satisfaisant. Le requin au fenouil accuse une cuisson exagérée mais la portion est généreuse et on l'accompagne de riz, de carottes et de pois mange-tout cuits à point, eux.

Le soir, j'ai eu l'occasion de goûter une soupe aux escargots pas piquée des vers du tout, bien crémeuse et trahissant l'ail à souhait. Du *gravad lax* au fenouil, saumon mariné à la scandinave, offert en fines tranches de concert avec une petite sauce moutardée, donne la réplique.

Tant le cari de crevettes que le porc sauce aux marrons se valent sur le grand tableau et n'hésitez pas à commander cette bavette à l'échalote, spécialité de la maison tout à fait dans le ton bistrot.

La baguette dans la corbeille est signée par le *Pain Doré* et jumelle une croûte épaisse à une mie bien souple.

Tout à fait le genre de pain indiqué pour accompagner le fromage, ce «biscuit des ivrognes» comme disait Brillat-Savarin. On promet de changer cet assortiment de fromages tristounet et de passer chez un autre fournisseur prochainement. En attendant, ce brie acide, ce bleu d'Auvergne cassant et cet emmenthal sans grande envergure ne méritent pas de trôner sur une table de bistrot. En fait, vin au verre aidant, le *Petit Extra* pourrait devenir un excellent pourvoyeur de fromages, repas unique s'il en est qui convient aux fringales d'après ou d'avant-théâtre.

La cave à vins de ce restaurant est immense et on pourrait sans difficulté y tenir un siège. Michel, le sommelier officieux de la maison, connaît ses protégés un par un et s'emploie à faire de bons coups de 17 $ à 200 $. On vous vend même le vin de l'Orpailleur, *made* in Dunham.

Le chapitre des desserts est toujours aussi stable et on y retrouve la délicieuse dacquoise, meringue sèche au beurre de noisettes, le sultan aux poires de la *Pâtisserie Bruxelloise* et la crème caramel des petits midis sans panache. Par contre, la clientèle radio-canadienne et radio-québécoise a du panache pour deux!

Un repas pour deux personnes vous coûtera environ 20 $ le midi et 40 $ le soir avant vin, taxes et service. Table d'hôte le midi de 8 $ à 9,50 $ et le soir de 10,50 $ à 14,50 $.

BAZOU

2004, avenue de l'Hôtel-de-Ville
Tél.: 982-0853
Métro Saint-Laurent

Ouvert du mardi au jeudi de 17 h 30 à 22 h,
vendredi et samedi de 17 h 30 à 23 h et dimanche de
17 h 30 à 22 h,
fermé le lundi.
Apportez votre vin.

La vaisselle dans laquelle on mange a parfois autant d'importance (sinon plus) que ce qu'on y met. Les Japonais ont tout saisi de cet art qui consiste à varier les contenants tout en minimalisant le contenu. Tant les formes, les couleurs que le matériau utilisé peuvent interférer avec la perception générale d'un plat.

Au *Bazou*, on a ce souci du détail tant dans l'assiette que dans le décor. Les assiettes elles-mêmes proviennent de l'héritage de tante Marthe, du marché aux puces de Saint-Lin et des brocanteurs de la rue Ontario. Assiettes et soucoupes sont dépareillées mais ont conservé cet air décati des enluminures trop souvent frottées. Au *Bazou*, on pousse même le vice jusqu'à laver cette vaisselle à la main, une à une, délicatement.

Ancien petit casse-croûte situé en face du Cégep du Vieux-Montréal, *Bazou* offre un menu coloré dans un décor qui ne l'est pas moins. Une légère tendance californienne sur fond de Studebaker, une touche italienne version Camaro, font l'essentiel du message. Bibelots par-ci, poisson rouge par-là, l'œil est constamment sollicité par mille et un objets rétro. Même la bouteille d'eau apportée sur la table est teintée de bleu, à l'ancienne.

La bisque de tomate à l'orange apporte une note printanière couplée au fromage *feta* et au cumin. Une touche de ciboulette donne de la verdeur à l'ensemble. Malgré l'acidité générale de cette soupe chaude, les saveurs s'entremêlent avec bonheur. On ne peut en dire autant de la salade d'avocat Corvette. Ce mélange d'avocat et de poires laisse indifférent parce que trop fade et relevé d'une vinaigrette trop timide. La présentation reste soignée et attrayante.

Quant au Chevrolet chaud au coulis de poivrons, le fromage de chèvre légèrement ammoniaqué repose sur une nappe de coulis de poivrons qui offre une certaine résistance et apporte du fruit au fromage. De petites olives vertes ajoutent au coup d'œil général.

Les plats de résistance laissent l'embarras du choix. Ce demi-poulet de Cornouailles sauce aux raisins est présenté de façon alléchante. Des légumes croquants: asperges, pommes de terre, navets, carottes, pois mange-tout et une touche de pavot et de graines de sésame, complètent l'assortiment. Ce succulent poulet nain (croisement de la poule Cornish et du poulet anglais) est au mieux dans cette sauce aux raisins blancs, au vin blanc et à la crème. On gagnerait à napper plus généreusement de sauce la volaille.

Même défaut pour le saumon Cactus. Ne reste plus rien dans l'assiette de cette sauce supposément faite de jus d'agrumes, de gingembre et d'huile de soya. Quelques grains de poivre rose, jolis, (mais dont on se passerait du reste) font l'essentiel des aromates. Le poisson cuit à perfection copine avec les mêmes légumes et on a ajouté un riz au cari particulièrement savoureux.

Le pain dans la corbeille n'a rien d'italien ni de californien. On a plutôt droit à la baguette banale. Le beurre salé est à proscrire. On apporte son vin à volonté au *Bazou*. Ce fut pour nous l'occasion de goûter une de ces décoctions maison, un vin blanc artisanal à souhait et agréable au goût. Mais gare au mal de cheveux après deux verres… À éviter même au nom de la plus solide amitié!

Les desserts ont le même cachet que le reste de la carte. Le gâteau au fromage et amandes est fabriqué par le serveur (nous sommes décidément en famille) et son coulis de griottes additionné d'une touche de crème anglaise donne du mordant à ce gâteau lourd mais oh! combien délectable.

Le gâteau truffé au chocolat est fabriqué par une pâtisserie (à vocation commerciale uniquement) de l'extérieur. Cette excellente terrine réunit une pâte de truffe (crème et chocolat) au chocolat au lait et l'autre au chocolat noir. Servies sur crème anglaise, ces tranches voluptueuses de textures et de saveurs feront frémir les drogués du chocolat de plus en plus nombreux.

Jolie théière de grand-maman Dion ou tasses à café évasées de grand-maman Boucher, jusqu'à la toute fin le service a la couleur des rendez-vous doux avec le souvenir et l'avenir!

Un repas pour deux personnes vous coûtera environ 50 $ avant taxes et service.

BISTRO ON THE AVENUE
1362, avenue Greene
Tél.: 939-6451
Métro Atwater
*Ouvert du lundi au samedi de 11 h 30 à 22 h 30 (pour
la cuisine) et jusqu'à minuit pour le bar.
Fermé le dimanche.*

Pas âme qui soupire ce soir dans les rues de Westmount, sauf peut-être quelques chiens fiers d'arborer leur médaille et de traîner leur maître en laisse. Rien. Pas un souffle, pas de vieille dame munie d'une canne, pas de jeune scout au foulard torsadé, qu'une chatte égarée nommée Cléo (ou est-ce Clio?). Westmount s'endort toujours tôt et on ne soupçonne rien du ramdam qui a cours sur l'avenue Greene. Quelques initiés y ont élu domicile pour fuir l'ennui et retarder la nuit. Véritable club sélect, le *Bistro on the Avenue* (pour la traduction il faudra repasser) réunit les éléments les plus dynamiques de la société westmontaise six jours sur sept.

Le Bistro on the Avenue est une véritable surprise en termes d'atmosphère, de service et de cuisine dans une ville qu'on croyait morte. Des couples dignes et âgés côtoient de jeunes cadres aux dents longues, les francophones forment une société distincte de même que les fumeurs logés aux étages supérieurs. Pour une fois, on donne l'avantage aux non-fumeurs. Les tables coincées, rapprochées, ne favorisent pas l'intimité mais la gent westmontaise semble peu s'en soucier, étant venue égayer son quotidien au contact de ses semblables. Bref, midi et soir c'est plein à craquer comme aux beaux jours de santé économique.

Des piliers de bars installés à l'entrée font face à une salle comble, joliment décorée, à l'éclairage diffus et flatteur. De petits lampions jouent d'ombre et de lumière sur chaque table recouverte d'un verre protecteur. Une nappe fleurie ajoute une note printanière. Sur les tableaux noirs, quelques suggestions du jour s'ajoutent au menu essentiellement fait de sandwiches (très originaux) sur pain baguette, de salades appétissantes et de plats bistrot dont la paternité est indiquée sur le menu.

Le *minestrone* (soupe du jour) a toutes les qualités d'une bonne soupe paysanne et personnellement j'en ferais un repas. Légumes encore fermes, morceaux de viande, pois chiches et fèves rouges, bouillon tomaté et parfumé aux herbes, rien n'est plus réconfortant. On présente les soupes dans le bol français, collet monté.

Le feuilleté aux asperges nous fait croire un instant au retour de la belle saison. Il nous faudra attendre mai pour savourer les asperges du Québec mais rien n'empêche de se régaler des importations. Cuites *al dente*, ces asperges vertes sont couplées à la sauce hollandaise et couchées dans un petit rectangle de pâte feuilletée aérienne.

Le carré d'agneau au romarin et au poivre (*Café le Petit Robert* à Marseille) est généreux, cuit à point (c'est-à-dire rosé) mais il lui manque un petit jus de cuisson. Rien dans l'assiette, ni les pommes de terre en purée, ni les légumes, n'humidifie cette viande traitée avec soin par ailleurs.

Les moules à la provençale (*Café Lou Bacchus*, Paris) mettent en vedette des moules charnues dans un court-bouillon au vin blanc, aillé et tomaté. Les frites d'exception sont dorées à souhait, croustillantes, en un mot délicieuses et abondantes. Une mayonnaise à l'ail maison ajoute un peu de lipides à la chose.

La baguette fraîche et de bonne facture est reine dans la corbeille et dans les sandwiches. La liste des vins bien construite permet au dîneur de choisir le verre ou la bouteille. Un sauvignon blanc Santa Rita arrosait ce repas tiré d'une carte où les prix oscillent entre 18 $ et 27,50 $.

La carte des desserts accrochée au mur vous aguichera peut-être. Au pudding au pain louisianais préférez le gâteau mousse au chocolat, un des meilleurs répertoriés à ce jour sur l'île de Montréal. Densité, légèreté, générosité et chocolat amer, tout y est! Pour ce qui est du pudding, si vous aimez le pain détrempé (au bourbon), les raisins secs et la cannelle (les trois seules choses que j'exècre), ce dessert est pour vous.

Un repas pour deux personnes vous coûtera environ 45 $ avant vin, taxes et service.

BISTROT BAGATELLE
4806, avenue du Parc
Tél.: 273-4088
Métro Place-des-Arts, bus 80, arrêt Villeneuve
Ouvert de 11 h à 14 h et de 17 h à 23 h; le samedi de
17 h à 23 h; fermé le dimanche.
Terrasse.

Le mot *restaurant* connaît autant de définitions que de facettes. La facture de l'établissement est fonction de l'addition, bien sûr, mais aussi d'un contexte. On se réfère tantôt au bistrot, tantôt au café, au «restoroute» (relais routier), au snack-bar, à la cafétéria, à la brasserie ou au *wine-bar*. C'est selon.

Le mot *bistrot,* quant à lui, est apparu dans la langue française en 1884. On se dispute encore, chez les académiciens, sur les origines du terme. Il serait d'étymologie russe pour les uns (bistro veut dire vite). Il serait un diminutif de *bistrouille* pour les autres (eau-de-vie de mauvaise qualité).

Le mot *bagatelle,* par ailleurs, peut aussi bien désigner l'objet sans valeur, l'amour physique (nous dit le dictionnaire) et le dessert au gâteau sec si populaire au pays de sa majesté la reine. Allez savoir quel sens a privilégié Pascal Gellé en baptisant son bistrot *Bagatelle.*

Ceux qui fréquentaient *La Chamade* se régaleront d'apprendre que son chef a repris le collier. Mais il faut tout de suite mettre en garde les nostalgiques qui voudraient revivre au *Bistrot Bagatelle* une seconde *Chamade.* Sans avoir rien perdu du talent qui est le sien, Gellé s'est plié au style limitatif du bistrot, pour adapter sa carte à de nouvelles exigences. La formule en est d'autant simplifiée, ainsi que le service, la cave à vins et les prix, pour ne nommer que ceux-là.

Quelques douces habitudes lui restent de son petit «grand» restaurant comme ses croûtons apéritifs au foie gras ou aux poivrons rouges servis avant le repas. Sur le menu, fidèle à ses amours, Gellé n'a inscrit aucun poisson. Selon les arrivages, le serveur vous annoncera le colin, la truite, l'espadon ou le corégone avec une sauce à l'oseille, au safran ou au beurre tomaté, selon l'entrée que vous aurez choisie et les saveurs à marier.

En entrée, la chicorée au chèvre chaud, un plat bistrot par excellence, présentait un chèvre avec sa croûte sur les rondelles de ficelle grillée. Une chicorée à peine âcre servait de support avec un filet de vinaigrette. La terrine chaude au poisson fumé superposait une mousse de saumon fumé, une autre aux huîtres et une dernière au cresson. Une sauce légère au fumet de poisson humidifiait l'ensemble.

Parmi les poissons du jour, le corégone au safran jouait chair blanche sur fond jaune. La sauce onctueuse donnait un peu d'allant à ce poisson légèrement fade (qui nous donne par ailleurs un excellent «caviar»). J'ai aussi goûté un colin au beurre de tomate farci d'une mousse au saumon d'une délicatesse rare. La cervelle à la purée d'oseille s'accommodait bien du traitement à la poêle et fondait en bouche sans demander son reste. Comme dans les grands restaurants, Gellé n'a pas sacrifié l'habitude de servir les légumes dans leur assiette respective.

Les vins du *Bistrot Bagatelle* étonnent par la modestie de leur prix. On y trouve une variété intéressante des bons rapports qualité-prix offerts à la SAQ et aux Maisons des vins (de 17 $ à 70 $). De plus, le service est professionnellement mené (on change de verre pour faire goûter une deuxième bouteille du même vin), car Gellé sait s'entourer d'ambassadeurs fiables en salle.

Au dessert, le bavarois à la framboise sur sauce au chocolat était fruité à souhait, entrelardé de génoise et servi sur un chocolat qui manquait un peu de muscle. Le parfait aux marrons glacés est fait maison et agence chocolat et marrons, crème et œufs, un accord classique.

Le décor du *Bistrot Bagatelle* est resté le même, c'est-à-dire superbe. Les panneaux de bois furent importés de Belgique à l'ouverture (il y a de cela quelques années), et si l'environnement bruyant (aucun élément décoratif pour assourdir) est une formule qui eut l'heur de plaire aux clients de *L'Express*, l'avenue du Parc aura, elle aussi, son bistrot BCBG.

Un repas pour deux personnes vous coûtera environ 44 $, avant vin, taxes et service. Table d'hôte de 8,75 $ à 13,75 $ le midi et à 16,75 $ le soir.

LE BOUCHON
4448, boulevard Saint-Laurent
Tél.: 985-2232
Métro Saint-Laurent, bus 55 ou métro Mont-Royal,
bus 97.
Ouvert tous les jours de 11 h à 1 h,
samedi et dimanche, brunchs servis de 10 h à 15 h.
Terrasse.

Le Bouchon s'inscrit tout à fait dans la lignée des restaurants d'ambiance aux décors flamboyants et étudiés jusqu'à la «maniaquerie». Il y a de quoi faire rêver l'œil et combler l'imagination dans un tel lieu. Ceux qui allaient s'y faire voir se font couper l'herbe sous le pied par de superbes panneaux de cerisier recouvrant les murs et des fresques peintes par René Morel, tel un casse-tête insoluble inspiré de la chapelle Sixtine. Et c'est sans parler de cette mosaïque de marbres de couleurs qui décore artistiquement le plancher: un travail de moine (lequel se nomme Michel Cantin) qui laissera les anthropologues pantois dans mille ans.

En attendant, nous pouvons profiter du *Bouchon* tout notre soûl et de son esthétisme de haute voltige en cette époque de coupures budgétaires et d'ascétisme. Les grandes vitrines de même qu'un plafond haut font de ce vaste endroit une tribune de choix, angle Saint-Laurent et Mont-Royal.

Monsieur Gilbert, l'instigateur de ce projet et parrain de l'ex-*Odéon* (aujourd'hui *Bagatelle*) a fait de son nouveau protégé un bistrot plus qu'attrayant. La cuisine (toujours en rodage à l'heure où l'on se parle) demeure terre-à-terre et flirte avec les classiques qui ont fait la gloire des brasseries parisiennes.

Le menu succinct comme je les aime nous cause grillades et frites, pot-au-feu et même *tapas* pour ceux qu'une petite faim et une grosse soif tenailleraient. Je me suis laissée tenter par ces toasts de moelle et champignons revenus au beurre et présentés comme il se doit avec du gros sel dont on se sert pour relever ce mariage réussi.

Autre entrée typiquement après-théâtre: la soupe à l'oignon gratinée. Cette version nous fait goûter l'oignon caramélisé dans toute sa splendeur de même qu'au vin blanc, au bouillon de volaille et au porto sous le croûton gratiné. J'ai presque hâte aux soirs d'automne pour aller m'en régaler à nouveau.

Plat de fin d'été par excellence, le pot-au-feu peut être prétexte à faire bouillir de la poule dans lequel cas on l'appelle poule-au-pot. Servi avec cornichons, gros sel et moutarde, ce pot-au-feu n'en serait que meilleur. Présenté dans une jolie casserole de métal, il met en valeur la chair blanche de la volaille (on pourrait en mettre davantage), les poireaux, navets et carottes de saison.

Parmi les grillades, les côtelettes d'agneau reposent sur une large assiette agrémentée de haricots verts *al dente* et d'un petit contenant de moutarde forte. La cuisson est parfaite et le plat nécessite la compagnie de frites dorées (à volonté) cuites dans une graisse irréprochable. La mayonnaise maison sert de faire-valoir à ces frites très belges et croustillantes.

Le pain dans l'assiette brille par sa fraîcheur et la qualité de sa mie élastique. Une bouteille de Los Vascos blanc arrosait ce repas tiré d'une carte où les prix oscillent entre 20 $ et 69 $.

Les desserts ont eux aussi hérité de cette touche européenne bon teint. Le gâteau mousse au chocolat est d'une catégorie à part, de la trempe des vrais. Biscuit chocolaté et dense surmonté d'une mousse intense et d'une ganache fort louable forment un trio du tonnerre dont je n'ai pu venir à bout. Les îles flottantes, plus légères, reposent sur un étang de crème anglaise. Les blancs d'œufs pochés auraient supporté davantage de caramel mais l'ajout de petits fruits s'avérait une bonne idée.

Un repas pour deux personnes vous coûtera environ 50 $ avant vin, taxes et service.

Table d'hôte le midi de 8,95 $ à 13,95 $.

LE BOUCHON LYONNAIS
1595, rue Saint-Denis
Tél.: 842-1502
Métro Berri-UQAM
*Ouvert du lundi au vendredi de 11 h 30 à 14 h,
jeudi au samedi de 17 h 30 à 22 h,
fermé le dimanche.*

La Brioche Lyonnaise se double d'un restaurant au deuxième étage: *Le Bouchon Lyonnais*. Il n'a rien en commun avec le *Bouchon* de la rue Saint-Laurent non plus qu'avec feu la *Fourchette Lyonnaise* qui campait dans ce même local. Ce petit restaurant français au décor québécois (personnellement, je trouve qu'il manque d'âme), est idéal à bien des points de vue. Le menu du jour propose toutes sortes de petits plats mitonnés et on peut s'offrir 80 % des vins de la carte au verre ou au pot (46 cl). Cette carte montée par Richard Gauthier est exclusivement composée de vins des régions limitrophes de Lyon. On y trouve donc du Beaujolais, du Bourgogne et du Côtes-du-Rhône versant nord dans une fourchette de prix tout à fait acceptable car on majore le prix demandé par la SAQ de 8 $ à 10 $.

En cuisine, on est moins patriotique et on nous épargne les clichés lyonnais indigestes comme les tripes, le gras-double et autres délices interdits aux cardiaques. Ce midi-là, une crème de champignons sert d'amorce et elle n'a rien en commun avec sa consœur en conserve. Les champignons parfument délicatement cette crème classique et réconfortante.

Une entrée froide, la terrine de légumes, intègre l'avocat et le cari au support de crème et de gélatine. Des légumes en bâtonnets décorent les couches successives de cet appareil onctueux. Cette tranche de terrine repose sur un coulis de tomates additionné d'une vinaigrette au vinaigre de xérès.

L'agneau, sorte de navarin au vin blanc, petits légumes et cari aurait gagné en saveur et perdu ce petit goût de laine caractéristique s'il avait été du Québec. Une erreur que d'utiliser l'agneau de Nouvelle-Zélande dans ce plat. Du riz et de la ratatouille complètent l'assiette.

D'une fraîcheur absolue, le filet d'aiglefin sur concassé de tomates rehaussé d'huile d'olive et d'ail rappelle la Provence. N'y manque que le parfum des tomates d'été. Le poisson est cuit à la perfection, simplement passé sous le gril et les mêmes riz et ratatouille viennent s'y ajouter.

Dans nos verres, un Julienas, Domaine Monnet 91 (5 $) et un Mâcon-Viré de la maison Louis Roche 90 (5 $) ajoutent leurs parfums soutenus. Le pain dans la corbeille est frais de même que le beurre doux.

Les pâtisseries viennent tout droit de *La Brioche Lyonnaise*. Le clafoutis aux cerises fait une entorse à la recette classique en y ajoutant une croûte mais il n'en est que meilleur (mais aussi moins léger). Quant à la cheminée au chocolat, elle regroupe l'excellent chocolat noir *Valrhona* et la génoise pur beurre qui font la réputation de Monsieur Laffont. Je l'aurais aimée plus fraîche, auquel cas je l'aurais peut-être terminée.

Un repas du midi pour deux personnes vous coûtera environ 30 $ avant vin, taxes et service. Table d'hôte le midi à 12,50 $ et le soir à 16,95 $.

BUONA NOTTE

3518, boulevard Saint-Laurent
Tél.: 848-0644

Métro Saint-Laurent, bus 55

Ouvert du lundi au vendredi de 12 h à minuit,
samedi et dimanche de 17 h à minuit.

Au chapitre des mauvaises manières au restaurant, le téléphone cellulaire coexiste désormais avec le cigare, le parfum *Poison*, la familiarité exagérée de certains serveurs (quoique des exceptions confirment cette règle) et le rouge à lèvres dont les coquettes s'enduisent entre deux services, miroir de poche à la main. Un hurluberlu de ma connaissance, exaspéré de voir sa compagne se peindre ainsi le visage à table devant lui, s'est déjà muni d'un bol de savon, d'un blaireau et d'un rasoir pour aller au restaurant. Au moment crucial où la belle crut bon devoir sortir son poudrier, mon ami Jack se fit venir de l'eau chaude et entreprit de se faire la barbe avec autant de panache que s'il sortait de la douche.

On dit souvent de la véritable classe qu'elle consiste à faire passer des bévues pour les travers les plus exquis et les fautes de goût pour des originalités. Dans tous les livres de bienséance, on demande à l'auteur d'expliquer comment se débarrasser des noyaux d'olives dans les cocktails. Et tous les auteurs de rétorquer que peu importe la façon, il faut le faire avec le plus de discrétion possible et surtout comme si c'était la chose la plus naturelle au monde.

Long préambule pour vous présenter *Buona Notte*, un nouveau lieu branché de la *Main* où tout ce que Montréal compte de BCBG se pointe midi et soir muni d'un téléphone cellulaire, d'un *trench* savamment débraillé, d'un jean signé (*Holt Renfrew* au minimum), affiche un air de circonstance sous sa houppe gominée, vaguement blasé, un brin existentialiste.

Cette atmosphère apprivoisée, on se retrouve néanmoins dans un très joli décor, plus *trattoria* que restaurant, avec des murs texturés couleur terre de Sienne et des chaises bistrot donnant le ton sans façon. Sur le menu accroché au mur, des spéciaux du jour étoffent davantage la carte principalement composée de pâtes, de pizzas et de petits plats simples, colorés et savoureux comme seuls savent les faire les Italiens.

Les *cavetieddi con ruccola* se présentent sous forme de pâtes allongées et *al dente* nappées de sauce tomatée et pimentée additionnée de *ruccola*, une laitue amère. Du parmesan râpé ajoute une note douce et salée au plat de *pasta*. Autre plat du jour, les *scallopine* impériale ont cette touche californienne qui s'ajoute à l'esprit italien. La sauce rosée (ça manque de sel) qui masque les fines escalopes se double de beaux légumes croquants: poivrons, carottes, haricots et fines herbes pour compléter l'échantillon des parfums.

Sur la carte, les *funghi con polenta* valent le détour et sont une excellente façon de se familiariser avec cette semoule de maïs tant honnie. Elle reprend heureusement du service dans nos restaurants. Les tranches de *polenta*, surmontées de pleurotes et de champignons de Paris grillés baignent dans l'huile d'olive et sont saupoudrées de parmesan ainsi que de persil.

Buona Notte fait aussi dans la pizza que la carte honore de façon magistrale. Cette pizza a pour elle la fraîcheur de ses ingrédients et une pâte mince, cuite juste à point. La pizza au thon réunit du thon en boîte, des câpres, des olives, du romarin ainsi que l'ail, la tomate et le mozzarella réglementaires.

Le pain de seigle archi frais provient de la boulangerie *Levine's* du boulevard Saint-Laurent et la carte des vins, sommaire (de 25 $ à 45 $), privilégie les vins italiens comme ce Soave.

Les desserts sont un maillon faible du repas. La crêpe au *mascarpone* praliné, garnie de fraises et nappée de chocolat fondu, sort tout droit du frigo et a peine à nous faire de l'effet. Quant aux fraises *al caffé*, leur originalité n'a d'égal que le parfum combiné des fraises (plutôt rouges que blanches) et du café, de la crème et du brandy, le tout présenté dans un gros verre à cognac. Rafraîchissant!

Le service est fait tantôt en français, en anglais ou en italien, c'est au choix! La bouteille de San Pellegrino patriotique trône sur presque toutes les tables et détrône le Perrier.

Comptez 45 $ pour deux personnes avant vin, taxes et service.

Table d'hôte le midi entre 7,50 $ et 13 $ et le soir entre 13 $ et 25 $.

CAFÉ VIA ROMA
7076, boulevard Saint-Laurent
Tél.: 277-3301
Métro De Castelnau
Terrasse ouverte de 11 h à minuit,
tous les jours.

À deux pas du marché Jean-Talon, de *Milano,* du *Café Italia,* bref de tout ce qui représente l'italianité montréalaise, il y a aussi une terrasse où le vent s'engouffre gaiement entre deux murs de béton un brin tristes. Quelques tables-parasol bien espacées, une cabane de jardinier qui tient lieu de petite cuisine et une blonde patronne veillant au bonheur de sa basse-cour composent un tableau fort sympathique du reste.

Cette trattoria-terrasse n'a pas le chic des jardins-jeux d'eau du centre-ville. Elle n'a pas non plus un menu sur coulis de tomates à présenter, seulement une honnête sauce qui a fait ses preuves hiver comme été auprès d'une clientèle fidèle. La carte tout-terrain de la terrasse du *Café Via Roma* est égale à elle-même et on ne s'y dépayse pas. Évidemment, comme pour tous les restaurants italiens, le mois d'août lui va mieux au teint: les melons sont plus sucrés et les tomates bien rouges.

En attendant, on vient déguster des pizzas, des pâtes cuites au four (la patronne se refuse à servir des spaghetti ou des *linguine* à l'extérieur, de peur qu'ils refroidissent), des aubergines au parmesan et des *gnocchi*. On peut aussi se contenter d'une salade ou d'un *antipasto* et passer directement aux *gelati* maison…

L'assiette de *prosciutto e melone* couple le melon de miel et le *prosciutto* salé. Ce dernier manquait d'humidité naturelle et on l'aurait voulu encore plus mince pour qu'il fonde (façon de parler) sur le palais. Contrairement à ce qu'on peut croire, la coutume qui consiste à associer le jambon de Parme à du melon est beaucoup plus répandue à Montréal qu'à Parme. En Italie, c'est à peine si on concède au *prosciutto* un peu de beurre doux.

Quand les tomates ont la mine engageante, essayez aussi l'assiette de *bocconcini* (ce fromage fade à la texture caoutchouteuse) et de tomates au basilic frais, simplement arrosées d'huile d'olive bien verte. Ce frugal repas de canicule se signe avec du pain italien bien farineux, trempé à même l'huile.

Très estivale et portuaire, l'assiette de friture de *gamberi* et *calamari* avec une salade mixte est toute en légèreté et en fraîcheur. De grosses crevettes en papillon et des morceaux de calmars passés à la pâte à frire (à peine huileux) s'accommodent parfaitement d'une salade estivale aux olives noires et du vin blanc, un Soave ce soir-là. La pizza *Capriciosa* était plus décevante, alourdie inutilement par trop de fromage et garnie de *prosciutto,* d'olives, de poivrons rouges et de champignons qu'on parvenait difficilement à goûter.

Les glaces de *Via Roma* ont bonne réputation dans le quartier et tous les jours le patron renouvelle son assortiment classique fait maison. La recette vient du grand-père glacier qui faisait ses glaces en Italie. Citron, banane, chocolat, vanille, noisette, pistache ou fraise se disputent la *coppa* en fer-blanc (avec la cuillère plate faite sur mesure pour la langue) ou le cornet fourre-tout. Ces glaces ont pour elles de rappeler un peu l'Italie, mais n'ont pas le velouté, la générosité de saveurs et l'imagination de leurs cousines d'outre-mer. Les comptoirs des *gelateria* modernes regorgent de saveurs telles que le *tiramisu* (comme le gâteau), les *baci* noirs ou blancs aux noisettes (comme les petits chocolats), rhum et pacanes, chocolat blanc, macarons à l'amaretto, *mascarpone, espresso,* café au lait, sans parler des fruits acidulés et sucrés, sans sucre ajouté. Même l'exotique kiwi pousse en Italie aux côtés des figues, des abricots et des cerises de mai.

L'*affugato al caffé,* une glace à la vanille arrosée d'*espresso* chaud et coiffée de crème Chantilly, termine bien le repas en alliant le café et la glace sur une note rafraîchissante.

Le *tartufo,* cette boule de glace au chocolat avec centre de nougat, est façonné à la main par le patron et roulé dans le cacao pour l'empêcher de coller. Ces *tartufi* sont parmi les meilleurs disponibles à Montréal. L'*espresso, longo* ou tassé, est odorant et vivifiant: du café pour amateurs d'insomnies.

Un repas pour deux personnes vous coûtera environ 47 $ avant vin, taxes et service. Comptez de 23,50 $ à 150 $ pour le vin. Pas de table d'hôte sur la terrasse.

CHEZ JOËL
1284, rue Bélanger Est
Tél.: 279-2592
Métro Jean-Talon, bus 95
Ouvert du mardi au vendredi de 11 h 30 à 14 h 30
et du mardi au samedi de 17 h 30 à 22 h 30,
fermé dimanche et lundi.

Chez Joël, l'animation surgit de toutes parts et les clins d'œil complices entre clients et serveur sont monnaie courante. Ce petit restaurant, on en confierait l'adresse qu'aux intimes, plus férus de bonnes bouffes que de grands décors, davantage portés sur les valeurs essentielles de l'existence que sur l'apparat et le m'as-tu-vu. Voilà un restaurant au menu simplifié au gré du marché, quasi prolo, vous invitant à partager la table d'hôte du soir contre 23,75 $, T.P.S. incluse.

La tartelette de foies de volaille à l'ail et au miel fait appel à l'aigre-doux avec une sauce moitié vinaigre, moitié miel caramélisé. Les foies de volaille couplés aux champignons s'accommodent à merveille du parfum d'ail et de miel. La tartelette pur beurre est d'excellente confection.

Je recommande également cette langue de veau blanchie juste à point et simplement nappée d'une mayonnaise légère aux câpres. Tendre, délicat, cet abat encore inusité au Québec se détache en tranches épaisses sous la fourchette. On peut également lui donner un peu de zeste avec du citron frais.

Les plats de résistance ont à la fois du panache visuellement tout en ne décevant point sur le plan gustatif, ce qui est rare. La raie pochée aux câpres repose majestueusement sur l'assiette blanche, entourée de ses disciples. Des épinards en buisson à peine étuvés, des courgettes farcies, des champignons fourrés au fromage de chèvre et des pommes vapeur donnent un air printanier à cette raie pochée et simplement nappée d'un beurre fondu aux câpres. Essayer la raie au restaurant, c'est l'adopter à la maison pour sa simplicité de cuisson et son absence d'arêtes.

La longe d'agneau en pâte phyllo est présentée en petit chausson sur sauce au poivre vert et aux champignons.

Rosé à souhait, l'agneau est au mieux dans ce petit coffret de pâte légère. La sauce demi-glace légèrement crémée rehausse viande et légumes avec juste ce qu'il faut de conviction.

La corbeille de pain est garnie d'une baguette de bonne facture. Quant à la liste des vins, vous pouvez y faire de belles trouvailles comme ce Picpoul de Pinet (un blanc de blanc du Languedoc).

Les desserts de *Chez Joël* optent pour la simplicité. Le gâteau truffé au chocolat réunit la pâte de truffe bien puissante et un biscuit au beurre. Servi sur sauce au cacao, ce dessert riche comblera les «chocophiles» avertis. Le gâteau praliné aux amandes ne laisse aucun doute quant à sa fraîcheur et va dans le sens de la légèreté. Tant cette génoise que ce beurre de pralin sur fond de sauce au cacao séduisent le palais.

Un repas vous coûtera 12,75 $ le midi, et le soir 22,75 $ incluant les taxes.

CHEZ LA MÈRE MICHEL

1209, rue Guy
Tél.: 934-0473
Métro Guy-Concordia
Ouvert du mardi au vendredi de 11 h 30 à 14 h 30,
du lundi au samedi de 17 h 30 à 22 h 30,
fermé le dimanche.
Terrasse et salons privés.

La mère Michel, c'est Micheline Delbuguet. Et si elle a perdu son chat, elle n'a pas perdu sa langue pour autant. Quand il s'agit de son précieux petit restaurant de la rue Guy, la mère Michel sait causer, que le père Lustucru trouve à lui répondre ou non.

Chez la Mère Michel n'est pas précisément un restaurant familial. On vient surtout y trouver la tranquillité, les bonnes vieilles habitudes de toujours, le personnel stylé, et m'est avis que les chaises hautes ne sont pas du goût des habitués.

Le midi, on offre à cette clientèle majoritairement masculine et anglophone une table d'hôte fort bien garnie. La cuisine classique n'a rien de déroutant et on sait faire les choses ici. Grasses à souhait, les rillettes de saumon (frais et fumé) regorgent de beurre comme il n'est plus permis d'en raffoler aujourd'hui lorsqu'on surveille son taux de cholestérol un tantinet. On «allège» heureusement le tout d'un peu de mayonnaise et de jus de citron vert.

La terrine de légumes sauce verte est une entrée des plus traditionnelles. La portion généreuse ne compense pas le manque de finesse de ce damier de légumes (carottes, brocolis et céleris) lié à la crème et à l'œuf. Un peu de gélatine vient troubler la texture de l'ensemble et une sauce à base de mayonnaise et de yogourt (on sait faire moderne) aux fines herbes y ajoute son onctuosité aigrelette.

Les assiettes copieuses n'ont jamais été démodées *Chez la Mère Michel*. La volaille au lait de coco est de nature généreuse et le plat entouré de légumes cuits à la perfection. Les suprêmes de poulet sont nappés d'une sauce à base de vin blanc, de fond de veau et de lait de coco, ajoutant un caractère exotique à la chair blanche de la volaille. Des pommes de terre Macaire accompagnent le plat, mousseline de pommes de terre retravaillée au four sous forme de gâteau, puis séparée en pointes.

Le poisson du jour, une morue au coulis de homard accuse une fraîcheur irréprochable à cette adresse. Nappé d'un beurre blanc (vinaigre et beurre) coupé d'une sauce à l'américaine (au homard), le poisson à chair blanche a plus de panache de cette façon qu'en bâtonnets frits. Une pomme de terre bouillie et quelques légumes vapeur garnissent sobrement l'assiette.

Le pain dans cette petite corbeille d'osier n'a pas grand goût et le beurre dégage d'atroces relents de «frigo». La cave à vins de *la Mère Michel* en est une de choix. On peut même s'offrir une bonne demi-bouteille, ce qui est rare. Mais du côté des vins au verre, c'est la désolation.

Les desserts du jour donnent dans le classicisme à son meilleur. Des profiteroles au chocolat soldent ce repas de bien gracieuse façon, farcies à la crème pâtissière et nappées d'une véritable sauce au chocolat, bien intense. Des sorbets faits maison, mangues et fruits de la passion, peuvent eux aussi servir de finale, quoique très sucrés.

Un repas pour deux convives le midi coûte environ 30 $ et le soir environ 75 $ avant vin, taxes et service. Table d'hôte à 13,50 $ et 16 $ le midi et menu dégustation à 35 $ le soir.

CHEZ PIERRE
1263, rue Labelle
Tél.: 843-5227
Métro Berri-UQAM

Ouvert du lundi au vendredi de 7 h 30 à 23 h,
le samedi de 17 h à 23 h,
fermé le dimanche.

Pour un chef cuisinier, l'inspiration est aussi fuyante que pour un journaliste l'écran vert. Le frigo se fait parfois désespérément muet, les casseroles pendent, tristes, l'huile ne chante plus, les épices ont envie de retourner là d'où elles viennent. Ne reste plus qu'à récurer quelques chaudrons laissés à tremper la veille pour se donner l'impression qu'il arrivera quelque chose dans cet univers au bord de la crise de nerf.

La panne sèche est aussi source de remise en question. Dans ce silence où l'acte créateur sommeille, on sent venir ce qui précède parfois le trait de génie, le geste en latence, l'idée en gestation et l'élan en veilleuse. Comme dans les thérapies à la mode, il faut aller retrouver l'enfant en soi (ou ce qu'il en reste) et lui donner une fois de plus la chance de modeler un monde tout de contraires et de contrastes, de couleurs et de surprises.

La plupart des chefs prennent l'inspiration là où ils peuvent, glannent les idées dans une revue, refont le monde au bras d'Escoffier ou de Guérard et épluchent consciencieusement les rayons de leur bibliothèque à la recherche d'un plat perdu. Ces mêmes chefs vont rarement au restaurant. Tout d'abord, parce qu'ils en ont soupé et ne rêvent plus que du pot-au-feu de bobonne, ensuite parce que leur soirée de congé tombe exactement le même soir que leurs compétiteurs. Pour les grandes virées gastronomiques et régénératrices, il faudra repasser!

Certains poètes des fourneaux ont plus de chance que d'autres et rencontrent un jour leur muse, celle qui les nourrira intellectuellement et émotivement, leur insufflera l'énergie nécessaire au dépassement de soi, leur tirera la langue à l'occasion et jouira des papilles en d'autres circonstances, dans le plus grand respect de cet acte de chère.

Christian Desbree a perdu sa muse (Ginette Van der Berg du défunt resto *La Picholette* où il a officié pendant huit ans) mais il n'a rien perdu du talent aux rondeurs classiques qui est le sien. Au gouvernail des fourneaux de *Chez Pierre*, il a su redonner vie aux cuisines de ce monument du centre-ville, en opération depuis plus de 60 ans rue Labelle, où autrefois on pouvait humer le bon pain *Cousin*.

Le décor de *Chez Pierre* vous fera revivre la glorieuse époque de ces restaurants vaguement figés dans le temps: les tresses d'ail côtoient les coqs de Bruyère empaillés, la musique du film *Les Uns et les Autres* vous arrache un soupir de découragement, les salons privés sont encore de mise et les serveurs stylés aussi. L'endroit est feutré et le menu de la table d'hôte changé mensuellement promet d'être aussi réconfortant que délicat.

Le velouté à la bière, fait d'une tombée d'oignons légèrement caramélisés, est arrosé de bière et de fond de volaille. Cette crème sans crème, simplement passée à la moulinette, est décorée de croûtons au fromage tout à fait indiqués. La soupe de Saint-Jacut est une soupe paysanne on ne peut plus simple et savoureuse: un fumet de poisson assorti de moules, de poireaux et de pommes de terre.

Du côté des entrées, la compote de lapin en gelée est une réussite à tous les points de vue. Cuit comme une rillette, ce lapin se détache à la fourchette, emprisonné dans les couches de gelée et cachant au centre des pruneaux marinés au porto tout ce qu'il y a de contrastant. Une compote d'oignons caramélisés au vin rouge ajoute à cette assiette de l'allant et du mordant.

Les grignotins de ris de veau aux poires caramélisées à la prunelle de Bourgogne sont d'allégeance classique mais la forme est nouvelle. La poire en éventail contraste avec les bouchées de ris sautées sur une sauce courte au fond brun, à l'échalote et à la prunelle de Bourgogne. Des petits farcis niçois, tomates, courgettes et aubergines farcies d'un mélange de mie de pain fromagée aux herbes, complètent cette assiette très juste.

Même maîtrise des règles de l'art avec ce carré d'agneau rosé à point, baignant dans son jus, et servi de concert avec les mêmes petits farcis, parents proches et complices idéaux. Mariné à l'huile d'olive, aux herbes fraîches et à l'ail, cet agneau nous annonce le printemps mieux qu'un thermomètre.

Les quelques feuilles de salade servent d'entremets et nettoient les papilles tout en ne négligeant pas le coup d'œil. Le pain dans la corbeille n'est peut-être pas aussi délicat que cette cuisine le mériterait mais on y trouve des croûtons et du beurre doux. La carte des vins répertorie des classiques et mériterait d'être revue par un œil plus fantaisiste. Le Bourgogne Aligoté 91 n'est vraiment pas à la hauteur tandis que le Château Lagarde arrive à donner le change, surtout avec l'agneau.

Du côté des desserts, les pommes sont à l'honneur. Tarte Tatin classique ou crêpe aux pommes sautées au beurre et flambées au Calvados font de jolies finales sur crème anglaise... pourvu qu'on aime le fruit défendu!

Un repas pour deux personnes vous coûtera environ 60 $ avant vin, taxes et service.

Table d'hôte du midi de 7,95 $ à 16,50 $ et le soir de 18,95 $ à 29,75 $.

DELMO
211, rue Notre-Dame Ouest
Tél.: 849-4061
Métro Place-d'Armes, sortie Saint-Urbain
Ouvert du lundi au vendredi de 11 h 30 à 15 h;
du mardi au samedi de 18 h à 23 h;
fermé le dimanche.

Dans la restauration, les institutions sont peu nombreuses et d'autant plus vénérables qu'elles peuvent se permettre de lever le nez sur la clientèle. Remarquez qu'en matière de poissons, il vaut mieux avoir le nez fin, car on peut prendre des vessies pour des lanternes.

Delmo, la rue Notre-Dame, fait partie de ces rares établissements solvables à marée haute comme à marée basse. Le poisson est ici une affaire de réputation et de débit: 250 clients par jour se disputent un espace réduit et convoité. La carte, des plus conservatrices, a fait ses preuves depuis longtemps.

Le décor «viril» et sombre, mais au charme assurément ancien, date des débuts de cet ancien club privé anglophone en 1910. La petite salle du fond servait alors de salle de jeux de même que les étages supérieurs convertis en chambrettes. Fermé en 1928, puis réouvert en 1934 sous le nom de *Delmo* par MM. Delisle et Demontigny, le restaurant devait alors s'établir définitivement à l'enseigne des poissons et fruits de mer.

Depuis 1964, année où le propriétaire actuel rachetait ce haut lieu montréalais, seuls les prix ont changé. M. Perisset se rappelle avoir payé les pétoncles 17 sous la livre. Au menu, en ce temps-là, la demi-douzaine d'huîtres sur écailles se détaillait 50 cents. Aujourd'hui, il faut compter dix fois plus et le tarif est somme toute raisonnable comparé à ce qu'on paie ailleurs.

Delmo, fort d'un achalandage certain, n'a pas non plus à fournir de table d'hôte à rabais. Le midi, on paie aussi cher que le soir, car le poisson est aussi frais et l'assiette, aussi copieuse. Encore mieux, on n'accepte aucune réservation, ni pour le splendide bar où les solitaires endurcis s'entassent gaiement pour manger, ni pour la salle arrière bruyante et mal aérée. Premiers arrivés, premiers servis. La loi de la jungle prévaut comme sur le parquet de la Bourse.

Le menu, composé d'espèces en voie de disparition comme le saumon sauce hollandaise ou le doré meunière, est des plus classiques. Quelques soupes (*clam chowder*), des entrées froides (salade de saumon) ou chaudes (coquille Saint-Jacques), des plats de fruits de mer (moules marinière) et des plats de poisson (vol-au-vent au saumon les mercredi et vendredi seulement) composent dignement le tout.

En entrée, la soupe aux huîtres manquait de corps gras, de crème notamment, et de biscuits secs écrasés comme on en ajoute dans la vraie soupe aux huîtres (*dixit* le *Larousse gastronomique* et ma grand-mère). Plutôt fade, le lait trop peu salé faisait regretter les huîtres au naturel avec un verre de muscadet. La crème de tomates goûtait indéniablement la soupe en boîte à laquelle on aurait ajouté de la crème. Un goût d'enfance...

Apprêté à l'ancienne mais des plus frais, le doré meunière, passé dans la farine et l'œuf, est accompagné de pommes bouillies ou de frites. Le poisson se détachait bien sous la fourchette et accusait une cuisson parfaite. Le plat de moules marinière était des plus classiques lui aussi, arrosé de vin blanc et parsemé d'échalotes. Les frites (en supplément) étaient bien croustillantes et sans goût rance. Une salade de chou correcte accompagnait tous ces plats, de même qu'un pain baguette frais.

Au dessert, une coupe de framboises fraîches arrosées de crème renouait avec l'été. Un gâteau à l'orange, une génoise entrelardée de confiture acidulée et nappée d'un fondant blanc, terminait sur une note à l'ancienne.

Un repas pour deux personnes vous coûtera environ 60 $ avant vin, taxes et service. Vins de 23 $ à 75 $.

L'EXPRESS
3927, rue Saint-Denis
Tél.: 845-5333
Métro Sherbrooke

Ouvert du lundi au vendredi de 8 h à 2 h,
le samedi de 10 h à 2 h, le dimanche
de 10 h à 1 h.
Réservations fortement recommandées.

Depuis 1981, la faune de *L'Express* se presse aux portes avec toujours ce même entrain juvénile au train. Bistrot des retrouvailles à nul autre pareil, tapissé de miroirs pour plaire aux m'as-tu-vu, plus bruyant qu'un hall de gare, on y entonne matin-midi-soir le refrain des copains d'abord.

L'Express c'est un aller-retour «Plateau Mont-Royal - boulevard Mich» pour le prix d'un honnête repas et d'une boutanche pas piquée des vers. La formule gagnante (et vainement plagiée) de ce bistrot tient au cercle vicieux de la promiscuité. L'homme est grégaire et il en fait régulièrement la preuve!

En fait, on aime *L'Express* pour les mêmes raisons qu'on le déteste. Qu'on s'y retrouve par habitude, par manque d'imagination, pour les vins d'importation privée, pour la frite des «vedettes» qui essaiment le paysage ou pour les frites, les vraies, *L'Express* s'est hissé au panthéon des lieux communs.

Malgré le wagon bondé, le service de *L'Express* est rapide, son nom le dit. Certains soirs, on atteint jusqu'à cinq services pour une même table. On remplace le carré de papier sur la nappe et hop! au suivant. La carte, courte, permet en cuisine une mise en place des plus simples que viennent égayer des spécialités du jour puisées au gré des trouvailles. Ce soir-là, les betteraves tièdes en salade étaient servies avec leurs feuilles vertes et des gousses d'ail en chemise. Une sauce au beurre à peine citronnée rehaussait les betteraves naines. À la carte régulière, le *risotto* au safran faisait une entrée un peu trop morne et féculente. Bien exécuté, ce *risotto* jaune au goût de parmesan et de safran souffrait de solitude.

Au chapitre des viandes, la clientèle carnivore fréquente *L'Express* pour son excellent steak tartare et son foie de veau rosé et juteux, des plats servis avec des frites savoureuses et croustillantes. Le steak de canard, avec son flan aux cèpes, est une belle assiette à la présentation classique. Le morceau de canard, de cuisson rosée, baigne dans un fond bien dosé et dégraissé. Le flan aux cèpes s'amalgamait subtilement au goût de la viande. Parmi les plats du jour, le cochonnet aux lentilles était un plat bistrot par excellence et utilisait une viande du Québec devenue fort populaire chez nos restaurateurs. Le cochonnet était sec et tranché trop mince pour donner toute sa mesure. Les lentilles au lard, elles, avaient bon goût. Des cornichons vinaigrés et bien poivrés sont apportés dans leurs bocaux sur la table.

La carte des vins de *L'Express* est constamment renouvelée et les prix varient de 20 $ à 230 $ pour une bouteille. Des vins sont disponibles au verre et la politique de la maison est plus que sage en matière de profits. Pierre Villeneuve, le *wine freak* du restaurant, s'est construit une belle cave abordable, vivante comme le vin. Certaines des importations sont disponibles au *Club Millésime*, voisin de *L'Express*. Un Château Franc Lartigue 1983 de Saint-Émilion arrosait ce repas.

Une carte pour les fromages et les desserts est apportée en fin de course. Les fromages, nombreux, sont choyés et présentés avec croûtons et noix. Le crottin de Chavignol tiède est une façon exquise de terminer la bouteille de vin, sancerre ou pas.

Les desserts de la *Pâtisserie de Gascogne* sont majoritaires sur le présentoir. Si vous en avez soupé des indulgents et du miroir aux framboises, essayez le gâteau glacé café-chocolat, constitué d'une meringue et de glace au chocolat sur crème anglaise. Pas mal.

Un repas pour deux personnes avant vin, taxes et service coûte environ 45 $.

LA FONDERIE
10145, rue Lajeunesse
Tél.: 382-8234
Métro Sauvé
Ouvert du lundi au vendredi de 11 h 30 à 14 h 30,
du dimanche au jeudi de 17 h à 22 h,
vendredi et samedi de 17 h à 23 h.
Salons privés. Spectacles vendredi et samedi soir.

Jusqu'à ce jour, j'imaginais Ahuntsic comme un foyer d'oncles à la retraite et de grand-mères tricoteuses. Synonyme de pantoufles, ce quartier de la ville compte bien quelques restaurants chinois et italiens mais rien qui justifie le détour. *La Fonderie*, rue Lajeunesse, m'apparaissait elle aussi comme un vestige des hoquets pseudo-gastronomiques des années 70, jusqu'à ce que j'y découvre la formule fondue-*dancing*.

Au deuxième étage de ce restaurant, règne une atmosphère pot-pourri que viennent à peine troubler les chansons de Céline Dion (et de Luc Plamondon, je sais), du Club Med (*Haut les mains*) et d'Elvis...

L'amusement collectif est chose rare de nos jours, (mis à part *au Vieux Munich*), et quand il y a moyen de manger convenablement, de boire un peu (beaucoup?) et de danser beaucoup (un peu?) sans mettre le bureau ou l'entreprise familiale en faillite, *porqué no*? Les seuls à souffrir à *La Fonderie*, ce sont les inévitables spectateurs paralysés, l'humour au vestiaire et l'esprit «débit-crédit» devant leur eau minérale-citron.

Le «festin des fondues» (trois dans un) permet une petite incursion dans le monde convivial et souple à souhait des fondues suisses, bourguignonnes, chinoises et au chocolat, une patrie en soit! Entre deux trempettes et trois «stepettes» (cha-cha-cha), tout juste le temps d'un bec au voisin de table pour un croûton échappé et ça recommence. La fondue au fromage est tout ce qu'il y a d'honnête et de généreux. Croûtons de pain blanc ou de blé entier garnissent la corbeille. On pousse même le crime jusqu'à épicer soi-même sa fondue de moutarde forte, de romarin, de cayenne, de thym ou de cari. J'avoue que cette dernière épice (un mélange d'épices en fait) avec le ou les fromages fondus au vin blanc donne d'excellents résultats.

L'étape suivante, la fondue chinoise au bœuf en tranches minces, constitue le corps du repas. Mais on peut tout autant combiner des crevettes et du poulet en passant par des langoustines. Ici, pas de risque de retour d'assiette ni de plaintes parce que le steak est trop cuit. Chacun y va de son tour de main en piquant les minces feuilles de bœuf rouge au bout de la fourchette et en les mettant à frémir dans le bouillon bouillant le temps d'une chanson. Seuls bémols: ces sauces d'accompagnement (*chili*, mayo à la moutarde ou poivre vert) un peu trop industrielles et ces pommes frites (tout à fait facultatives) à l'arrière-goût de *snack-bar*.

Autre plat de bonne facture à *La Fonderie*, la raclette présentée en deux assiettes. Fromage fondu et pommes de terre bouillies se donnent la réplique le plus simplement du monde, en compagnie des cornichons et des oignons sûrs. Le Fendant suisse arrose le tout tiré d'une carte où les prix fluctuent entre 18 $ et 70 $.

En guise de finale, la fondue au chocolat semble trop généreuse au premier coup d'œil mais ce n'est qu'une impression. Le chocolat fondu de bonne qualité fait des merveilles avec les bananes (tout le monde sait ça), les clémentines, les fraises (trop blanches), les cerises (en saison seulement) et les madeleines en tout temps (une suggestion). Ludique et lubrique (car aphrodisiaque), la fondue au chocolat fait l'unanimité chez jeunes et vieux et fait perdre jusqu'aux inhibitions les plus élémentaires. C'est à qui déguisera le mieux son morceau de fruit tout en s'armant d'une cueillère pour terminer le fond de la casserole de fonte émaillée.

Les serveurs et serveuses de l'endroit ont toute mon admiration dans l'art de manier le cabaret, le briquet (et que dire du sobriquet!), sans compter les fêtards qu'ils doivent esquiver d'un pas de deux plus l'heure avance. Car, soit dit en passant, les chanteurs *live* vous font danser tard dans la nuit, la lambada, le «continental», le «Canada» (un pas en avant, deux pas en arrière, dirait André-Philippe Gagnon) et la danse du canard... Un avant-goût de vos vacances au soleil, quoi!

Un repas pour deux personnes vous coûtera environ 40 $ avant vin, taxes et service. Table d'hôte le midi de 7,25 $ à 12,95 $ et le soir de 23 $ à 30 $.

FONDUE MENTALE
4325, rue Saint-Denis
Tél.: 499-1446
Métro Mont Royal
Ouvert tous les jours de 17 h à 23 h.
Réservations le midi pour les groupes.

Probablement le fruit d'un *brainstorming,* le nom de ce restaurant m'a toujours rebutée, et la pub qui en vantait les mérites à son ouverture, encore davantage. Imaginez, deux personnes assises face à face, piquant leur fourchette à fondue dans la boîte crânienne de l'autre pour y faire cuire je ne sais quel aliment imaginaire. Il faut afficher un humour noir ou avoir beaucoup abusé du cannabis étant jeune pour s'amuser de pareille métaphore visuelle.

Bref, j'ai mis du temps à découvrir *Fondue Mentale* et je m'en repens aujourd'hui. On m'excusera peut-être de ne pas trouver aux fondues plus de mérites gastronomiques qu'elles en ont (c'est-à-dire peu). En fait, elles sont aussi hasardeuses et inégales que les connaissances culinaires et le talent des dîneurs qui en tâtent. Mais elles ont aussi le mérite d'être conviviales, amusantes, réconfortantes parce que dénuées de maniérisme et, ma foi, pas si mauvaises pour employer une litote chère aux Québécois.

Établi dans une magnifique vieille demeure de la rue Saint-Denis, *Fondue Mentale* jouit d'un cadre des plus sympathiques et de la chaleur des boiseries d'origine. Un bel escalier tournant mène à une autre salle au deuxième étage. Les plafonds hauts et les murs maladroitement recouverts de patine ajoutent au charme quasi écossais de cette maison hantée (du moins se prend-on à y croire).

Le menu fait halte alpine: fondues au fromage, au gibier, bourguignonnes ou chinoises se dament le pion. En entrée, la soupe aux légumes, fumante dans son bol européen est passée à la moulinette et réconforte dès la première lampée. On y trouve tous ces légumes de saison réunis pour la meilleure des causes.

L'assiette de charcuteries est composée de *prosciutto* de canard, de terrine de gibier aux fines herbes et de viande des Grisons, le tout étant présenté avec cornichons, moutarde de Dijon et petits oignons marinés. Les textures (point trop grasses ni sèches) sont réussies et les amateurs y trouveront le goût imbattable des viandes séchées ou crues.

Végétarienne dans l'âme, la fondue au fromage peut ou non être additionnée de kirsch ou d'alcool de poires. Mais même sans cela, la fondue sauvageonne aux morilles et chanterelles séchées (reconstituées dans le lait me dit-on), a tout pour séduire vos croûtons de pain. Le gruyère et l'emmenthal, intimement liés par le vin blanc (et un soupçon de fécule), laissent aux champignons tout le loisir de s'exprimer de la plus délicate façon.

Quant à la fondue bourguignonne, on utilise de l'huile de canola (bourrée d'acides Oméga qui réduiront vos problèmes de cholestérol, nous prévient le menu). Très populaire, l'assiette de gibier en panaché nous permet de goûter à trois viandes d'élevage pour chasseurs bredouilles. Chacune est préalablement marinée et parfumée: le faisan au vin rouge, le bison au poivre noir, le wapiti au cari. Une fois cuites et trempées dans les sauces d'accompagnement, on fait mal la distinction entre ces trois gibiers, bien qu'ils soient tous savoureux. Les sauces, raifort et tomate, moutarde et miel, cari ou tomate piquante, ajoutent des lipides et du tonus à ces gibiers qui n'en demandent peut-être pas tant.

Le pain dans la corbeille est d'une fraîcheur exemplaire, mais je préfère les croûtons légèrement plus rassis avec la fondue au fromage. La liste des vins met l'accent sur les petits vins pas trop chers à s'offrir en pareil cas. On peut aussi s'abreuver du côté de plusieurs sélections de vins au verre offerts en forfaits selon le type de fondue choisie. Un Diamant d'Alsace de Pierre Sparr (27 $) arrosait ce repas.

Au chapitre des desserts, pas de véritable surprise si ce n'est cette tarte Tatin aux poires dont il ne restait plus une pointe. C'est peut-être signe qu'elle est bonne. Quant à la fondue au chocolat (pour deux personnes), elle met en scène un chocolat de qualité moyenne, un peu granuleux, mais dont on ne fait que quelques bouchées avec le «marshmallow», les poires, pommes, bananes, melons, fraises et raisins, histoire d'en laisser le moins possible au voisin.

Un repas pour deux personnes vous coûtera environ 50 $ avant vin, taxes et service.

GINGER
1271, rue Amherst
Tél.: 526-4940
Métro Beaudry

Ouvert du mardi au vendredi de 11 h 30 à 14 h 30,
du mardi au dimanche de 17 h 30 à 23 h,
fermé le lundi.
Brunch le dimanche (durant l'hiver) de 10 h 30 à
15 h.

Ginger, comme dans Ginger Rogers, comme dans *gingerbread*, comme dans *ginger ale* et comme dans gingembre. Ce nouveau venu n'est nul autre que le cousin du *Bazou* (avenue Hôtel-de-Ville) et on y présente une cuisine qui se veut originale, eurasienne, mais sans verser dans l'excès. Le décor par contre est excessivement captivant et on y retrouve beaucoup d'objets dégotés chez les brocanteurs *fifties* de la rue Amherst.

Ces salières et poivrières dépareillées sur chaque table, ces cendriers en verre aux formes élancées, ces tentures en panne de velours couleur rubis qui ceintrent l'entrée, ces banquettes délicieusement surannées (on laisse toujours la banquette aux dames, disent les manuels de bonnes manières), cette lampe sur le comptoir à l'abat-jour gingembre et au pied affreusement rococo, ces murs volontairement criards, rien n'a été laissé au hasard dans ce cadre à la fois moderne et d'un autre temps.

Le menu est limité à une table d'hôte et tourne volontairement le dos à ces cartes-fleuves si populaires dans les années 50. Deux ou trois entrées en sus du potage et de la salade, quelques plats de viande et de poisson et trois desserts complètent l'expérience.

Comme entrée en matière, un potage aux brocolis, poireaux et carottes ou une salade d'endives et cresson fortement relevée d'une vinaigrette à la moutarde démarre le repas servi dans des assiettes disparates aux dorures fanées.

Les steaks de cuissot de cerf sauce genièvre, saignants à souhait, et d'une saveur plus domestiquée que leurs homonymes des boisés, sont accompagnés de petis légumes sautés au *wok* et relevés à l'huile de sésame et à la sauce soja. La sauce, succulente, est faite de jus de marinade, de fond de gibier et de baies de genièvre écrasées.

Quant à la cuisse de canard à la compote d'oi-
gnons, cari et raisins, elle se défait sous la fourchette comme
si elle était confite mais on l'a plutôt braisée. La compote
(oignons rouges, blancs et poireaux) ajoute une touche
sucrée et exotique à l'ensemble. Les mêmes légumes
sautés tiennent lieu de garniture.

La carte des vins, succincte, est présentée dans un
cadre doré. Un Beaujolais (le Puits d'Amour) arrosait ce
repas. Quant au pain dans la corbeille, il manque un peu
de caractère et brille par sa légèreté. Le beurre, aux herbes
ou nature, est rance pour sa part.

Au rayon des desserts, la marquise au chocolat est
trop sucrée sur sa crème anglaise au café. Quant au gâteau au fromage sur la même crème anglaise (faute de
coulis aux bleuets), il fait revivre un classique sans vraiment y ajouter une touche de modernité (lire de légèreté).

Un repas pour deux personnes vous coûtera environ 40 $ avant vin, taxes et service. Table d'hôte le midi de
7 $ à 12 $ et le soir de 9,95 $ à 12,95 $.

LE GRAIN DE SEL

2375, rue Sainte-Catherine Est
Tél.: 522-5105
Métro Papineau, bus 34
*Ouvert du lundi au vendredi de 12 h à 14 h,
du mardi au samedi de 18 h à 22 h,
fermé le dimanche.*

Sel de mer ou sel de terre, s'il est un ingrédient essentiel dans toute cuisine et dans tout baptême, c'est bien celui-là. Du sel quotidien (comme le pain) nous vient le mot salaire, la ration de sel versée aux soldats d'avant *Star Wars*. Le sel qualifie tout autant un trait d'esprit qu'une opinion (le grain de sel). Sans lui, c'est la fadeur garantie, l'ennui, le régime sans sodium et la chute de tension artérielle.

Petit restaurant implanté à l'est du pont Jacques-Cartier, *Le Grain de Sel* rassemble une clientèle plutôt hétérogène. On y retrouve de tout, même ses amis! Formule bistrot, plats sans façon, tables rapprochées, complicité obligatoire, service débordé, clients pas pressés, fumets de cuisine pour le même prix, font partie de l'ambiance de ce restaurant d'habitués. La formule «table d'hôte ou rien» a l'intelligence d'être concise. Elle restreint le choix tout autant que les dégâts. On fait beaucoup avec peu au *Grain de Sel*.

Le potage Crécy offert en entrée manque de cette pincée de sel nécessaire pour faire ressortir les saveurs, dont celle des carottes et du navet. La salade de concombres à l'aneth met en appétit mais laisse un arrière-goût de régime. Un peu de substance que diable! Heureusement, le raviole farci au canard sur coulis de tomates rachète le tout avec conviction. Ce chausson de pâte à l'italienne dissimule la délectable chair de canard, le tout servi sur un concassé de tomates (rien à voir avec celles du mois d'août) aromatisé de coriandre fraîche, un délice en toutes saisons que cette dernière.

L'agneau est de circonstance au printemps comme à Pâques. Celui-ci, à la vierge, réunit les morceaux de filet un tantinet trop cuits dans une sauce à l'huile d'olive rehaussée d'un fond d'agneau. L'ajout de cerfeuil et de coriandre fraîche n'arrive pas à faire oublier la consistance trop lipidique de cette sauce. L'huile d'olive n'a pas le fruit nécessaire pour relever l'agneau avec finesse.

Les légumes d'accompagnement sont choisis avec soin et la présentation ravit l'œil tout autant que l'estomac. Ce flan aux épinards, ces carottes et betteraves cuites à la perfection, complètent joliment les assiettes. Même assortiment de légumes colorés pour accompagner le suprême de volaille au vinaigre de framboises. La chair blanche encore humide est nappée d'une sauce faite de fonds de veau et de volaille relevés d'une touche de ce vinaigre fruité.

La carte des vins du *Grain de Sel* est abordable, de 19,50 $ à 50 $. Tranchons pour un demi Bourgogne Aligoté (Roger de Jouennes). La corbeille de pain offre une baguette savoureuse et plus qu'honorable. On devrait bannir les carrés de beurre préemballés qui ne conviennent ni au décor ni au style du restaurant.

En fait, *Le Grain de Sel* confond les genres à l'occasion. Les nappes sur les tables tranchent avec l'habillement relax des serveurs, on paie les additions à la caisse comme dans les gargottes, par contre on prend soin d'apporter des carafes d'eau à chaque table. Comprenne qui pourra!

La marquise au chocolat sur crème anglaise allie l'amertume du chocolat de qualité à la douceur d'une crème anglaise onctueuse. Le gâteau «choco-noix» tient du *brownies* fondant auquel on aurait ajouté un glaçage au chocolat. Ce gâteau est bien meilleur à la température ambiante que tout droit sorti du frigo comme il l'était ce soir-là.

Un autre grain de sel, la cuisine à aire ouverte réunit les cuisiniers et la clientèle dans un même hymne à la convivialité. La salle du fond ne permet pas cette promiscuité sympathique. Et de toute façon, l'avant du restaurant est beaucoup plus agréable. Faites vos jeux au moment de la réservation!

Un repas pour deux personnes vous coûtera environ 41 $ avant vin, taxes et service. Table d'hôte le midi de 7,95 $ à 12,25 $ et le soir de 10 $ à 16 $.

GUY ET DODO MORALI

1444, rue Metcalfe
Les Cours Mont-Royal
Tél.: 842-3636
Métro Peel
Ouvert du lundi au vendredi de 11 h à minuit,
samedi de 17 h à minuit,
fermé le dimanche.
Terrasse.

Y a-t-il un chef dans la salle? À cette question, Guy Morali pourrait répondre oui, car ce saint homme possède certainement le don d'ubiquité. On le voit partout accourir pour donner un tour de poivre sur le *carpaccio*, verser un coup de rouge à ces messieurs-dames qu'il avait déjà comme clients du temps des *Jardins de Paris*, faire du plat aux jolies grand-mères, flatter habilement l'homme d'affaires. Sa femme Dodo le seconde aux relations publiques et ce duo sait vous faire sentir à l'aise, presque chez vous dans ce décor emprunté au défunt *Harry's Bar* des Cours Mont-Royal.

Boiseries et lourds rideaux, nappes empesées, argenterie et tout le tralala sont une seconde nature pour ce restaurant feutré, cossu comme un bourgeois de province au ventre rebondi. La cuisine est à la hauteur de ce décor confortable et on retrouve sur cette carte de grands classiques français comme on n'en voit plus nulle part ailleurs. Bœuf Wellington, carré d'agneau, saumon au beurre blanc côtoient le tartare de bœuf ou de saumon, le confit de canard ou la salade aux trois canards.

La table d'hôte du midi et du soir sont toutes deux d'excellents rapports qualité-prix. Elles sont gages de fraîcheur et d'inspiration au goût du jour. Ce midi-là, l'entrée de mousse d'avocat servie sur coulis de tomates met en vedette des produits de saison avec une touche de basilic frais. La richesse de l'avocat suffit à donner du velouté à cette terrine légèrement crémée et soutenue par un rien de gélatine. Du citron vert et du vinaigre ainsi qu'une goutte de tabasco viennent réveiller le coulis de tomates. Le potage du midi, une crème de légumes passée à la moulinette, trahit les navets et le chou. Détail louable, même les bols à soupe sont réchauffés avant le service.

Les plats principaux du midi donnent dans un classicisme à toute épreuve. Les moules marinières accompagnées de frites (avec ou sans mayonnaise) réjouiront l'amateur. Elles dosent à merveille l'échalote, l'ail et le persil. Quant aux moules, charnues et tendres, elles ont reçu la cuisson méritée, soit un bain de vapeur au vin blanc. Fidèles au rendez-vous, les frites bien dorées, sans relent d'huile, donnent une réplique sans fausse note.

L'épaule d'agneau au jus, le plat du jour, est servie en tranches bien épaisses, chacune piquée d'ail. L'agneau dégraissé, les pommes de terre boulangère, les petits légumes vapeur rendent un tableau réconfortant et fort digeste.

La baguette dans la corbeille a pour elle d'être fraîche mais le beurre est à la fois salé et préemballé. Un verre de Sauvignon blanc californien de Robert Mondavi arrosait ce repas fort décemment.

Un pâtissier travaille chez Guy et Dodo et ça se sent. Le midi comme le soir, les finales sont soignées. La tarte Tatin est l'une des meilleures que j'ai eu la chance de goûter à ce jour. Généreuse, servie chaude dans une nappe de crème anglaise, on lui ajoute à l'occasion (le soir surtout) un trait de Calvados, histoire de requinquer la pomme. Tant cette pâte biscuit que les pommes caramélisées ont belle mine sur cette crème anglaise onctueuse. La mousse au chocolat a vécu quelques problèmes techniques ce jour-là, le goût y était mais la consistance, nenni! Petit nuage sur cette belle journée d'été…

Un repas pour deux personnes le midi vous coûtera environ 25 $ et le soir 60 $ avant vin, taxes et service. Table d'hôte du midi de 8,80 $ à 19,50 $ et de 17,50 $ à 29,80 $ le soir.

JARDINS DU CAFÉ DE PARIS

Hôtel Ritz Carlton
1228, rue Sherbrooke Ouest
Tél.: 842-4212
Métro Peel

Terrasse ouverte du 1ᵉʳ mai au début octobre.
De 6 h 30 à 11 h 30 et de 6 h 30 à 10 h samedi et di-
manche (petit déjeuner),
de 12 h à 14 h 30,
de 15 h 30 à 17 h (thé),
de 18 h à 22 h.

Si l'avenir appartient aux lève-tôt, alors c'est sûr, le repaire des décideurs d'aujourd'hui et de demain, le haut lieu de tous les *power-breakfasts,* la scène la plus «propre», conservatrice dans le sens le plus veston-cravate du terme, se trouve dans les *Jardins du Ritz*, au cœur du centre-ville. Les canards, la fontaine, les plantes vertes et les touristes y tiennent lieu de décor, et les serveurs, de spectateurs muets devant le numéro de haute voltige livré par des comédiens d'expérience.

Alors même que d'autres ouvrent un œil morne, poussent un grognement désespéré et enfouissent leur ré-veille-matin sous l'oreiller, les gagnants de ce monde nouent des alliances et les affaires pures et dures se tissent dans un cadre enchanteur qu'on dirait tiré d'*Alice au pays des Merveilles.*

La carte du petit déjeuner prend des proportions gigantesques et propose l'impossible: un peu de l'Amé-rique, de l'Europe, de la Russie et de l'Asie. Le dépayse-ment n'en est que plus intense. On nage en plein conte de fée. *Blinis* et caviar *sevruga* (46 $) et champagne *mimosa* (12,50 $) dament le pion au petit déjeuner japonais com-posé de soupe au *miso*, de feuilles d'algues rôties, de sau-mon grillé, d'omelette farcie aux algues, de riz et de thé vert. À moins que ce ne soit l'inverse...

Dans un autre ordre d'idée, le jus d'orange ou de pamplemousse frais est de rigueur pour bien commencer la journée. Les gaufres belges sont présentées en trois tri-angles et garnies de fruits frais. Le sirop d'érable et le beurre les accompagnent et modifient leur texture sèche.

Un bol de fruits frais (mais pas tous de saison) peut y être ajouté. Le panier de viennoiseries du petit déjeuner continental se compose, lui, de toasts, de brioches, de muffins et croissants de facture correcte mais sans plus. On s'attendrait à une pâtisserie plus raffinée. Les confitures en petits pots respirent les mœurs victoriennes. Le café est malheureusement très américain même si on demande un café au lait. Il en faut plusieurs tasses pour parvenir à ses fins.

Pour votre gouverne personnelle, sachez qu'on tolère les touristes sans veston à cette heure matinale (j'y ai même vu des jeans passer). Notez aussi qu'on ne prend aucune réservation. Le monde appartient aux lève-tôt!

Comptez environ 30 $ pour deux personnes au petit déjeuner avant taxes et service.

LALOUX
250, avenue des Pins Est
Tél.: 287-9127
Métro Sherbrooke, bus 144
Ouvert de 12 h à 15 h tous les jours,
de 18 h à 22 h 30 du dimanche au mercredi et de 18 h
à 23 h 30 du jeudi au samedi.
Terrasse.

Laloux est d'ordinaire un lieu de tout repos. Le décor est resté le même depuis son ouverture et j'aime assez cette ambiance où les jeux de miroirs se conjuguent à la nudité des murs. On se croirait, dans ce lieu hautement esthétique, à cent lieues de l'avenue des Pins et de sa grisaille morose.

Le menu a évolué au fil des ans et on s'emploie, ici, à vous servir une cuisine un tantinet nouvelle, légère, mais surtout savoureuse. Le chef André Besson a repris en main les cuisines et ça se sent. Il y a une maîtrise et un tel doigté dans cette cuisine que ça vous réconcilie sur-le-champ avec le métier de critique.

La table d'hôte offre un éventail très honnête de petits plats mitonnés avec soin et avec ce soupçon essentiel d'originalité. Cette crème de poisson au basilic en est une qui met surtout en valeur des crevettes de Matane. Le jus de moules mêlé au fumet de poisson, bien crémé, n'a rien du maigre bouillon de fortune.

Toujours à la table d'hôte, la marguerite de cailles aux deux sauces réunit les suprêmes de caille déglacés au porto autour d'une mousse aux cuisses de cailles nappée d'une sauce poivrade aigre-douce. Des épinards à l'oignon, des pommes de terre tournées et du chou-fleur vapeur sont présentés sur une assiette complémentaire comme cela se fait encore dans les grands restaurants.

La carte n'est pas de reste et propose notamment une pochouse aux escargots, sorte de soupe au vin rouge fort réduite, aux sucs puissants et aux arômes concentrés. Des champignons ainsi qu'une julienne de céleris, de tomates et d'échalotes teintée de ciboulette s'ajoutent aux escargots goûteux et au mieux dans cette alliance automnale bien poivrée.

Le saumon à la vierge et moutarde de Meaux trahit l'esprit californien d'autant qu'un mélange d'herbes fraîches parfume l'ensemble. Très présente (peut-être un peu trop), cette huile d'olive au vert ardent s'allie aux consonances vinaigrées de la moutarde, au jus de citron et aux huiles essentielles du basilic, de la ciboulette et du cerfeuil. Les mêmes légumes d'accompagnement assurent la contrepartie.

La corbeille de pain est garnie d'une baguette honnête et le beurre frais sans sel est présenté en petits cubes bien nets. La carte des vins de *Laloux* se veut surtout souple et capable d'épouser tous les budgets. De jolies trouvailles s'y nichent comme ce Los Vascos 1990, (un *joint venture* franco-chilien avec la maison Rothschild) fait de sauvignon blanc.

Les desserts de la table d'hôte ont ce quelque chose de léger et d'alléchant qui fait s'évanouir les derniers remords. Le gâteau hawaïen réunit un biscuit à la pistache avec une mousse au citron sur une fine pellicule de chocolat en guise de support. Une crème anglaise au citron conclut. Les fruits frais et leurs sorbets présentés dans un verre à vin marient le sorbet au kiwi et au citron, égayés de coulis de framboises et garnis de melon, oranges et poires.

Le service, un peu lent en cette saison de pointe, est par contre fort stylé et diligent. Vivement que les groupes reprennent le chemin de la *kitchenette* du bureau et que *Laloux* redevienne cette halte intemporelle où il fait bon échapper aux intempéries.

Un repas pour deux personnes vous coûtera environ 50 $ avant vin, taxes et service. Table d'hôte du soir de 19,95 $ à 26,50 $ et de 7,95 $ à 13,75 $ le midi.

MAESTRO SVP
3017, rue Masson
Tél.: 722-4166
Métro Laurier, bus 47

Ouvert du lundi au mercredi de 11 h à 23 h, jeudi et vendredi jusqu'à minuit, samedi et dimanche de 16 h à minuit.

Si vous habitez Rosemont et n'avez toujours pas fait la connaissance de *Maestro SVP*, vous ne perdez rien pour attendre. Voilà tout à fait le petit restaurant de quartier où prendre ses aises le long du bar tout au fond, ou dans cette salle toute en longueur décorée avec un goût exquis sur un thème musical. Ce n'est pas ici non plus que vous vous ruinerez et la jeune administration mérite quelques encouragements.

On célèbre notamment les huîtres avec un certain brio à cette adresse et vous pourrez faire provision de Malpèque ou de Caraquet arrosées de sauce à l'estragon, à la vodka, cajun, au soja ou sésame sans compter le classique citron, la sauce tabasco, le poivre et que sais-je encore...

Les moules font également partie du menu. On tente ici aussi quelques apartés hors des sentiers battus, en vous proposant des moules au beurre d'arachide et lait de coco (à éviter) et d'autres aux épices cajun tout à fait convaincantes. Les frites sont parfois croustillantes et dorées à point, parfois mollasses et huileuses.

À surveiller les spéciaux du soir à partir de 16 h: les moules à volonté le lundi, les crevettes à la noix de coco le mercredi, les calmars le jeudi.

Un repas pour deux personnes vous coûtera environ 35 $ avant vin, taxes, service et dessert. Table d'hôte le midi de 5,95 $ à 9,95 $ et le soir de 10,95 $ à 19,99 $.

LE MAISTRE

5700, rue Monkland
Tél.: 481-2109
Métro Villa-Maria, bus 103 ou 162
Ouvert du mardi au vendredi de 11 h 30 à 15 h 30,
du lundi au samedi de 17 h 30 à 23 h,
le dimanche et lundi midi pour les groupes, sur réser-
vations.

En sourdine l'autre soir devant le feu de la cheminée, Elyane Celis caressait les hautes avec *Baisse un peu l'abat-jour*, la grande Marlene y allait plus gravement de son *Lili Marleen;* ne manquait que Charles Dumont (mon favori dans le genre) et *Il n'est pas mort l'amour*...

Je ne connais rien de plus romantique que cette musique d'outre-tombe, hormis les chapeaux à voilette, les chemises de nuit masculines et peut-être aussi la pratique du baisemain. Rien de plus suave pour raviver la flamme que ces regards langoureux échangés en catimini au-dessus du menu, que ce petit compliment inattendu, que cet éclairage flatteur sous lequel vous vous sentez aussi jeune que dans une pub d'*Oil of Olay*.

Et quand le décor se conjugue à la cuisine et au service pour vous faire croire au miracle, la soirée ne peut être que réussie. *Le Maistre*, campé dans une vieille maison bourgeoise de la rue Monkland, est un restaurant où l'ambiance opère sur vous ses charmes et où l'on fait volontiers revivre les années 30 et 40 pour le plus grand bonheur de ceux qui en partagent le culte.

À l'apéritif, la maison offre les canapés à la mousse de foie de volaille, juste ce qu'il faut de crémeux et d'intense. En entrée de la table d'hôte, la salade frisée aux lardons et au fromage de chèvre réunit une chicorée bien amère à une vinaigrette tiède à l'huile vierge, où lardons et morceaux de chèvre frais font bonne mesure. Moins enlevant, le méli-mélo de poulet aux pignons grillé laisse une impression de fadeur à cause d'une vinaigrette peu acide à l'huile de noix et malgré le croquant des légumes (carottes, poireaux, céleri-rave) en julienne.

Les moules sont plus dodues et juteuses que jamais. Cuites dans un court-bouillon à l'indienne, elles séduisent assurément et réunissent avec bonheur les effluves d'épices diverses comme le cari (un mélange d'épices en soit) et le cumin de même que la crème et le vin blanc. Les frites bien croustillantes mais légèrement sèches accompagnent le plat.

La raie se démarque également sur cette table d'hôte et ce poisson gagne à être connu puisqu'il est à la fois économique et délicieux. La chair filandreuse a été prélevée du cartilage et cuite à la vapeur, avant d'être déposée dans l'assiette sur un beurre meunière (vin blanc, fumet et beurre) aux câpres qui rend justice à ce poisson blanc à la chair tendre, dont même les enfants raffolent. Des petits légumes et un riz blanc complètent l'assiette.

La corbeille de pain est soignée et un pain italien d'une fraîcheur exemplaire nous est offert. Quant à la carte des vins, on devrait en retirer ce riesling Cuvée d'Obernai qui sent le pétrole à plein nez et vous laisse une impression fort lourde en bouche.

Les desserts sont faits maison et je vous incite fortement à goûter au fondant au chocolat plutôt qu'au gâteau bavarois aux framboises beaucoup trop gélatineux. Le fondant, pour sa part, est fait de chocolat amer, de jaunes d'œufs, de sucre, de crème et entrelardé de lanières de génoise. Servi sur crème anglaise, il promet de vous faire passer une nuit blanche même si votre café est décaféiné et votre vis-à-vis dégonflé(e).

Un repas pour deux personnes vous coûtera environ 45 $ avant vin, taxes et service.

MOISHE'S

3961, boulevard Saint-Laurent
Tél.: 845-1696
Métro Saint-Laurent, bus 55
Ouvert de 11 h 45 à 22 h 45 du lundi au dimanche.

Chez *Moishe's,* depuis plus de 50 ans, on assiste à un rodéo de la panse qui a survécu plutôt grassement aux modes légères, au tofu et aux nutritionnistes de différentes congrégations. Élevé à la gloire du bœuf et de ses nombreux attributs, ce temple du boulevard Saint-Laurent attire une clientèle virile que n'effraient ni les portions atteintes de gigantisme, ni les manières vieillissantes des serveurs, et encore moins la décoration d'un autre siècle, savamment rafraîchie tous les dix ans.

Le bœuf est affaire de virilité depuis la nuit des temps. Tant pour leur élevage que pour leur chasse, à laquelle on procédait avant la domestication, les bovidés en question ont besoin, semble-t-il, de l'autorité mâle pour se développer. L'abattage, le découpage et même le barbecue sont des activités réservées à la gent masculine pour des raisons qui tiennent à la fois de la genèse et du muscle, d'un certain goût pour la pyromanie et d'un faible marqué pour la viande.

Moishe's est un rendez-vous d'hommes d'affaires le midi, le repaire des joueurs de base-ball après la partie, mais rarement celui des tête-à-tête intimistes où l'assiette sert de prétexte à picorer en minaudant tendrement. Les prix sont également fort costauds, d'autant plus qu'au steak, il faut ajouter ses légumes frais, salades ou champignons (en supplément). Un petit truc pour ceux à qui six onces de viande fraîche suffisent largement: on peut séparer un steak moyennant un 4 $ additionnel (votre serveur affichera peut-être un air de «bœuf» mais ça lui va à ravir!).

Les tarifs en vigueur chez *Moishe's* peuvent toutefois s'expliquer car on y sert une viande «mûrie» à point. Les 4000 steaks vendus chaque semaine ont au préalable patienté 21 jours dans les chambres froides du restaurant (la norme en boucherie se situerait plutôt entre 3 et 14 jours car l'entreposage coûte cher).

Les entrées chez *Moishe's* se résument généralement aux cornichons marinés et à la *cole slaw* sucrée et vinaigrée servie d'office avec les *rolls.* À moins que ne vous tentent les cocktails de crevettes, saumon fumé ou foie haché aux oignons, très populaires chez certains disciples du restaurant.

Mais cette hésitation passée, l'arrivée des grillades au charbon de bois ne vous fera pas regretter votre abstinence première. Le steak de côte (*rib steak*) est une pièce de viande parfaitement tendre, persillée à souhait et de cuisson exacte (saignante dans mon cas). S'y ajoutaient des frites d'honnête famille, un soupçon rances en arrière-bouche, mais avec le ketchup ou la sauce HP, rien n'y paraît. L'assiette mixte est plus décevante pour un véritable amateur de bœuf. On y trouve une côtelette d'agneau, un petit steak de filet, une saucisse de bœuf et des ris «de bœuf» (le ris est une glande qui disparaît chez l'animal adulte) qui étaient en fait des ris de veau, simplement grillés. Le tout avait beaucoup de goût, mais on retrouvait peu de vrai bœuf saignant dans cette assiette colossale.

La carte des vins (de 27,50 $ à 120 $) pauvre en tout nous aura fait préférer la bière pour accompagner ce repas.

S'il reste quelques trous à votre ceinture, malheur à vous. Vous pourriez tomber sur cette tartelette aux bananes «nanane» ou ce gâteau au fromage au chocolat affaissé par la chaleur et sans saveur particulière. Triste fin. Un repas pour deux personnes vous coûtera environ 65 $ avant vin, taxes et service. Table d'hôte de 12 $ à 19,75 $ le midi.

LE PARIS
1812, rue Sainte-Catherine Ouest
Tél.: 937-4898
Métro Guy-Concordia, sortie Saint-Mathieu
Ouvert de 12 h à 15 h et de 17 h à 22 h;
fermé le dimanche.

Rue Sainte-Catherine, pas très loin de l'ancienne maison de Radio-Canada, *Le Paris* accueille encore les mêmes têtes fidèles venues soigner leur embonpoint bien plus que leur image. Le midi, le soir, ce sont des gens d'habitudes qui s'installent le long des banquettes de vinyle souple. Ici, un homme seul lit son journal. Là, un couple silencieux mange côte à côte dans ce qu'il est convenu d'appeler un commun accord. À côté de moi, une vieille habituée se refait une beauté tout en fouillant sa mémoire, — 1948? Non, c'était l'année de mon mariage. Cela fait plus de 30 ans que je viens ici toutes les semaines et rien n'a changé à part moi. Ça ne me rajeunit pas, vous savez! Et toujours cette même cuisine bourgeoise sans raffinement excessif... le *old reliable*, quoi!

Tout comme elle pour le saumon poché, certains y retournent pour le bœuf bourguignon de M. Poucant ou alors pour sa blanquette de veau. D'autres ne jurent que par sa brandade de morue ou son foie de veau, mais toujours c'est la tradition confortable qui prime au menu. Le tandem Delamans-Poucant n'a pas succombé aux modes ni à la manie coûteuse de rafraîchir le décor tous les 10 ans. De fraîches, il n'y a que les fleurs qui assurent une séparation psychologique entre les tables serrées.

Partout on retrouve un mauvais goût propre aux années 50 dans la tentative de juxtaposer les styles. Même le midi, on tire les rideaux épais sur la lumière du jour et l'éclairage tristounet n'en est pas encore à vous causer halogène. La vaisselle de cafétéria épaisse et les verres d'un ordinaire banal ont toutefois l'avantage de ne pas détourner votre attention du véritable centre d'intérêt: une cuisine savoureuse et généreuse servie sans façon. Du reste, la carte du *Paris* nous dispense de toute littérature, on sait ce qu'on y trouve et, qui plus est, ce que l'on y mange!

Pour peu que la brandade de morue vous séduise, celle du *Paris* est faite à la façon de Nîmes avec de la morue séchée et dessalée, une pointe d'ail et de l'huile d'olive. M. Poucant y ajoute, pour l'adoucir, un peu de crème, du persil et de la purée de pommes de terre. On la sert tiède ou presque chaude et elle constitue une entrée très populaire bien qu'on puisse aussi la choisir comme plat de résistance. On retrouve aussi sur la carte le fromage de tête vinaigrette, très prisé dans les charcuteries parisiennes, et l'œuf mayonnaise comme autrefois dans les bistrots. Un potage, chaque jour, vient amorcer la table d'hôte; ce jour-là, fait de laitue, un peu clair, il manquait de support gustatif.

Le foie de veau meunière est servi en tranches dodues, accompagné de frites minces ou de purée, au choix. Cuit à la perfection, tendre sous la fourchette, le foie de veau simplement passé à la farine et poêlé au beurre était parfaitement réussi. Je ne connais rien de meilleur pour arroser les frites que ce jus de cuisson trop souvent oublié au fond de l'assiette.

La coquille de poisson au menu du jour était présentée en coquille Saint-Jacques brûlante. Le colin, la morue et les moules s'accommodaient fort bien d'une sauce au vin blanc et aux champignons, lisse en texture, retenue par un ruban de pommes de terre et gratinée au four.

Au dessert, la crème caramel fait partie des classiques de toujours et même si les «vieux de la vieille» commandent encore leur «crème brûlée», c'est la même chose. Bien faite, le grain serré et le caramel bruni juste ce qu'il faut, elle termine un repas sans encombrer la digestion. Le baba au rhum est aussi fait à la maison, la brioche conique bien imbibée d'un sirop qui goûte plus l'alcool que le sucre.

Le café Mélior est servi en petites cafetières individuelles comme cela se faisait du temps où la machine *espresso* n'était pas aussi répandue qu'aujourd'hui. La carte des vins est sans malice et privilégie les bouteilles autour de 21 $ à 80 $. Il va sans dire que les crus sont bien français.

Le service est assuré par le même personnel féminin depuis Mathusalem, avec précision et rapidité. Les assiettes chaudes n'ont qu'à bien se tenir.

Un repas pour deux personnes vous coûtera environ 40 $ avant vin, taxes et service. Table d'hôte le midi entre 8 $ et 18 $, le soir entre 10 $ et 20 $.

LE PASSE-PARTOUT

3857, boulevard Décarie
Tél.: 487-7750

Métro Villa-Maria, bus 24

*Ouvert du mardi au vendredi de 11 h 30 à 14 h 30 et
du jeudi au samedi de 18 h 30 à 22 h.*

Certaines personnes partagent avec moi le culte du vrai pain au point d'en faire une marotte, de radoter, d'être gâteux. La symbolique du pain, l'odeur d'une boulangerie, la sensualité du pétrissage (aujourd'hui mécanisé), la magie des levures et finalement le réconfort d'une corbeille garnie avec soin sont autant d'associations positives liées au pain. Si je devais fonder un jour une association gastronomique, ce serait «l'Ordre des Belles Miches» et James MacGuire en serait le grand manitou.

Notre-Dame-de-Grâce a la chance d'abriter une des meilleures boulangeries en ville et James MacGuire s'est fait le Poilâne des Québécois. Disciple de Raymond Calvel, le chef boulanger du *Passe-Partout* a annexé à sa boulangerie un restaurant puisque désormais l'un ne va plus sans l'autre dans son cœur.

Du côté du restaurant, on retrouve le décor effacé et presque froid de l'ancien établissement, rue Monkland. La vieille pharmacie Saint-Germain a été rénovée avec goût mais sobrement. Le service est assuré par la compagne et associée de James, Suzanne Lafrenière, veillant à l'accueil et à l'explication d'un menu manuscrit d'une sobriété de récession.

J'avoue adorer ce type de menu où le chef vous donne le choix entre une viande et un poisson, deux ou trois entrées, un potage et quelques desserts. En plus d'être assurés de la fraîcheur des produits, vous ne pouvez que choisir une spécialité (elles le sont toutes) et apprécier davantage les talents du chef.

Les entrées sont faites pour apprécier une fois de plus la qualité de ce pain à la croûte résistante, à la mie élastique de couleur crème, au parfum incomparable de noisettes, frais ou grillé. Le pain de campagne est servi grillé avec les différentes charcuteries maison. La mousse de foie de volaille est présentée sans fioritures dans l'assiette. La richesse de cette mousse tant en crème, en jaunes d'œufs, qu'en saindoux, ferait frémir un cardiologue mais une fois (ou un foie?) n'est pas coutume. Une touche de cognac donne l'envie d'y revenir. Quant au pâté landais au poivre vert, il est composé de porc haché, de foie de porc, de gras de porc et d'aromates en plus du poivre vert. Quelques pruneaux à l'aigre-doux cuits dans le vin rouge et le vinaigre s'ajoutent à cette assiette généreuse.

Autre proposition d'entrée que nous avons préféré prendre comme plat principal, ce feuilleté de moules à l'effiloché d'endives sur beurre blanc safrané. Le coffret de pâte feuilletée atteint ici son apogée: du beurre et de l'air, rien de plus. Cachées dans la pâte, les moules et les endives cuites à la vapeur s'accordent à merveille avec le beurre blanc allégé d'un peu de crème et coloré au safran.

Même débordement d'enthousiasme pour la pintade au chou, un classique du Poitou remanié par le chef MacGuire. Les morceaux de volaille tendrissimes sur fond de volaille et de veau lancent la balle à une purée de pommes de terre au chou additionnée de beurre. Simple et délicieux.

Les fromages de lait cru de Pierre-Yves Chaput sont proposés histoire de goûter encore au pain (aux noix cette fois). Dans la corbeille, le pain de campagne côtoie le pain au levain. Le beurre doux donne le change dans un petit ramequin. La carte des vins (de 24 $ à 60 $), met de l'avant des valeurs sûres comme ce Los Vascos, sauvignon blanc honorable.

Les desserts ont le ton juste et le goût du vrai beurre. Le pithiviers rappelle la fête des Rois mages. Le feuilletage renferme un beurre d'amandes légèrement humide dont on ne se lasse pas. Quant à la mousse au chocolat (*Valrhona*), elle est présentée en grosse motte sur un étang de crème anglaise décoré d'écorces d'orange confites. Une tranche de brioche maison s'ajoute à cette mousse dense et aérienne à la fois.

La maison sert depuis ses débuts ses fameuses amandes pralinées à l'heure du café. Des détails comme ceux-là finissent par compter mais plus que tout, c'est l'âme du cuisinier-boulanger qui transperce cette cuisine sans «fla-fla».

Un repas pour deux personnes vous coûtera environ 70 $ avant vin, taxes et service. Table d'hôte du midi de 15,25 $ à 17,75 $.

PASSIFLORE
872, rue Querbes
Tél.: 272-0540
Métro Outremont ou métro Rosemont, bus 161
Ouvert du lundi au vendredi de 12 h à 14 h 30,
tous les jours de 18 h à 22 h. Fermé le dimanche de
Noël et à Pâques.
Terrasse et salle de réception.

Le *Passiflore* dissimule dans son arrière-cour l'une des plus belles terrasses à Outremont et même à Montréal. La cuisine californienne annoncée tient ses promesses, surtout en cette saison où les marchés regorgent de produits frais, sains, juteux et gorgés des rayons du soleil, tout québécois soit-il. Le chef Yves Piché a acquis une maîtrise du sujet et une maturité dans l'exécution, depuis l'ouverture de ce charmant restaurant caché au fond d'un cul-de-sac, rue Querbes.

La carte permet de donner libre cours à ses habiletés comptables. On peut à loisir intégrer toutes les entrées et tous les desserts aux plats principaux et créer ainsi sa table d'hôte à partir de la carte, moyennant un léger supplément selon les cas. Le potage aux poireaux et pétoncles fait partie de ce forfait et réunit dans cette crème exquise et naturellement sucrée, le vert des poireaux, les pétoncles et un fond de poisson, de la crème, le tout étant passé à la moulinette.

La petite entrée du jour est une salade de cresson, de *radicchio*, de haricots fins et de laitue baptisés d'un mélange de vinaigre balsamique, de sauce soja et d'huile végétale. Autre entrée relevée de la même vinaigrette au teint foncé, le cœur d'artichaut (l'emblème californien par excellence) entouré de ses feuilles et de dés de tomates bien rouges en une présentation réussie. Cet effiloché de cuisses de canard confites tranche avec la douceur intrinsèque de l'artichaut.

Les plats offerts au *Passiflore* regorgent de fruits, d'humeurs exotiques et d'idées intéressantes. Ce saumon à l'unilatérale (cuit d'un seul côté à même l'assiette) met en vedette le poisson en minces tranches recouvert d'un sabayon d'agrumes (limette, orange et pamplemousse). La cuisson parfaite, le sabayon encore mousseux et la note acidulée se donnent la réplique de façon parfaite. Les légumes très variés, verts et croquants, présentés à part, ne gâchent rien de l'aspect visuel volontairement dénudé.

Les aiguillettes de canard au foie gras et au miel font davantage penser à l'automne qui prépare déjà le terrain. La volaille légèrement caoutchouteuse s'accommode tout à fait de cette réduction de fond de canard et de miel montée au beurre de foie gras en fin de parcours. Les légumes d'accompagnement sont dans le ton: petits oignons caramélisés, champignons sautés, courgette vapeur et gratin dauphinois.

Les fromages de lait cru proviennent de la voûte de Pierre-Yves Chaput (le fils de l'autre). Le pain ne gagnerait pas de prix tant pour sa fraîcheur que pour son goût. Quant à la carte des vins, simple, on y trouve un Sauvignon blanc de Robert Mondavi qui fera parfaitement l'affaire.

Les desserts, soignés, vous laissent un souvenir impérissable de l'endroit. Ces profiteroles tout chocolat jouent le tout pour le tout. Pâte à choux au cacao, crème glacée maison au chocolat d'un velouté unique, sauce chocolat épaisse et un nuage de Chantilly pour la décoration conjuguent le mot volupté à l'infini. Plus sage, la création du jour n'en est pas moins séduisante. Des languettes de mangue, des mûres, des fraises et quelques petites boules de sorbet au kiwi nagent dans une crème anglaise légère où le parfum de menthe fraîche domine.

Un repas pour deux personnes vous coûtera environ 63 $ avant vin, taxes et service. Table d'hôte le midi de 8 $ à 14,50 $ et le soir de 24 $ à 30 $. Menu gastronomique à 48 $.

LE PETIT LOGIS
2065, rue Bishop
Tél.: 987-9586
Métro Guy-Concordia
*Ouvert du lundi au vendredi de 12 h à 15 h,
du lundi au samedi de 17 h à 23 h,
fermé le dimanche.*

Le Petit Logis crèche tout près de l'Université Concordia et du Musée des Beaux-Arts. D'esprit méditerranéen, la cuisine fait appel aux herbes de Provence et à l'ail, à la tomate et à l'huile. On y mange une cuisine tout à fait honnête mais moins généreuse qu'on ne le souhaiterait.

La crème andalouse (tomates et riz), bien épicée et veloutée vous plaira sans doute autant qu'à moi, mais si vous avez un faible pour la tomate, n'hésitez pas à commander ces calmars sautés *Petit Logis*, en entrée ou en plat de résistance. Les calmars juste sautés (sans panure) se mêlent avec bonheur à la fondue de tomates au cumin, aux herbes de Provence et à l'ail. Aussi disponible le midi, la salade de pissenlit garnie de croûtons de chèvre chaud. Ce pissenlit bien tardif a bon goût, surtout avec le fromage fondant mais demandez la vinaigrette à part si vous surveillez les calories.

Une petite incursion du côté des pâtes (à l'huile et à l'ail ou noisettes et raisins) peut s'avérer plus légère que ce carré d'agneau (pourtant succulent) au thym et au miel goûté là un soir de déluge. Une portion de ratatouille et de gratin dauphinois complètent l'assiette.

Et si votre ligne (de conduite) vous préoccupe, sachez que la salade de fruits frais au kirsch est tout à fait honorable. Pour ma part, j'ai un faible pour le nougat glacé Stanké, fait de pistaches, d'œufs et de crème et d'une pointe d'alcool. En un mot, succulent.

Comptez environ 22 $ pour deux personnes le midi avant vin, café, taxes et service.

LE PETIT MOULINSART
139, rue Saint-Paul Ouest
Tél.: (514) 8 HERGE 2
Métro Place-d'Armes
*Ouvert du lundi au vendredi de 11 h 30 à 15 h et de
18 h à 23 h,
sauf vendredi jusqu'à minuit, le samedi de 16 h à minuit et le dimanche de 11 h à 22 h durant la saison
estivale.
Terrasse.*

1. Dans quelle sorte de boîte de conserve Milou s'emprisonne-t-il la gueule? (dans *Le Crabe aux Pinces d'Or*) 2. Quels assaisonnements sont ajoutés à la confection de la viande en conserve? (dans *Tintin en Amérique*) 3. Comment se nomme le cuistot du Sirius? (dans *Le Trésor de Rackam le Rouge*).

Si vous avez répondu correctement à deux de ces questions (voir réponses à la fin), vous faites sans doute partie de cette grande confrérie des Tintinologues. Selon des sources bien informées, le Tintinologue dans sa version la plus répandue serait de sexe mâle et aurait atteint l'âge vénérable de 35 ans. Mais il existe aussi tous ces amateurs plus ou moins toqués et qui n'ont aucune intention de participer à un *Tous pour un* sur la question; de ceux qui se contentent de collectionner quelques vieilles bédés de leur héros favori et de verser dans la nostalgie de leur enfance le temps d'une bière à l'Île Noire…

Il faudra désormais compter avec *Le Petit Moulinsart*, restaurant belge sis dans le Vieux-Montréal. L'ambiance à l'intérieur y est douillette et chaleureuse et n'a d'égale (par beau temps) que cette jolie terrasse aménagée dans l'arrière-cour à même les murs de vieilles pierres. La bière est évidemment au programme (un potentiel de 90 sortes de 3,75 $ à 13 $) et on pousse la coquetterie jusqu'à fournir le verre approprié avec chaque sorte de bière. Flûtes pour les unes, ballons pour les autres; danoises, belges et québécoises n'ont qu'à bien se tenir et laisser des cernes autour du col.

Le midi, vous feriez mieux de réserver tôt sur la terrasse sinon vous risquez de faire… tintin! Plusieurs bières manquaient à l'appel le jour de notre passage mais il y a toujours moyen de s'initier aux nouveautés comme cette Blanche de Chambly brassée sur le modèle de la Blanche de Bruges, ou encore cette Giraf danoise assortie d'un verre superbe au cou allongé.

Le menu fait dans la belge cuisine et les moules de même que la bavette, les frites et la mayonnaise forment des clichés incontournables. Une petite salade de saison simplette et agrémentée de fraises permet de patienter jusqu'à l'arrivée des pièces de résistance. La cuisine semble avoir du mal à fournir et l'attente peut se prolonger indûment. Nous reste le choix entre gober des mouches ou grignoter le pain par ailleurs fort bon et de présentation soignée.

Directement de la Boucherie *Sanzot*, la bavette de bœuf ou de cheval est offerte de même qu'un choix de sauces: dijonnaise, vigneronne, brasseur, échalotes, maître d'hôtel. Étrangement, la viande chevaline est 2 $ de plus que la bovine, mais traitée sous forme de bavette, je la préfère pour son goût légèrement plus sucré. La cuisson (saignante) était parfaite et les frites courtes, bien croustillantes, cuites dans un mélange de graisse de cheval et d'huile d'arachides font honneur à la réputation des Belges en la matière. La sauce brasseur fait appel à un jus de viande mêlé à la Blanche de Chambly et donne une sauce tout à fait convaincante.

Quant aux moules-frites, éternel duo, même si la saison est encore loin devant, celles-ci n'ont rien à redire du court-bouillon parfumé dans lequel elles font trempette. Les moules du cuisinier Van Damme sont arrosées à la Mort Subite (la bien nommée) à la framboise et n'ont rien à envier à des formules plus traditionnelles. Les frites, encore là, font bonne mesure et gagnent à prendre un bouillon.

Dans un pays reconnu pour ses chocolats, ses gaufres et sa goinfrerie, les desserts font partie des incontournables. La tarte au sucre est tout aussi prisée en Belgique qu'elle l'est ici. Cette version fait appel à plusieurs sortes de sucre et aux œufs sur une croûte au beurre. On y plonge la fourchette avec autant de culpabilité que de plaisir et on se jure d'essayer d'obtenir la recette par tous les moyens.

Le gâteau de riz (ou tarte du riz), spécialité belge par excellence, est présenté sur un étang de crème anglaise et rappelle notre pudding au riz sur croûte de tarte, comme quoi on est plus cousins qu'on pense.

Je m'attarde rarement à l'état des toilettes dans cette chronique mais celles du *Petit Moulinsart* méritent le détour et se sont méritées un prix d'originalité! Côté *Castafiore* ou côté *Capitaine* (je présume), on y retrouve de la bédé à revendre.

Un repas pour deux personnes vous coûtera environ 40 $ incluant les taxes et avant bière et service. Table d'hôte le midi de 9,95 $ à 12,50 $. Menu Nestor à 10,10 $ avec taxes (plat rapide et bière incluse). Spécial du jour à 7 $.

Réponses (tirées de *Êtes-vous tintinologue?* chez Casterman): 1. Dans une boîte de crabe; 2. Ail, sel, poivre; 3. Van Damme.

PICCOLO DIAVOLO
1336, rue Sainte-Catherine Est
Tél.: 526-1336
Métro Beaudry
Ouvert du lundi au vendredi de 11 h à 14 h et tous les
soirs de 17 h à minuit.

La cuisine italienne, on dira ce qu'on en voudra, est un classique parmi les classiques, ralliant les enfants comme les plus grands. Du pays de la pizza et des pâtes, on croit tout connaître jusqu'à ce qu'un Giuliano Buggiali ou une Marcella Hazan nous ouvre les yeux et les tripes sur de nouveaux horizons. Il suffit généralement de peu: un *risotto* aux *porcini*, une *caponata* aigre-douce, un poivron farci au veau et au *ricotta* et même un vulgaire spaghetti au brocoli et anchois. Car la cuisine italienne familiale est sans limites et presque complètement ignorée de nos restaurateurs italiens. *Da Marcello* a déjà semé le doute dans nos esprits depuis belle lurette sur la rue Laurier mais voilà qu'un restaurant italien d'une toute autre facture s'apprête à faire de même.

Un beau coup que ce *Piccolo Diavolo* situé au cœur du «Village». Les propriétaires du *Shed Café* et du *Saloon* (deux restos-bars branchés) ont vu juste tant pour le choix du décorateur que pour le choix du chef, Ivanoh Demers. Le résultat est surprenant et l'on se croirait volontiers dans Brooklyn ou Soho tant la fantaisie qui transpire des murs rejoint l'assiette et influence également l'humeur ludique du service.

On a peine à imaginer qu'un restaurant indien a déjà logé à cette enseigne tant les murs sont devenus riches de textures, de brique et de bois vieilli prématurément. Le bronze du plafond renvoie au bar superbe, soutenu par des statues diaboliques tout à côté d'une série de miroirs ternis accrochés au mur comme pour nous rappeler le temps qui passe. Un lustre magnifique, une horloge plus grande que nature, des objets et des toiles qui ne laissent pas indifférents tiennent cette salle en otage et les clients ne peuvent qu'en redemander. Ce qu'ils font à l'unisson…

Côté menu, on retrouve du jamais vu ailleurs et de grands classiques dont on se passerait. La salade César (même si on m'assure que celle-ci est différente) ne me semble pas tout à fait à son aise entre le *melanzane ripiene* et le *lumache con patate*. Laissez-moi vous parler de ces deux entrées qui sortent de l'ordinaire. Le *melanzane* est fait de tranches d'aubergines farcies de courgettes et de tomates à l'ail et au romarin, puis roulées sur elles-mêmes et cuites au four sous une délicate sauce tomate crémée au romarin. Un peu de parmesan avec ça? On n'en fait qu'une seule bouchée.

Le *lumache* est tout à fait différent et quasi californien dans l'âme. Sur des *röstis* (galettes) de pommes de terre en julienne fines et frites, reposent des escargots sautés avec des poireaux, un concassé de tomates, de l'ail et du vin blanc. C'est tout et c'est assez. Les *röstis* seraient encore meilleurs s'ils étaient préparés à la minute car ils ne perdraient pas leur croustillant sous la dent.

Parmi les plats de résistance, les *tagliatelle* aux œufs avec sauce aux fruits de mer auraient eu intérêt à être retirées de l'eau quelques minutes avant et à être brassées pour les empêcher de coller ensemble. Le velouté (vin blanc, fumet de poisson et crème) qui tient lieu de sauce est vaguement parfumé à l'estragon. Des crevettes ainsi que des pétoncles agrémentent cette assiette un peu terne en regard de ce qui précède.

Par contre, le *palpettone di vitello* remporte tous les suffrages. Ce plat familial n'est autre chose que le bon vieux pain de viande aménagé à l'italienne. Du veau, du porc, des œufs, de la mie de pain et de gros morceaux de *grana padano* (du fromage parmesan) font l'essentiel de cette chimie parfumée aux herbes du jardin. Une sauce mi-fond brun et mi-sauce tomate nappe les tranches larges et le tout est servi avec des pâtes et des légumes en vermicelle.

Le pain dans la corbeille gagnerait à être plus italien, plus dense et plus farineux. Le beurre en godets plastifiés n'a pas sa place ici mais les *grissini* sont parfaits. La carte des vins se veut sobre et abordable. Un Libaio arrosait ce repas.

Du côté des desserts, ceux confectionnés par le chef valent mieux que les *artefacts* importés du *Shed Café*, boulevard Saint-Laurent. La crème brûlée à l'Amaretto vous fera faire une crise de foie si vous en abusez. Retenue par une couche de sucre caramélisé, cette crème-flan-caresse est discrètement parfumée à la liqueur d'amandes.

Le gâteau au fromage, chocolat noir et blanc est massif, légèrement amer et débalancé. Le chocolat blanc se perd dans cette pâte mollasse servie à la température de la cuisine, c'est-à-dire beaucoup trop chaud. Il n'est pas trop tard pour faire une coupure définitive avec la pâtisserie trop américaine du café du boulevard Saint-Laurent. L'administration est une chose et la cuisine une autre.

Un repas pour deux personnes vous coûtera environ 40 $ avant vin, taxes et service.

PSAROTAVERNA DU SYMPOSIUM

4293, rue Saint-Denis
Tél.: 842-0867
Métro Mont-Royal
*Ouvert de 11 h 30 à 14 h 30 et de 17 h à 23 h; fermé
les samedi et dimanche midi.*

Novembre plutôt que vendredi est devenu au
Québec un rappel vivant du poisson dans nos assiettes. À
l'apogée de sa fraîcheur même pendant les mois sans «r»,
il n'est nulle part pourtant où on le trouve moins apprêté
que dans les *psarotavernas* grecques.

Nos restaurateurs méditerranéens nous présentent
le poisson comme des pêcheurs sur le quai d'un port de
mer. Un étal de glace comme support, quelques citrons,
un filet d'huile et surtout une cuisson minimale, réduisent
les manipulations à leur plus simple expression.

Les *psarotavernas* québécoises reçoivent leurs
poissons, l'œil encore vif, l'écaille luisante, à peine ébran-
lés par un voyage en avion ou en camion, venus de New
York et de Boston. Sur les ardoises du restaurant, les prises
varient et les prix s'établissent au kilo de chair marine.

Rue Saint-Denis, les spécialités du *Symposium* vont
du côté des calmars frits en entrée ou des *dolmades,* ces
feuilles de vignes farcies à la viande et parfumées généreusement à la coriandre. Les huîtres fraîches sur coquille et
les crevettes grillées en carapace (soit une quinzaine) font
également partie des entrées très prisées par les habitués.

Le proprio s'occupe de composer les menus pour
une clientèle maintenant rodée (Rhodée aussi) aux us et
coutumes de la maison. Dans ce repaire de marins d'eau
douce, on se laisse choyer aveuglément ou d'un œil de pi-
rate sans craindre le naufrage d'une addition corsaire.

Chaque page du calendrier a son poisson; juillet le
rouget, septembre la truite, novembre la daurade et les
fruits de mer en général. Au *Symposium,* on fait venir poissons et crustacés via les grands marchés de New York.

Ce soir-là, au tableau noir: la daurade et le rouget,
le «snapper blanc» du golfe du Mexique et la truite d'élevage
du Québec, témoignaient d'une modeste cuisson, grillés
dans leur plus simple apparat.

Un repas pour deux personnes, avant une bouteille de Domestica, taxes et service, vous coûtera environ 42 $. Table d'hôte à 10,50 $ le midi et de 16,50 $ à 21,95 $ le soir. Comptez de 19 $ à 33 $ pour le vin.

RESTAURANT LE 9ᵉ

EATON Centre-Ville
677, rue Sainte-Catherine Ouest
Tél.: 284-8421
Métro McGill

*Ouvert du lundi au mercredi et le samedi de 11 h 30 à
16 h 30,
le jeudi et vendredi de 11 h 30 à 19 h,
le dimanche (brunch seulement) de 11 h 30 à 15 h.
Tous les jours: l'heure du thé de 14 h 30 à 16 h 30.*

«Pendant les années chaotiques qui suivirent le grand krach financier de Wall Street en octobre 1929, à l'époque de la Grande Dépression, les efforts de la société occidentale se concentrèrent sur le progrès social et le profit industriel. Dans le domaine du design, les formes géométriques et les couleurs claires de l'Art Déco laissèrent la place à un style foisonnant aérodynamique, nouveau symbole d'optimisme et d'espoir. Élaboré à partir de la recherche scientifique sur la rapidité et l'efficacité mécanique, ces formes avaient fait leur première apparition à la fin des années 20 alors que des ingénieurs cherchaient à créer un nouveau type d'aéroplanes, d'automobiles, d'autocars et de trains.» (*Splendeurs de l'Art Déco* de Julian Robinson, éd. Vilo.)

On pourrait ajouter à cette nomenclature aérodynamique les paquebots qui, à cette même époque, faisaient non seulement figure de moyen de transport mais permettaient au gratin de ce monde d'accéder à une forme de mouvance toute d'apparat et de superflu, de toilettes mondaines et d'airs blasés sinon nauséeux. Vivement une petite *Gravol* pour faire passer tout ça!

De cette glorieuse époque Art Déco ne reste que quelques exemples d'architecture urbaine, et parmi ceux-là la salle à manger du 9ᵉ étage du vénérable magasin à rayons *Eaton*. Reproduction fidèle de la salle à manger du paquebot l'*Île-de-France*, le *9ᵉ* existe depuis 1931 et s'y pressent, à l'heure du lunch comme à l'heure du thé, des madames à chapeaux mi-ébaudies, mi-fanées, venues chercher au contact de cette atmosphère décatie un regain de collagène (au comptoir des cosmétiques du 1ᵉʳ) et de jeunesse au 9ᵉ.

Patrick Clark, notre serveur ce midi-là, travaille ici depuis «seulement» 18 ans. Le dos un brin voûté, l'œil amusé, le geste sûr et le pas tranquille, il connaît chaque pouce carré de cette immense salle. Les torchères de marbre, les vases en albâtre d'Italie, les linteaux à bas-relief, les murales, les deux fontaines à chaque extrémité, même ces fauteuils aux jolies courbes n'ont plus de secret pour lui. Et il connaît les petits caprices de sa clientèle féminine comme le fond de son gilet.

Le menu du *9e* est un classique aux intonations anglophones auquel on n'échappe pas. S'y trouvent des perles de conformisme digne du musée McCord. Le consommé au madère est pourtant excellent et n'a pas de madère que le nom. Ce petit bouillon d'Anglo enroué m'a chassé la grippe dans le temps de le dire. La soupe aux légumes du jour a le goût des soupes de grand-mère, à peine relevée, garnie de légumes mous et de pâtes encore plus molles.

J'avais déjà, lors d'un passage précédent, fréquenté le buffet chaud et froid (11,50 $ sans rosbif et 14,75 $ avec). On y trouve tout ce qu'un buffet digne de ce nom devrait comporter de salades composées, de crevettes, de charcuteries, d'aspics colorés, d'œufs durs, de fromages caoutchouteux et de crudités vitaminées.

Cette fois-ci, j'ai préféré m'en remettre aux mains de Patrick (dans les cours d'étiquette anglaise on vous apprend à tutoyer la «valetaille»...). Le rosbif (francisation de *roastbeef*) est servi en larges tranches sur une assiette froide, sans jus, mais avec le traditionnel raifort assassin. Une macédoine de navets et carottes ainsi que quelques pommes de terre à mi-chemin entre la vapeur et le sauté complètent cette assiette. D'une tristesse... Au moins la viande est saignante.

Le pâté au poulet fait également partie des traditions, mais j'avoue préférer la version du *Laurier BBQ*. Recouverte d'une couche de pâte bien épaisse, cette sauce collante à base de farine est garnie de morceaux de poulet, de carottes, de pommes de terre et laisse une impression de fadeur incommensurable.

Dans la corbeille de pain, la maison entretient cette tradition (tout comme au *Beaver Club*), du petit muffin au maïs sucré et aux raisins. Les vieilles Anglaises adorent picorer leur muffin avec le thé et ça évite de payer pour le dessert. Au buffet, je vous recommande toutefois le pudding au riz, seule exception dans cet étalage de fausses pâtisseries au faux beurre et faux sucre. À la carte, ni les profiteroles au chocolat, ni la poire Belle Hélène ne vous feront revivre les grands moments de la pâtisserie française. Même à l'heure du café vous devriez prendre du thé!

Un repas le midi pour deux personnes vous coûtera environ 30 $ avant taxes et service.

LA SILA

2040, rue Saint-Denis
Tél.: 844-5083
Métro Berri
Ouvert de 17 h 30 à 23 h du lundi au samedi.
Stationnement à l'arrière.
Terrasse. Salon privé.

Depuis 1977, *La Sila* est le rendez-vous nocturne des artistes en mal de quiétude ou de public, c'est selon. Dès l'arrivée, ils sont pris en charge par Antoine (Tonio pour les intimes) qui les mène à table, les dorlote et les reconnaît discrètement. Antoine a le doigté d'un maître d'hôtel qui en a vu d'autres et la mémoire d'un comédien d'expérience. Une expérience acquise sur le tas (de spaghetti) chez *Da Giuseppe* (le café des artistes d'autrefois), puis dans sa propre maison, «Chez Antoine» dans le langage de la rue Saint-Denis.

La cuisine de *La Sila* s'est toujours improvisée au gré des humeurs; une humeur de vacances, de cigarette après l'amour. Pour rehausser le cérémonial souvent plaqué du menu imprimé et défraîchi par le temps, on vient suggérer des plats qui semblent inspirés par une fièvre passagère. Ce soir-là, les *gnocchi* aux épinards et au jus de lapin ainsi que le *carpaccio* (le tartare des Ritals) nous ont échappé. Antoine avait d'autres chats à régaler.

À la carte, plus conventionnelle, nous avons retrouvé avec bonheur les *penne all'arrabiata* (à la diable), ces petites pâtes oblongues à la tomate bien relevées de piment. D'ailleurs, *La Sila* peut vous préparer les pâtes selon l'envie du moment. Rêvez-vous de spaghetti aux palourdes? On vous les fera, embargo ou pas! L'ail vous fait prendre votre conjoint en grippe? On l'omettra. Vous aimez le *prosciutto,* le parmesan, les anchois, les olives et les *tagliatelli*? Qu'à cela ne tienne, Étienne, rien n'est impossible avec les pâtes fraîches.

Une table d'hôte présente également chaque soir des spécialités étudiées. Les *agnoleti verde Villa d'Este* (un riche hôtel établi sur le lac de Côme) étaient farcis d'un mélange un peu fade de *ricotta* et d'épinards nappés d'une sauce crème nettement trop timide. À ce même menu, les ris de veau *alla Vecchia Romagna* amalgamaient à la lettre une sauce crème, cognac (oh! à peine) et champignons et des ris de veau cuits à la perfection et fondants comme du fromage.

Pour ce qui est du veau en chair et en os, la *scaloppine La Sila* était agrémentée d'un fond de veau aromatisé aux câpres, au *prosciutto* et aux champignons. La sauce, délicieusement poivrée, relevait parfaitement la viande blanche du veau.

La Sila, c'est aussi la proximité des voisins. Assis à une table proche, Benoît Marleau, qui a fidèlement suivi Antoine de *Da Giuseppe* à *La Sila,* y allait d'une description de la dinde italienne annuelle farcie aux épinards et des *gnocchi* de pommes de terre roulés à la maison par sa grand-mère.

La carte des vins de *La Sila* est patriotique avec raison — l'Italie, premier producteur mondial, a ses piquettes et ses grands vins —, mais elle est aussi bien garnie et honnête (de 20,50 $ à 195 $). Un Barolo Fontanafredda, un classique de la SAQ, arrosait généreusement ce repas.

Au dessert, la *cassata* maison au chocolat, pistaches, fraises et vanille est garnie de fruits confits. Le gâteau maison, entrelardé de crème pâtissière à la vanille et au chocolat, est coiffé de crème Chantilly au café. La génoise est imbibée d'un sirop alcoolisé. En fin de repas, la *grappa* ambrée d'Antoine en vaut bien d'autres, moins tord-boyaux que les marcs de pressoir habituels.

La Sila n'a rien perdu de son caractère «homy», ni la cuisine de son caractère tout court. Et puis, restent Antoine, toujours aussi accueillant, le service sur roulettes et cet arrière-goût latin qui vous laisse un chat dans la gorge… le mal du pays. Un repas pour deux personnes vous coûtera environ 65 $ avant vin, taxes et service. Table d'hôte à 16 $ et 29,95 $.

VENT VERT

2105, rue de la Montagne
Tél.: 842-2482
Métro Peel, sortie Stanley
Ouvert de 11 h 30 à 15 h et de 17 h à 23 h,
fermé dimanche midi.
Salons privés.

Il en est de certains restaurateurs comme de certains printemps: sans faire de vagues, ils s'incrustent en douceur, s'implantent jusqu'à en être incontournables, font fi des embûches et des derniers flocons entêtés, se rient des météorologues et autres prédicateurs de pacotilles. Denis Généro et Patrick Vesnoc sont les deux chefs propriétaires du *Vent Vert,* rue de la Montagne. Ils y entretiennent une histoire d'amour avec leur public depuis belle lurette.

Rares sont les cuisiniers que l'orgueil et la vanité n'ont pas totalement désensibilisés et encore plus rares sont les propriétaires de restaurants qui tentent de prendre le pouls de leur clientèle de temps à autre. Pour le duo Généro-Vesnoc, c'est par le biais de repas gastronomiques saisonniers auxquels on convie clients et amis qu'on chasse la routine des cuisines. Les plats en vedette de ce repas sans façon sont inscrits à la carte régulière, histoire d'en faire profiter tout le monde.

Les heureux proprios du *Vent Vert* offrent une cuisine française de qualité à des prix du centre-ville, c'est-à-dire trop élevés en rapport avec ladite qualité. Ceci mis à part, cela n'a pas l'air d'affecter la clientèle anglophone et en moyens qui a adopté l'endroit.

Le consommé de cailles et profiteroles de la table d'hôte était un excellent bouillon maison bien clarifié et garni de choux miniatures ramollis par le consommé et de bonne confection. Des filaments de cailles agrémentaient le bouillon de même que des billes de petits légumes croquants.

En entrée également, la poêlée d'escargots et tourelles sauce au bleu, réunissait des escargots et des pâtes fraîches (tourelles) tricolores et tortillées. Les pâtes fraîches commerciales avaient le défaut habituel: elles étaient sans goût. Mieux aurait valu des pâtes sèches de bonne qualité. La sauce au bleu bien crémeuse apportait du parfum et du caractère à cette assiette où les escargots tenaient un rôle secondaire.

La table d'hôte annonçait un filet de porc aux capucines bien tentant. Les capucines s'avérèrent être des câpres ajoutées à la demi-glace qui nappait les filets de porc. Ces câpres un brin vinaigrées l'emportaient sur le reste de l'assiette et sur la chair discrète du porc. Nous avons appris à nos dépens que les boutons de câpres peuvent parfois être remplacés par des boutons de capucines, de soucis ou de genêts. Un bouton de fleur ne fait malheureusement pas le printemps, surtout dans le vinaigre!

Les crevettes sur riz sauvage au sauternes nageaient dans le bonheur et la sauce, légèrement sucrée au vin liquoreux additionnée de beurre et de crème, leur allait bien au teint. Seule fausse note dans cette assiette harmonieuse: le riz sauvage manquait de cuisson. Une assiette de légumes bien composée accompagnait le tout.

Le pain dans la corbeille était correct mais sans panache. Un demi Château Sancerre 88 tiré d'une carte aux prix élastiques (de 20 $ à 300 $) arrosait ce repas.

Des choux Chantilly concluaient la table d'hôte. Trois petites profiteroles garnies de crème Chantilly étaient arrosées de sauce au chocolat de bonne qualité. Un classique toujours apprécié. Le nougat glacé de la carte était un amalgame de bombe glacée pralinée servie sur sauce caramel et crème anglaise. Une finale riche sur velours.

Un repas pour deux personnes vous coûtera environ 70 $ avant vin, taxes et service. Table d'hôte de 7,95 $ à 16 $ le midi et de 14,75 $ à 27,50 $ le soir.

LE WITLOOF
3619, rue Saint-Denis
Tél.: 281-0100
Métro Sherbrooke

Ouvert du lundi au jeudi de 12 h à 23 h,
vendredi de 12 h à minuit,
le samedi de 17 h à minuit,
le dimanche de 17 h à 23 h.
Terrasse.

Le restaurant *Witloof* est très couru par le milieu artistique. L'endroit est un lieu de rencontre tout autant qu'un restaurant et les tables sont assez rapprochées les unes des autres pour que vous puissiez tout connaître de la vie intime de vos voisins de fortune. Ce restaurant affiche ses couleurs belges au menu et met en valeur les endives (le fameux *witloof*), les moules, la bière, les frites et la mayonnaise. Mais on ne s'est pas borné à la cuisine traditionnelle belge et le menu n'hésite pas à parler aussi français, nouvelle cuisine, tunisien et... québécois!

La terrine de sanglier aux figues était une belle tranche de terrine savoureuse garnie en son centre d'une figue bien cuite. La texture point trop grasse ni trop sèche de cette entrée était humidifiée par l'ajout d'un coulis rose *Peptobismol*. Sucré à souhait et légèrement crémé, ce coulis de canneberges (je l'ai su plus tard) nous fut présenté comme en étant un de figues! La teinte naturelle des figues n'étant pas aussi rose bonbon, le serveur crut bon nous rassurer en affirmant sérieusement que «les figues deviennent roses pendant la cuisson»! Cette réplique digne des meilleurs téléromans avait quelque chose de dramatique dans les circonstances. Prendrait-on les clients pour des harengs?

Parlant de poissons, les harengs marinés servis dans cet établissement valent la peine qu'on s'y attarde. Présentés sous forme de filets, ces beaux et généreux morceaux de poissons «cuits» par un mélange de vinaigre, de sucre, de sel et d'épices avaient toutes les qualités des marinades maison. Des pommes de terre à l'huile garnissaient cette assiette de façon classique.

Sur la suggestion du serveur nous avons opté pour les moules à la tunisienne cuites dans un fond de veau rehaussé de sauce *harissa* au piment. Ces moules fortifiées avaient du caractère et bien sûr il n'est pas de meilleure saison pour s'adonner au vice des moules-frites. Incidemment, les frites étaient toujours aussi savoureuses, saisies à l'huile d'arachides, mais légèrement ramollies d'avoir un brin patienté.

Un plat aussi inattendu qu'inusité, les ris de veau et crevettes à l'orange jouaient la carte originale. Les ris cuits à point, les crevettes en papillon et les écorces d'orange, ainsi que des filaments d'algues formaient en terme de décoration une belle assiette. Des petits pois tendres et un gratin dauphinois plutôt banal complétaient le coup d'œil. La sauce, un fond de veau parfumé à l'orange rehaussait parfaitement les ris comme les crevettes.

Le pain dans la corbeille était frais mais pas aussi savoureux qu'il l'a déjà été à cette adresse. Le beurre doux n'avait pas d'arrière-goût. Un Château Tanesse arrosait ce repas en beauté tiré d'une carte où les les prix varient de 19,50 $ à 79 $.

Les desserts ont droit à leur carte au *Witloof*. Ainsi les crêpes pralinées sont-elles présentées fumantes et fourrées à la crème pralinée. Le pralin n'était pas fait à partir de crème de noisettes au chocolat commerciale mais plutôt à base de vrai pralin (noisettes et sucre caramélisé) et de beurre. Le tout était saupoudré de sucre glace. La tarte au sucre connaît quelques adeptes surtout en cette période où la tradition resurgit. Celle-ci était faite à partir de lait condensé et de cassonade et la croûte du fond n'était pas assez cuite. Personnellement, je préfère celle du *Laurier BBQ*.

Un repas pour deux personnes vous coûtera environ 52 $ avant vin, taxes et service. Table d'hôte le midi de 9,95 $ à 20,25 $ et le soir de 12,95 $ à 20,25 $.

Les exotiques

AU COIN BERBÈRE
73, rue Duluth Est
Tél.: 844-7405
Métro Saint-Laurent, bus 55
Ouvert de 17 h à minuit tous les jours.
Réservations recommandées.

Le serveur pourrait s'appeler Fadel ou Moustafa. Il porte le nom d'Achour. Sous une chevelure épaisse et bouclée, il a un regard en amande, un sourire tout miel comme ses pâtisseries et des gestes délicats quand il verse du thé à la menthe. Rien qu'à le voir déambuler entre les tables, on l'imagine dans les *souks* de sa Kabylie natale, le cœur léger sous sa *djellaba,* sa *moukère* restée à la *casbah,* tandis que lui, princier, étanchera sa soif lentement d'un thé, d'un café turc ou autrement.

Et dans ce petit restaurant du *Coin berbère,* on retrouve cette lenteur oppressante (pour un Occidental pressé) des peuples pour qui le temps est le complice d'une course lente: celle du soleil derrière les montagnes.

Le menu sans falbalas annonce très clairement ses couleurs: le pot-au-feu national, soit le *couscous* traité au poulet, à l'agneau (le meilleur), aux merguez ou un mélange de ces trois viandes. Qu'on soit deux ou plusieurs, vendus aux mœurs de l'Afrique du Nord ou d'un naturel curieux, le *couscous* se prête à bien des occasions et à presque tous les caprices épicés.

Les Français, ces amoureux du pot-au-feu, ont découvert le *couscous* sous Charles X au moment de la conquête d'Algérie (en 1830). À l'heure des repas, le *couscous* vient traditionnellement au deuxième service, juste après le *méchoui.*

Au *Coin berbère,* c'est la soupe *chorba* (appelée *brudu* en Tunisie et *harira* au Maroc) qui précède le *couscous.* Parfumée à la coriandre, cette soupe de pois chiches aux légumes est légèrement épicée mais sans surcharge. Le *brik,* dont Gide disait qu'on n'imaginait rien de meilleur, est également une entrée légère sous pâte feuilletée. S'y nichent un œuf mollet et un hachis de thon, de la menthe et de la coriandre, le tout passé à la grande friture et servi avec du citron frais. À peine doré et pas tout à fait assez égoutté, le *brik* du *Coin berbère* était tout de même délicieux, l'œuf bien dégoulinant et la pâte bien croquante mais peut-être pas assez feuilletée.

Le *couscous* Kabyle, version agneau-merguez du *couscous* berbère, présentait le jarret de l'animal entouré de sa chair tout à fait succulente, imbibée de sucs de cuisson savoureux, défaite sans être déconfite, tendre et juteuse. La viande était cuite avec maîtrise et science sinon avec amour. Deux merguez à l'agneau, plutôt sèches, complétaient cette assiette carnée. Quant à la semoule, elle est de qualité. Aérienne, on l'a agrémentée de graines d'anis noir (épice qui ne goûte en rien l'anis). Le bouillon de légumes était composé de tronçons de carottes et de courgettes, et aussi de navets et d'abricots. Le bouillon était savoureusement relevé et un bol de *harissa* (un peu douce) pouvait rehausser encore plus ce plat berbère mais non barbare. Le *couscous* au poulet était garni de deux cuisses tendres mais un peu fades, typiques de la volaille aux hormones qui ne doit pas courir les rues dans les *souks* arabes.

Vestiges de la conquête turque, les pâtisseries algériennes sont aux desserts ce que le Proche-Orient est à l'Occident. Présentées sur un plateau, au centre duquel trône un bol d'eau sucrée au miel et parfumée à la fleur d'oranger, ces pâtisseries feuilletées aux pistaches, aux amandes ou aux noix d'acajou ont les traits lourds et une hérédité bien sucrée. On retrempe chacune d'elles dans l'eau bénite avant de les servir, mais cela ne suffit pas à y injecter la fraîcheur qui leur manque. Le goût y est mais la caresse pas!

Le thé à la menthe fraîche est un délice et fait oublier les excès de table. Quant au vin rouge, choisissez-le corsé et pas trop sensible, car le piment ne lui est pas familier.

Un repas pour deux personnes vous coûtera environ 40 $ avant vin, taxes et service. Vins de 16,50 $ à 20 $.

AU MESSOB D'OR
5690, rue Monkland
Tél.: 488-8620
Métro Villa-Maria, bus 103 ou 162
*Ouvert du mardi au dimanche de 12 h à 23 h,
fermé le lundi.
Terrasse.*

D'emblée on ne songe pas à la cuisine éthiopienne pour faire ripaille. Trop d'images négatives sont associées au pays pour qu'on puisse y accoler autre chose qu'une campagne de financement de Centraide. Et pourtant il existe une cuisine nationale; plats festifs ou plats de tous les jours qui font rarement l'objet d'un intérêt gastronomique.

Au Messob d'or, on tente de remédier à la chose et on propose, pour le plus grand bonheur de ceux qui osent franchir les portes de l'inconnu, une cuisine tout aussi savoureuse qu'intrigante. Le *messob* trône entouré de petits tabourets dans un coin de cet entresol. Ce grand panier tressé et recouvert d'un chapeau de même nature sert à apporter le repas à table. En Éthiopie, la cuisine (une hutte) est toujours séparée de la maison principale, parce qu'on y cuit au feu de bois, pour éviter les dangers d'incendie et probablement parce que personne ne recherche la chaleur du poêle hormis la cuisinière. Le *messob* est d'autant plus pratique qu'il conserve les aliments bien au chaud durant le transport de la cuisine à la maison ou aux champs.

Le fameux *messob* contient toujours l'*ingera*, une large crêpe faite à partir de farine de *teff*. Cette crêpe sert à la fois d'assiette commune et d'ustensiles. D'une main on déchire des morceaux de crêpe et on se saisit des différents ragoûts disposés çà et là de même que des salades multiples. Le repas terminé, on se partage la crêpe qui reste, imbibée des sucs de viandes, un peu comme au Moyen-Âge on consommait le pain tranchoir. On a d'ailleurs tout intérêt à se laver les mains avant et après le repas.

Inutile de vous dire que les enfants se sentent tout à fait à l'aise au *Messob d'or* où ils retrouvent enfin la permission de «jouer» avec leur nourriture. Il est parfois plus facile pour certains (jeunes ou vieux) d'acquérir de bonnes manières sans l'usage d'ustensiles qu'avec! L'expérience est d'autant plus concluante qu'on y apprend le partage, élément qui a disparu un tant soit peu du cérémonial du repas depuis l'apparition du service sur assiettes individuelles en Occident.

Déposée sur un grand plat en métal, donc, l'*ingera* accueille différents ragoûts, proches dans leur forme des caris indiens mais différents dans leur essence. Le *yedora Wat* est composé de morceaux de poulet relevés d'un mélange d'épices dont le fameux *berberé* national (un composé d'oignons et d'ail séchés, de cardamome moulue, de piment et de clou de girofle entre autres choses). Des oignons frais, du beurre clarifié et un œuf dur entier s'ajoutent à la sauce.

En combinaison, on peut goûter au *alitch'a* et au *key Wat,* deux ragoûts mijotés. Le premier fait penser à un bœuf aux carottes et aux pommes de terre auquel on aurait ajouté du gingembre, du curcuma et de l'ail. Du piment vert est également utilisé pour donner une touche de couleur. Le *key Wat* se présente sous la forme d'agneau ou de bœuf dans une sauce fortement pimentée au *berberé*. Je soupçonne pourtant l'établissement d'avoir passablement adouci les plats depuis l'ouverture pour cause de papilles nord-américaines fragiles.

La salade de lentilles aux oignons et poivrons verts est arrosée d'une vinaigrette au citron tandis que le *yedenit-chena key sir selata* est une préparation aux pommes de terre, betteraves, carottes, poivrons verts et oignons arrosée d'une vinaigrette citronnée. Toutes deux étaient succulentes.

Les desserts du *Messob d'or* n'ont rien d'exotique et pour peu que le gâteau aux carottes et la mousse au chocolat vous laissent indifférents, vous devrez vous contenter d'un thé éthiopien parfumé à la cardamome. À moins que vous ne connaissiez l'existence de *Franni* sur cette même rue, ce qui constitue déjà une bonne excuse pour aller voir ailleurs si vous y êtes!

Un repas pour deux personnes vous coûtera environ 20 $ avant bière, taxes et service.

LA CASA DE MATÉO II
440, rue Saint-François-Xavier
Tél.: 844-7448
Métro Place-d'Armes
*Ouvert du lundi au vendredi de 11 h 30 à minuit, le
samedi et le dimanche de 15 h à minuit.
Musiciens les vendredi et dimanche soir (de 19 h à
22 h).*

À la différence de ses congénères, sud-américains et restaurateurs comme lui, Matéo a fait très peu de compromis avec sa conception de la cuisine et de l'hospitalité mexicaine. Le décor est à la fois sympathique et authentique, réunissant des objets d'artisanat sur murs de crépi blanc, quelques tables de bois et des chaises disparates à la peinture écaillée qui respectent l'humeur «mañana» de nos compatriotes du Sud.

Avec la bière, on apporte quelques *tortillas* et une *salsa* piquante qui ne l'est pas qu'en paroles. Le menu, inscrit en espagnol à la craie sur un tableau noir est expliqué jusque dans ses moindres détails et c'est l'occasion ou jamais de ressortir ses notions du cours d'espagnol 101.

L'assiette mexicaine, en entrée, peut constituer un repas en soit. On y offre un assortiment assez complet de *guacamole,* de *ceviche,* de *frijoles* et de *nachos*. Pour ceux que ce langage déroute, la *guacamole* est une trempette à l'avocat, coriandre fraîche et limette chargée d'oignons et de tomates hachées, la *ceviche* (au poisson et pieuvre ce soir-là), version mexicaine du *sushi* est un amalgame de poissons et fruits de mer «cuits» par le jus de citron vert. Le poisson était frais et la chair moelleuse. Les *frijoles,* la classique purée de fèves noires, étaient légèrement asséchés mais le goût intact. Quant aux *nachos,* cette *tortilla* frite recouverte de *salsa* et de *queso* (fromage) local, ils étaient succulents et accompagnés d'un piment *jalapeño* mariné (ne mangez pas les graines) à vous faire vibrer papilles et tripes pour quelques minutes.

En entrée également, le cactus sur *nachos* gratiné était une version agréable des *nachos* additionnés de cœur de cactus en boîte. La *salsa* piquante manquait tout juste un peu de force.

Le soin apporté à la présentation de chaque plat est remarquable, notamment en ce qui concerne le rouget à la Veracruz. Ce classique des régions côtières réunit un petit rouget frit à point garni de riz pilaf et de salade aux tomates et aux oignons. Le poisson, sous sa croûte dorée, avait conservé son humidité naturelle et sa saveur exquise.

De la région de Mexico, le *pollo alla Pacilla* était un beau spécimen de la cuisine authentiquement pimentée. Quatre variétés différentes de piment rouge additionnées d'une touche de cacao mexicain et de graines de sésame complétaient cette sauce brune, grasse et intense, un peu tiède à l'arrivée. On peut demander des *tortillas* chaudes (et non frites) pour ramasser toute cette sauce et s'en faire des trempettes.

Le dessert n'est pas le fort de ce peuple dont la poésie baigne pourtant dans le sirop des lunes roses dans la nuit étoilée et des *corazones* à la guimauve flambée. De toute façon, la jardinière de fruits sur crème pâtissière manquait à l'appel. Tempérament oblige, un repas mexicain ne saurait être pleinement réussi sans un peu de «désorganisationne» au menu.

Un repas pour deux personnes vous coûtera environ 50 $ avant bière, taxes et service.

LA CAVA
4266, rue Saint-Denis
Tél.: 845-0501
Métro Mont-Royal
Ouvert du lundi au vendredi de 11 h 30 à minuit,
samedi de 17 h à minuit, dimanche de 17 h à 23 h.
Terrasse.

En cette période morose pour l'industrie de la restauration, tout me porte à penser que le service affable, davantage encore que le contenu de l'assiette, tranchera en faveur d'un établissement comme *La Cava*. L'exotisme d'un menu aux accents d'ailleurs fera oublier un décor bric-à-brac, un éclairage piteux et des accessoires rescapés de la faillite de *Pascal*.

Dans ce restaurant, on vous aborde dans la langue du pays, soit l'espagnol. On le parle lentement, en savourant chaque mot et en s'assurant que vous pigiez l'essentiel du message: *aperitivo? vino? postres?* Ça ressemble vaguement aux documents audiovisuels des cours d'espagnol 101. Et les clients ont l'air de vaches espagnoles mâchant leurs mots. Mais pour qui n'a pas les moyens d'aller faire un petit séjour «en immersion» dans ledit pays, ce restaurant a l'avantage de vous dépayser à peu de frais.

Les patrons portugais ont saisi l'essentiel de la cuisine espagnole et offrent quelques *tapas* avec le verre de xérès bien froid. Le Tio Pepe n'a pas le corps ni la substance des grands sherrys et les moules à la vinaigrette lui dament le pion au fil d'arrivée.

La terrine de lapin figurant à la table d'hôte a tout pour séduire l'amateur de charcuteries et de pain. La terrine, juste assez grasse et parfumée à l'origan et à la marjolaine (sans compter l'ail omniprésent en Espagne), se laisse étendre deux fois plutôt qu'une sur ce pain divin créé tout spécialement pour le resto par le beau-frère du chef.

La bisque de homard légèrement trop aqueuse et un brin fade met l'accent sur la tomate et quelques croûtons la décorent. Rien à voir avec cette *zarzuela* tout à fait riche et odorante. La soupe de poisson espagnole se présente dans un plat creux et réunit dans un fumet de poisson parfumé au vin blanc, à l'ail, et flambé au cognac, du homard, des crevettes, des calmars, un peu de poisson et des moules. Un riz aux poivrons accompagne le plat.

La *paella Valenciana* de la table d'hôte est servie dans son plat de cuisson creux avec des anses. Le riz (*Uncle Ben*) cache des poivrons, oignons, pois verts, tomates ainsi que des crevettes, des calmars, des moules et des morceaux de poulet. Une honnête *paella,* donc, où le safran et l'ail font la fête au riz cuit dans le bouillon de poulet et le fumet de poisson. Seul bémol: les fruits de mer souffrent d'un léger excès de cuisson.

On apporte des rince-doigts («de la soupe au citron» dit le serveur) pour faire oublier les derniers relents de homard. Et on termine doucement la bouteille de Gran Vina Sol de Torrès au parfum boisé sur un air de gitan éploré. Le prix des vins varie de 16,95 $ à 45 $. Cuit par la pâtisserie *Villeneuve,* le pain a toute la fraîcheur voulue et la consistance recherchée.

La liste des desserts est courte mais chacun d'eux soigné. Laissez-vous attraper par le bras de gitan parfumé à l'orange, génoise garnie de crème pâtissière sur crème anglaise. Sobre mais efficace. Quant à la crème caramel (le flan national) trahissant l'orange et un soupçon d'Amaretto, elle est égale à elle-même, veloutée et légère.

Un repas pour deux personnes vous coûtera environ 45 $ avant vin, taxes et service. Table d'hôte le midi de 5,95 $ à 10,95 $ et le soir de 11,95 $ à 19,95 $.

CHAO PHRAYA
50, rue Laurier Ouest
Tél.: 272-5339
Métro Laurier, bus 51

Ouvert du dimanche au mercredi de 17 h 30 à 21 h 30,
le jeudi et vendredi de 12 h à 14 h et de 17 h 30 à
22 h 30,
le samedi de 17 h 30 à 22 h 30.

CHAO PHRAYA III
2067, rue Stanley
Tél.: 288-2155
Métro Peel

Ouvert du lundi au vendredi de 12 h à 14 h et de
17 h 30 à 21 h 30, et le samedi de 17 h à 22 h 30.
Fermé le dimanche.

Le 5 décembre est fête nationale au calendrier thaïlandais. C'est également l'anniversaire du roi Phumibol à qui l'on voue une admiration sans bornes. Sur les eaux calmes du Chao Phraya, au cœur de cette Venise d'Orient qu'est Bangkok, viennent à cette occasion pavaner les barques royales sculptées, laquées, dorées, décorées et fleuries. Elles étaient autrefois, avec les éléphants, le principal moyen de transport du roi.

Le *Chao Phraya* a adopté la barque royale comme symbole et ce nom que d'aucuns mémorisent difficilement comme raison sociale. Pourtant, une fois la barrière de l'Orient franchie, on vous explique avec la gentillesse si coutumière aux Asiatiques du sud-est de quoi il en retourne. Le français est parlé sans difficulté et il est aisé de se faire comprendre.

Le restaurant lui-même souffre des élans décoratifs de l'ancienne administration grecque, plus portée sur le tape-à-l'œil que sur les mystères orientaux. Les appliques de bois, les miroirs, les lampes italiennes n'ont pas vraiment leur place ici, non plus que le ventilateur à pales, quoiqu'il puisse donner une illusion de chaleur suffocante.

Le menu est varié à souhait et indique à l'aide d'un piment (ou de deux, pour les cas désespérés) de quel bois on se chauffe en cuisine. On peut toujours spécifier au

serveur le degré d'intensité mais, règle générale, nos Thaïlandais sont déjà familiers avec notre «sensibilité» américaine. Ils ont déjà coupé de deux à trois fois la quantité de piment dans leurs recettes. Et c'est parfois grand dommage
pour certains plats qui y laissent leur peau.

Prenons le *larb Ped,* la salade de canard, justement
préparée avec la peau du volatile et pimentée généreusement. Sans le piment, cette salade serait tout à fait quel-
conque et le gras de la peau nous indisposerait davantage.
Des feuilles de basilic et de menthe, du poivre et du riz
cru broyé ainsi que des oignons rouges et verts, du citron
et de la sauce de poisson s'ajoutent à ce plat.

Le *mou Satay* est un classique plutôt réussi au *Chao
Phraya.* On présente les brochettes de porc sur des tiges de
bois. Une sauce à base d'arachides et de lait de coco, bien
relevée au cari rouge, sert de trempette. Une petite salade de
concombres et d'oignons macérés dans le vinaigre sucré
complètent cette entrée en matière fort satisfaisante.

Côté résistance, le *koung Plik Khing* est un plat de
crevettes sur haricots verts *al dente.* On a préféré employer le haricot vert occidental plutôt que les longs haricots thaï car le premier demeure bien croquant sous la
dent. Le contraste vert tendre et rose corail est des plus
jolis. Les grosses crevettes juteuses étaient rehaussées
d'une sauce à l'ail, au poivre de cayenne, à la coriandre et
au gingembre. L'ensemble était légèrement sucré.

Le *phra Ram Gai,* du poulet aux épinards sauce aux
arachides, était lui aussi baptisé au lait de coco et ne s'en
portait que mieux. Les feuilles d'épinards étaient joliment
disposées tout autour du plat. Ces feuilles cuites à grande
friture étaient croustillantes et fondaient sur la langue. Le
poulet, pimenté juste ce qu'il fallait, se gorgeait de cette
sauce brune et onctueuse. Pour amateurs de beurre d'arachides!

N'allez pas gaspiller du vin (de toute façon le choix
n'est pas très inspiré sur la carte) avec cette cuisine haute
en piments. La bière est un choix beaucoup plus éclairé,
sinon optez pour le thé.

Les desserts sont les parents pauvres des restaurants thaï. Des *ramboutans* en boîte, de la crème glacée in-
sipide, c'est notre triste lot de ce côté-ci du *Chao Phraya.*

Un repas pour deux personnes vous coûtera environ 40 $ avant bière, taxes et service. Les prix sont un peu
plus élevés sur la rue Stanley *because* le centre-ville.

CHAO PHRAYA II
4088, rue Saint-Denis
Tél.: 843-4194
Métro Sherbrooke ou métro Mont-Royal
*Ouvert du mardi au jeudi de 17 h 30 à 21 h 30,
le vendredi au dimanche jusqu'à 23 h,
fermé le lundi.
Terrasse.*

Attablée devant un succulent cari de poulet malais, j'avais une discussion l'autre soir avec une amie philippine sur la nécessité de faire soi-même son lait de noix de coco ou de l'acheter en boîte. Le gastronome Daniel Pinard, ne reculant devant aucune acrobatie (à la télévision), souscrirait fort probablement à la première méthode à l'aide de son robot culinaire.

Briser la noix (en s'aidant du four et non du robot!), retirer la chair et la mettre à bouillir dans l'eau ou dans le lait avant d'en extraire le liquide souhaité, riche en matières grasses et aromatique à souhait, telle est la fastidieuse démarche à suivre.

Le lait de noix de coco en boîte se vend dans toutes les épiceries asiatiques et permet une économie de temps et d'argent. Il est vrai qu'il y a autant de différence entre le produit maison et celui du commerce qu'entre le lait de vache et le lait condensé. Mais camouflé comme il l'est souvent derrière un paravent d'épices toutes plus intenses les unes que les autres, notamment dans la cuisine philippine, malaise ou thaïlandaise, il n'y a pas de quoi crier à l'imposture.

Chao Phraya, sur la rue Saint-Denis, fait un usage abondant de ce lait de noix de coco en boîte. Dans les soupes, avec les viandes en caris, les légumes ou les desserts, ça baigne dans le lait de coco à presque toutes les sauces. Les habitués du *Chao Phraya* de la rue Laurier retrouveront une «franchise» de ce restaurant très fréquenté avec le même menu plus ou moins édulcoré, le même service rapide et des prix plus que décents. D'ailleurs, peu de restaurants peuvent se vanter en cette période de vaches maigres d'avoir autant de bouches à nourrir. Il est même préférable de réserver dans l'une ou l'autre succursale.

Le *mee krob* est une entrée qui évoque tout sauf ce plat de nouilles croustillantes arrosées de sauce aigre-douce trop sucrée et garnies de crevettes éparses. La texture intéressante de ce plat ne réussit pas à faire oublier l'uniformité du goût (teinté de ketchup américain à la sauce de poisson), plus lassant que stimulant. La salade de vermicelles aux crevettes et poulet est garnie quant à elle d'oignons, de piments forts et de feuilles de menthe. Ce plat froid arrosé d'une vinaigrette au citron et à la sauce de poisson fait vibrer les papilles suffisamment mais la petite salade d'accompagnement est superflue vu sa fadeur.

La soupe au lait de coco et fruits de mer (*tom kah ta-lay)* se présente dans un petit bol et fluctue entre l'acidulé et le sucré, le citron et le lait de coco. Des champignons thaïlandais, des crevettes, pétoncles, calmars et une pince de crabe garnissent ce bouillon riche et parfumé.

Tous les plats du menu affichent un, deux ou trois piments à l'échelle Richter, histoire de bien situer les enjeux, mais même les plats les plus épicés n'arrivent pas à la cheville de la véritable cuisine thaï. Le *phra ram gai* (un piment) est un plat intéressant fait de poulet à la sauce aux arachides, au lait de coco et au cari rouge, décoré de feuilles d'épinards frites et légèrement saupoudrées de sucre.

Quant au plat de bœuf au lait de coco et pousses de bambou (trois piments), les languettes de bœuf côtoient le bambou et les poivrons doux. Le tout baigne dans une sauce claire, bien relevée, au cari rouge, aux piments et au basilic frais (si cher à la cuisine thaï) mais aussi bien grasse. Les légumes au cari rouge et lait de coco, tels brocolis, carottes, maïs miniatures et bambous nagent sensiblement dans la même sauce.

Je vous déconseille fortement le dessert à moins que vous ne soyez amateur de gâteau à la crème glacée (*Baskin et Robbins)* ou de sorbet à saveur artificielle ou encore de *ramboutans* (fruit exotique s'il en est) en boîte.

Un repas pour deux personnes vous coûtera environ 40 $ avant bière Singha, taxes et service.

CHEZ CHINE
Hôtel Holiday Inn
99, rue Viger Ouest
Tél.: 878-9888
Métro Place-d'Armes
Ouvert du lundi au samedi de 11 h à 14 h 30,
le dimanche de 10 h 30 à 14 h 30,
du lundi au jeudi de 18 h à 23 h,
vendredi au dimanche de 18 h à 23 h.
Pagode pour 8 à 12 personnes et salons privés.

Le dernier-né de la chaîne *Holiday Inn* dans le quartier chinois a fait parler de lui bien avant son ouverture. L'astrologie s'en mêlant, les architectes ont dû revoir leurs plans et consulter les oracles avant de définir l'emplacement de la porte d'entrée. Cet hôtel typiquement nord-américain revêt un déguisement d'à-propos angle Viger et Saint-Urbain. On y retrouve tout le luxe, le service et le confort d'usage mais avec l'exotisme en prime et le sentiment net d'être parachuté à Hong-Kong. Son emplacement stratégique et son décor féerique favoriseront ce nouveau restaurant au détriment d'autres plus anciens situés dans le même quadrilatère.

Reproduction miniaturisée d'un jardin chinois avec pagodon, plan d'eau, poissons frétillants et passerelle, *Chez Chine* n'a rien à envier au Jardin Botanique. Les plantes aquatiques (ou non) y sont reines et maîtresses, quoique l'immense sapin au centre de l'étang leur jette un peu d'ombre momentanément. Une verrière laisse pénétrer le jour abondamment alors que le soir l'éclairage est peut-être un brin trop clinique.

Le menu de *Chez Chine* est à déconseiller aux Balances indécises ou aux Cochons hésitants astrologiquement parlant. Ils y perdraient des heures précieuses à se torturer les méninges entre le chapitre «ailes de requins» et «nids d'hirondelles». Menu étoffé, principalement voué à la cuisine cantonaise, celui de *Chez Chine* regroupe quantité de plats inusités mais aussi de ceux qu'on a coutume de retrouver dans cette cuisine du sud de la Chine.

À commencer par la soupe. Apportée dans une grosse soupière suffisant à nourrir de deux à quatre personnes, la soupe est à l'honneur sur cette carte et fait toujours l'objet d'un partage. Cette soupe au canard rôti et champignons *enoki* parfumée à l'ail, à la sauce soja et faite d'un excellent bouillon maison réconforte tout autant qu'elle séduit. On en ferait volontiers un repas.

Pour faire suite à cette entrée légère, un plat musclé composé de grosses crevettes à la sauce chili et aux noix caramélisées au miel et au sésame. Les crevettes tendres et juteuses à souhait reposent sur un lit de légumes (céleris et carottes) en dés enrobés de sauce aux piments forts. Les noix caramélisées, sur une note croquante, s'ajoutent au thème de cette assiette sans pourtant adoucir l'ensemble.

De facture plus courante, le poulet au citron réunit de minces tranches de poulet panées (puis congelées), puis frites. Ce procédé tend à assécher la volaille malgré l'ajout d'une sauce au citron aigre-douce et bien collante. La casserole d'aubergines et de tofu dans une sauce piquante ne mérite pas le détour car cette fameuse sauce aqueuse ne réussit pas à faire oublier la fadeur de l'aubergine et du tofu frit bien que des crevettes décorent aussi le plat.

Beaucoup d'absentéisme à la carte des vins et un manque d'imagination flagrant me force à conseiller le thé ou la bière. Le Château Sainte-Roseline, un rosé de Provence, peut faire l'affaire mais ça ne remplace en rien un vin alsacien ou allemand avec la cuisine chinoise.

Les desserts sont tout sauf négligés dans ce restaurant et nous réconcilient avec cette portion du repas chinois synonyme de «biscuits de fortune». La crème d'amandes, tout particulièrement, sorte de lait sucré épaissi aux amandes, servie chaude sous forme de soupe en séduira plus d'un. Le melon de miel avec crème *sago* regroupe des dés de melon avec du tapioca et du lait sucré, mélange rafraîchissant pour amateurs de petites perles.

Un repas pour deux personnes vous coûtera environ 60 $ avant vin, taxes et service. Buffet du midi à 12,95 $. Table d'hôte du midi de 23,95 $ (pour deux personnes) à 89,95 $ (pour huit personnes). Table d'hôte du soir de 41,95 $ (pour deux personnes) à 180 $ (pour huit personnes).

CHEZ FLORA

3615, boulevard Saint-Laurent
Tél.: 849-7270
Métro Saint-Laurent, bus 55 ou
métro Sherbrooke, bus 144

Ouvert du mardi au dimanche de 17 h à minuit,
ouvert le midi sur réservations de groupe,
fermé le lundi.
Horaire d'été: du dimanche au mercredi de 14 h 30 à
minuit,
du jeudi au samedi de 14 h 30 à 2 h.

Flora se fend la noix pour tenter de recréer la cuisine de sa Guadeloupe natale et l'adapter tant bien que mal au goût sensible des Nordistes que nous sommes par la force du thermomètre. Ce petit restaurant du boulevard Saint-Laurent est fréquenté beau temps, mauvais temps par les natifs du pays venus noyer leur nostalgie dans un verre (ou plusieurs) de ti-punch à la goyave, à la poire de cactus ou à la noix de coco.

Ces préliminaires auxquels on ne saurait déroger s'accompagnent le plus souvent de tartines au fromage ou aux épices et on peut aussi commander des *acras* de morue ou de *malanga* (un tubercule des îles), petits beignets fort goûteux à tremper dans la sauce créole au piment aussi puissante qu'un ouragan antillais.

L'entrée de boudin créole est très en demande *Chez Flora*. Un classique du genre, ce boudin épicé au clou de girofle et à la muscade trahit également le piment mais sans trop de conviction (ce qui plaira à la majorité). Le boudin est frais et de texture humide. Une amorce plus légère, le *rougail* de mangues vertes rafraîchit le palais et combine une purée de mangues vertes (donc moins sucrée) au jus de citron vert bien acidulé.

Les plats de résistance sont plus ou moins assaisonnés et on peut spécifier ses préférences au moment de la commande. Les crevettes en brochette sauce «chien» sont particulièrement brûle-gueule grâce à cette petite sauce nerveuse servie en aparté et dans laquelle on peut tremper les crevettes grillées à sa guise. Citron, vinaigre, menthe, persil, ail et piments composent cette création maison version «pit-bull».

Quant au *lambis* (conque) sauce créole, la sauce au rhum, aux tomates, aux cives (échalote rouge) et aux piments lui va à merveille. La chair légèrement ferme de ce coquillage est à mi-chemin entre celle du calmar et de la lotte. Présenté avec un riz aux haricots, ce plat regorgeait du soleil des Antilles.

Les desserts (hormis les fruits frais) ne sont pas le point fort de la région. *Chez Flora,* les sorbets sont fabriqués avec des mangues, des bananes, des oranges, de la noix de coco et ont le goût des arrivages lointains en cette saison. Le gâteau Belle-Doudou est une bonne génoise garnie d'ananas et de sauce au rhum et chocolat plutôt fluide. Curieusement, la terre promise du cacao est aussi celle où on sait le moins l'apprêter.

À caractère familial mais avec juste ce qu'il faut de chic urbain, Flora a su créer une ambiance autour de sa cuisine de femme, cuisine des îles au sang chaud. Sympathique, sans prétention, ce petit restaurant respire la bonhomie et les sourires viennent tout droit du cœur, même sous zéro.

Un repas pour deux personnes vous coûtera environ 42 $ avant le ti-punch (5,50 $), taxes et service. Table d'hôte de 10,95 $ à 15,95 $. Comptez de 22 $ à 27 $ pour une bouteille de vin.

DAOU

519, rue Faillon Est
Tél.: 276-8310
Métro Jean-Talon, sortie Nord
*Ouvert du mardi au samedi de 12 h à 22 h
et le dimanche jusqu'à 21 h;
fermé le lundi.*

Le noyau arabe formé par le Liban, la Jordanie, la Syrie et l'Irak partage les mêmes coutumes et mœurs alimentaires ainsi que moult dissensions en matière idéologique. Les mets arabes, dont l'orthographe varie à peine d'une frontière à l'autre, prennent la forme de *kebab*, de *kibbi,* de *baklawa* ou de *pita,* toutes préparations propres au Moyen-Orient.

Pour l'Occidental peu aventureux, faire connaissance avec la cuisine libanaise se limite à une franche investigation du côté des restaurants locaux et, l'appétit aidant, à une connaissance du lexique de base qui se divise entre les mots agneau, blé concassé (*burghul*), aubergines, huile de sésame et pignons, ces délicieuses petites noix oblongues échappées par-ci, par-là, des entrées jusqu'aux desserts.

Des pignons, on en trouve d'abord dans les *fatayer lahem,* des tartelettes à l'agneau, à l'oignon et aux tomates faites d'une pâte à tarte bien grasse et savoureuse. On en déniche aussi dans les *fatayer sapanech,* les tartes aux épinards classiques, un peu âcres et bien humides. Les pignons sont particulièrement appréciés dans les *kebe akras,* grosses boulettes de pâté d'agneau et de *burghul* farcies à l'agneau cuit.

Dans les feuilles de vigne farcies, on peut aussi trouver des pignons avec des raisins secs, bien que le mélange de riz et de viande soit plus répandu. D'ailleurs, quand les Libanais vous parlent de viande, pensez tout de suite à l'agneau ou au mouton. Et quand ils vous proposent «le petit peu de tout» qui compose une *mazza,* vous pouvez presque être assurés de ne jamais vous rendre au café turc.

Les *mazza* sont les messes blanches de la multiplicité faite arabe. D'autre part, elles constituent le meilleur moyen de goûter à des hors-d'œuvre inventés sur mesure pour aiguiser l'imagination et, par extension, la faim.

Chez *Daou,* on peut commander cette assiette d'assortiment où se retrouvent *falafel,* tartelettes aux épinards et à la viande, feuilles de vigne, *homos tahineh* (une purée de pois chiches au sésame et au citron) et le *babaganouj* (caviar d'aubergine au fort goût de brûlé).

On peut aussi compléter cette assiette, somme toute rudimentaire quand on sait qu'une *mazza* peut répertorier une centaine de hors-d'œuvre, par le *kebe nayeh* national. Amateurs de tartares, la version arabe du mélange de viande crue et d'épices a de quoi faire frétiller vos canines. Le véritable *kebe nayeh* regroupe de l'agneau cru débarrassé de sa graisse, haché avec du *burghul,* de l'oignon et du clou de girofle ou de la cannelle (jamais les deux). Parfois, on y trouve aussi du poivre de cayenne et... des pignons. La tarte au thym est elle aussi une miniaturisation succulente d'une tranche de pain compact imbibée d'huile d'olive et de thym.

Pour ajouter une note de verdure à l'ensemble, la salade *tabouleh* au persil, au blé concassé, à l'oignon, aux tomates et au citron est tout indiquée. La salade *fatouche* est offerte dans une version inusitée chez *Daou,* où le *burghul* est remplacé par du pain *pita* grillé auquel s'ajoutent du concombre, de la laitue et de la menthe.

Concernant l'usage du pain *pita,* présenté dans une corbeille recouverte de pellicule plastique, il faut savoir qu'il est aussi indispensable aux Libanais qu'à nous une fourchette. Le *pita* sert de support et la main droite de moteur puisque la gauche n'est pas admise à table. Il est également d'usage dans les restaurants libanais dignes de ce nom de servir des navets marinés (ne pas confondre avec des pommes) et des olives. Les petites olives vertes du *Daou* étaient particulièrement parfumées, marinées dans l'huile et le thym.

Si d'aucuns considèrent *Daou* comme le meilleur restaurant libanais de la métropole, ce compliment s'applique exclusivement à la qualité de la nourriture. Le local, bien que récemment agrandi après 12 années de services rendus, est à présent vaste et déprimant. Le service est loin d'être excessivement chaleureux et la mauvaise coordination de plats vous fera peut-être croire à une coutume extrêmement originale qui consiste à inverser l'ordre dans le désordre. Allez savoir!

Au dessert, l'inévitable *baklawa* n'est rien comparé à la crème de riz orientale parfumée à l'eau de fleur d'oranger et parsemée de... pignons!

Un repas pour deux personnes coûte environ 50 $ avant la bière libanaise (très douce), les taxes et le service. Comptez de 17 $ à 33 $ par bouteille de vin.

LE GOÛT DE LA THAÏLANDE
2229, rue Mont-Royal Est
Tél.: 527-5035
Métro Mont-Royal, bus 97

Ouvert du lundi au vendredi de 11 h à 15 h et de 17 h à 22 h 30,
le samedi de 17 h à 23 h et le dimanche de 17 h à 22 h 30.
Apportez votre vin.

Quiconque a déjà foulé le sol thaïlandais en conserve un souvenir intense où les odeurs se mêlent à un son et lumière unique en son genre. Je vous ferai grâce du carnet touristique qui toujours nous laisse sur notre faim et vaguement envieux. La chronique gastronomique est assurément plus abordable.

Et puis, tourisme rime trop souvent avec guet-apens. En Thaïlande comme ailleurs, on cultive les mythes et les clichés lucratifs. Hormis le tourisme sexuel, il y a les promenades à dos d'éléphant, la visite de villages indigènes, les marchés flottants et les «véritables» statues de Bouddha prématurément vieillies dans l'acide. Mais l'attrape-gogo le plus inusité qui soit, ce sont ces étranges petites dames devant les temples qui vous offrent de libérer de minuscules oiseaux en cage pour quelques *baths*. La liberté n'a pas de prix!

Pour tout dire, même les baguettes sur les tables consistent, dans ce délicieux pays, à faire plaisir aux touristes qui en redemandent. Nos frères siamois, au risque de vous décevoir, pratiquent habituellement la fourchette et la cuillère dans le plus grand dépouillement propre à leur nature.

Et c'est précisément cette simplicité, ce sourire (l'une des marques de commerce du tourisme thaï) et cette grâce qui m'ont attirée au restaurant *Le goût de la Thaïlande*. Situé dans un secteur de la ville où les restaurants étrangers voient rarement le jour, celui-ci (il existe une autre succursale à Laval) nous offre une cuisine saine, relevée et surtout à des prix défiant toute compétition. On peut même y apporter sa bouteille de vin, quoique je préfère le thé ou une bière pour éteindre le feu.

Malgré le décor éclectique et le manque d'ambiance folklorique, ce local trop grand pour être sympathique réussit à nous transporter vers d'autres horizons le temps d'un repas qui ne manque ni de chaleur ni d'originalité. Monsieur Pham, le propriétaire d'origine vietnamienne, m'explique que sa mère fut cuisinière dans une ambassade thaïlandaise, d'où ce «goût de la Thaïlande».

En début de semaine, on pousse le zèle jusqu'à offrir la soupe à la citronnelle avec le plat principal (tous en dessous de 10 $). La soupe végétarienne à la citronnelle est parfaite et gorgée de bons légumes croquants. Les saveurs aigres-douces de ce bouillon de poulet additionné de jus d'ananas, de citron et de court-bouillon de poisson tranchent avec le parfum omniprésent de la citronnelle.

Autre entrée à recommander: le rouleau printanier d'origine vietnamienne servi avec une sauce *satay* indonésienne. Farci de noix d'acajou, de laitue, de menthe et de crevettes, on en fait deux bouchées et la sauce aux arachides pimentée lui sied à merveille.

Ce restaurant, comme beaucoup de ses compétiteurs, ne force pas exagérément sur le piment et il faut généralement insister beaucoup pour retrouver… «le goût de la Thaïlande». Le plat de poulet au gingembre est répertorié comme étant très épicé et vous saisit les papilles en moins de temps qu'il n'en faut pour crier «Au feu!» Le poulet en petits morceaux laisse la vedette aux légumes et au gingembre dans cette assiette bourrée de vitamines. La sauce à base de jus d'ananas tergiverse entre le sucré et l'épicé.

Quant au bœuf au cari rouge et basilic thaï (on le confond souvent avec la menthe poivrée), il baigne dans une sauce sucrée à base de lait de coco dans laquelle les maïs miniatures, les pousses de bambou, les poivrons rouges et verts, les champignons paille, les haricots verts, les poivrons, carottes, brocolis et choux-fleurs restent croquants et savoureux. Les juliennes de gingembre et le cari rouge font bon ménage dans ce pot-au-feu asiatique. Le bœuf n'est pas de première catégorie, mais à ce prix…

Curieusement, on retrouve peu de plats végétariens (quelques plats de légumes) sur ce menu où viandes, volailles et fruits de mer demeurent omniprésents. Dans un pays où le bouddhisme vous colle à la peau, cela ne peut qu'étonner. M'a étonnée également la maîtrise de la langue française de la part des employés et puis aussi cette tablée d'Asiatiques venues célébrer l'une d'entre elles et entonnant le «Bonne Fête» de circonstance. Encore quelques années d'intégration et on lui chantera *Ma chère Fernande c'est à ton tour...* ou *My dear Ferni it's your turn!*

Un repas pour deux personnes vous coûtera environ 20 $ avant taxes et service.

LA HACIENDA

1148, rue Van Horne
Tél.: 270-3043
Métro Rosemont, bus 161
Ouvert de 18 h à 22 h du mardi au samedi,
de 18 h à 21 h le dimanche,
fermé le lundi.
Terrasse.

Durant l'été, les restaurants qui n'ont pas aménagé un bout de trottoir sont systématiquement boudés à plus 30 °C. Toutes catégories confondues, boui-boui, bistrot ou resto digne de ce nom ne peuvent prétendre survivre à l'été sans leur parasol Pernod ou Evian, la *sangria* diluée au pichet et les serveuses (ou serveurs) légèrement dévêtues.

À Montréal, fleurant bon le bitume brûlant, la chaleur fournit toutes les excuses pour prendre un pot. Le soleil tape, les clients s'en tapent et les verres ne désemplissent pas. Mieux que la sangria, le *margarita* met le corps en liesse et fait fuser les rires. Celui de *La Hacienda* n'est que reflet aqueux de ce cocktail mexicain où un savant dosage de tequila, de Cointreau et de jus de citron vert se conjuguent dans l'infini du soleil couchant. Le barman qui fait aller son *shaker* sur des rythmes de samba, la coupe de champagne délicatement ourlée de sel marin et la mer à deux pas écumante sur son déclin, forment un tout indissociable du verre de *margarita*.

Rue Van Horne, la petite terrasse jouxtant *La Hacienda* baigne dans une humeur mexicaine couleur corail. Il y manque peut-être des perroquets en cage ou à tout le moins des oiseaux de céramique ou de métal peints mais pour faire plus vrai, des chats se faufilent entre les tables en propriétaires et les haut-parleurs arrachent quelques trémolos aux *mariachis* du pays. Ce restaurant à saveur yucatèque propose une cuisine plutôt douce que les amoureux de cuisine chaude pourraient qualifier de tiède. Sans caractère particulier, les plats y sont bien préparés et présentés mais il y manque un peu d'ardeur, de passion et de trémolos latins.

La *guacamole* était préparée à la fourchette comme l'exige la tradition, plutôt qu'au malaxeur version nord-américaine. La trempette à l'avocat était agrémentée d'oignons et de tomates. Des chips de *tortilla* commerciales et non frites par la maison enlevaient beaucoup à cette entrée en matière. La *guacamole* d'excellente facture manquait tout juste d'un zeste de tabasco.

Au chapitre des *chilaquiles,* un mélange de *tortilla*, de poulet et de crème sure parfumé de coriandre fraîche et généralement rehaussé de sauce tomate, plusieurs options s'offraient. La *salsa verde* promise était invisible dans ces *chilaquiles* par ailleurs délicieux et généreux. On apporte une *salsa* rouge avec les plats pour ceux qu'un soupçon de piment réchaufferait. Cette *salsa* réalisée avec des tomates en boîte aurait pu supporter un peu plus de puissance.

Le *pechuga Adobada,* un suprême de poulet à la poudre d'*achiote* était servi grillé et saupoudré de cette épice couleur terre cuite proche du cayenne mais sans plus de définition. Un riz pilaf et une petite portion de *guacamole* accompagnaient ce plat sans finesse mais savoureux.

Le service assuré par une jeune fille nettement dépassée par les événements était d'une lenteur désespérante. On a beau vouloir se retremper dans l'atmosphère mexicaine, on ne peut totalement faire abstraction de ses racines nord-américaines.

Un repas pour deux personnes vous coûtera environ 40 $ avant vin, taxes et service.

LOTTE

Hôtel Furama
215, boulevard René-Lévesque Est
Tél.: 393-3838
Métro Champs-de-Mars
Dim sum *du lundi au vendredi de 9 h à 15 h,*
le samedi, dimanche et jours fériés de 8 h 30 à 15 h.
Salons privés.

Avec le passage de Hong-Kong vers la Chine en 1997, on assiste à Montréal à un revirement plutôt spectaculaire de la restauration chinoise. Les capitaux orientaux affluent et ont favorisé, notamment, la construction de l'hôtel *Furama* (très connu de nos concitoyens chinois) et surtout l'arrivée de nombreux résidants de Hong-Kong capables de jouer autant du *wok* que du couteau.

À Hong-Kong, les fêtes se suivent et ne se ressemblent guère, qu'on pense au festival du *mooncake* (petits gâteaux ronds sucrés), au festival des bateaux dragon ou de la mi-automne, aux fêtes du Nouvel An ou à celles entourant le solstice d'hiver. Le *dim sum* se prête à merveille aux célébrations familiales où les tables croulent sous le poids des nourritures terrestres et des bonnes intentions filiales.

Le terme *dim sum,* ce *brunch* à l'orientale, se traduit littéralement par «toucher le cœur». Traditionnellement, on sert les petites bouchées qui composent le *dim sum* dès le matin jusqu'au milieu de l'après-midi accompagnées de thé. Qu'on se targue de bien connaître ou de simplement apprécier la cuisine chinoise, le *dim sum* est une expérience parallèle avec sa personnalité bien à elle.

L'aventure du *dim sum* exclut le menu écrit mais au restaurant *Lotte,* le maître d'hôtel parle suffisamment bien le français pour que les explications ne vous fassent pas regretter votre cours de chinois 101. Les petits chariots passent et repassent inlassablement devant votre table et vous n'avez qu'à regarder, flairer, puis pointer du doigt pour faire vôtres quelque-unes des 100 bouchées offertes.

Le plus souvent disposées sur plateau de bambou et cuites à la vapeur, ces bouchées viennent par groupe de deux ou trois. Ne cédez pas trop rapidement à la vente sous pression des petites Chinoises bien intentionnées et ne craignez surtout pas d'en manquer: nous sommes en territoire capitaliste!

Parmi les classiques présentés chez *Lotte,* les *sui mai,* petites bouchées de porc et de crevettes enroulées de feuilles de riz sont au mieux trempées dans un peu de sauce soja à laquelle on ajoute de la pâte de piments. Les *hagaw,* succulents petits trésors fourrés de pâte de crevettes peuvent se mériter le même traitement.

Parmi les meilleures bouchées répertoriées au *Lotte,* ne ratez surtout pas les *fun qwo,* pâte de riz translucide fourrée de porc haché, d'arachides grillées, de coriandre, le tout faisant trempette dans l'huile de piments. Dans la même famille, le *lomai pow,* du riz collant farci au porc, aux crevettes séchées, aux arachides et à la coriandre mérite tous les éloges.

Pour amateurs de chasse aux trésors, le riz collant classique (*tchanchukai*) cache sous sa feuille de lotus du riz entourant un œuf cuit, un morceau de poulet (avec l'os) et des arômes abracadabrants. Même principe pour le *sinchokien* farci au porc et aux crevettes.

Bien sûr, on offre aussi les irrésistibles *ap chao,* (ergots de poulet fort goûtés par les Chinois) de même que la panse de vache farcie. Essayez aussi la soupe de poisson aux arachides en lieu et place de l'inévitable *Won Ton* et les fritures de crevettes, les boulettes de bœuf, les rouleaux impériaux...

Les desserts vous sont proposés à tout moment et ils peuvent être tout aussi exotiques que conventionnels. J'en veux pour preuve ce gâteau aux prunes fumant ou ces gâteaux de fèves dépaysants. Les tartelettes aux œufs ou à la noix de coco feront probablement le bonheur des plus petits.

Dans un décor sans cachet, avec vue imprenable sur la tour d'Hydro-Québec à l'extérieur et sur les dragons dorés à l'intérieur, vous ne serez peut-être pas étonnés d'apprendre que *Lotte* jouit d'une fréquentation presqu'exclusivement asiatique. Et ce restaurant d'hôtel mérite cent fois la réputation qu'on lui fait dans le quartier.

Tous les midis, le *dim sum* divise pour mieux régner et le soir une cuisine chinoise plus classique s'inscrit au menu à prendre avec des baguettes. Magiciens et musiciens volent la vedette du mercredi au dimanche durant la soirée mais cette distraction me semble bien mineure comparée à l'animation des petits chariots du midi.

Un *dim sum* pour *trois* personnes vous coûtera environ 25 $ avant thé, taxes et service. Chaque plateau de bouchées varie entre 1,50 $ et 3 $.

LA MAISON CAJUN
1219, rue Mackay
Tél.: 871-3898
Métro Guy
Ouvert tous les jours de 11 h 30 à 15 h et de 17 h 30 à minuit.
Terrasse.

Les Montréalais n'ont qu'à s'en prendre à eux-mêmes si leur industrie touristique périclite. Les touristes américains se sentent, paraît-il, gênés de demander leur chemin en anglais et trouvent notre accueil frigorifiant. Un peu comme il était difficile de trouver à Paris un garçon de café au sourire amène (cela n'est plus aussi vrai), il est devenu mal aisé chez nous d'attirer la sympathie une caméra au cou.

D'ailleurs, ils n'ont pas tout à fait tort, ces Californiens en bermuda qui ne demandent qu'à s'ébahir. Mais s'ils s'arrêtaient manger à *La Maison Cajun,* ils retrouveraient peut-être de cette bonne humeur et cette philosophie bon enfant qui nous fait si cruellement défaut. De quoi les rasséréner pour un temps ou leur donner le mal du pays.

J'ai moi-même amené des touristes australiens dans ce restaurant réputé pour «laisser le bon temps rouler». La musique y est excellente, l'atmosphère colorée, le fait français n'y est pas ignoré malgré une clientèle de *downtowners* et on y sert une cuisine typiquement nord-américaine avec (heureusement) quelques influences créoles et françaises. Le meilleur de tous ces mondes!

La carte des vins est très dévouée aux *wineries* californiennes (comptez de 16 $ à 43 $) et on retrouve quelques bières mexicaines qui font de dignes compagnes à cette cuisine des bayous.

Le *gumbo* aux fruits de mer de la table d'hôte est une soupe consistante et épaissie au roux (l'essence même de cette cuisine avec la sauce tabasco et le riz). La tomate en ressort agrémentée d'huîtres, d'écrevisses, de crevettes, d'*okra* et de poivrons. La sauce tabasco sur la table peut relever davantage cette soupe par ailleurs délicieuse.

Les *natchicoches* (tourtières locales) servis à la carte ont la forme de chaussons et renferment un mélange de bœuf et de porc haché. On ne fait que quelques bouchées de cette pâte élastique de couleur dorée et la *salsa* maison aux tomates fraîches ne fait qu'accentuer le plaisir.

L'alligator fait partie des plats offerts à la carte et devient inévitablement «un beau morceau de conversation», surtout pour des amateurs de crocodiles. Cette chair, à mi-chemin entre le veau et le thon, a néanmoins la consistance des calmars. On attendrit la pièce avec du jus de papaye et ce ragoût est fait de fond de veau tomaté au whisky dans lequel la crème et les champignons sont les bienvenus. La sauce est excellente, la chair d'alligator beaucoup moins. Une tartelette aux champignons et à la crème sure fait bonne mesure en accompagnement de même qu'une pomme de terre farcie à la purée d'icelle, aux échalotes et au fromage cheddar.

Les crevettes et le *mahi-mahi* «blackened» (c'est-à-dire noircis) sont accompagnés d'une sauce hollandaise pour le *mahi-mahi* et d'un fond de veau à la bière tomaté dans le cas des crevettes. Pour ceux qui raffolent du procédé et des épices cajun, cette assiette plaira; pour ceux qui en sont revenus, il y aurait lieu de penser à autre chose. Un riz créole accompagne cette assiette marine.

Spécialité locale et non moins flamboyante, le *banana foster* fait appel aux bananes cuites dans un sirop au rhum, à la liqueur de bananes et au whisky. Présentées sur crème glacée à la vanille, ces bananes chaudes ont droit à un soupçon de cannelle en guise d'épices secrètes. Un verre de vin doux (Essentia Quady Orange Muscat) californien conclut ce pacte avec l'Amérique.

Je préfère quant à moi ce pudding au pain servi dans une crème anglaise au whisky, tout ce qu'il y a de convaincant. Des pralines (le sucre à la crème cajun) accompagnent l'addition salée sur une note *home sweet home*.

Un repas pour deux personnes vous coûtera environ 65 $ avant vin, taxes et service. Table d'hôte du midi de 7,95 $ à 13,95 $ et le soir de 15 $ à 22 $.

MIKADO

1731, rue Saint-Denis
Tél.: 844-5705
Métro Berri

368, rue Laurier Ouest
Tél.: 279-4809
Métro Laurier, bus 51

*Ouvert du lundi au vendredi
de 11 h 30 à 14 h 30,
le vendredi et le samedi de 17 h 30 à 23 h 30,
le lundi et le dimanche de 17 h 30 à 22 h 30,
du mardi au jeudi de 17 h 30 à 23 h.
Salon privé.*

Chevauchant leurs *zafus* de kapok, les genoux reposant sur un *zabuton* recouvert de coton, les moines zen attendent le gong du dîner pour offrir une part de riz au Bouddha ventripotent. Puis, d'un mouvement souple et orchestré, ils déroulent le linge qui emprisonne leurs bols *orioki.*

Comme des poupées russes qui s'emboîtent l'une dans l'autre, les bols de bois laqués se séparent sans heurts dans un alignement précis. Le plus gros des bols pour le riz, le suivant pour le *tofu,* un autre pour les légumes et un plus petit pour la sauce *tamari.* Deux baguettes et cinq minutes leur suffisent pour engouffrer ce frugal repas.

Une bouilloire fait alors sa ronde pour les ablutions communautaires. Chacun verse un peu d'eau chaude dans ses plats, retourne le contenu dans le plus grand bol *orioki* et boit l'infusion des sucs du repas, un résumé liquide du «rien ne se perd, rien ne se crée». Les bols essuyés se ressoudent en un et reprennent la coiffe de lin blanc. Nos bonzes repus entament une digestion méditative, un *satori* gastrique qu'on nomme aussi *sappari,* le plaisir qui résulte d'une cuisine «simple, légère, claire et ordonnée».

Le *sappari* s'apparente à une illumination du plexus aux prises avec la poésie délicate et nuancée de la cuisine japonaise. Même pour les rustres Occidentaux que nous sommes, le nirvana est accessible autrement qu'en navette spatiale. Il suffit de se mettre à l'écoute du détail, de se laisser toucher par les attentions délicates, par une débarbouillette chaude parfumée au lotus, toutes ces japonaiseries du cérémonial de la table.

Rue Saint-Denis, très proche d'un nirvana qu'on vous offre au gramme (!), le *Mikado* s'est installé un peu comme un chien dans un jeu de quilles. À deux pas de l'*Axe,* des hordes de motards, un monsieur nommé Yamamoto (je n'invente rien!) a élu domicile dans un restaurant qu'il a fort bien aménagé. D'un côté le *sushi-bar* (trop éclairé) et ses plateaux individuels de bois laqué, de l'autre les niches intimes au ras du sol (avec un trou sous la table pour mettre vos grands pieds de Nord-Américains) et à l'avant une serre pare-soleil avec ses banquettes de tissu aux tons roses de thon frais. Une musique nippone égratigne l'air d'un ongle. Scritch! Ouille! Voilà pour mon canal auditif d'Occidentale mal dégourdie.

Au menu, les *sushis* faits de poissons crus et de riz vinaigré peuvent être commandés à l'unité ou en assortiment. Le poisson du *Mikado* arrive directement de Vancouver, de New York et même du Japon trois ou quatre fois la semaine. Les initiés préféreront peut-être les *sashimis* de poissons crus, simplement relevés de moutarde de raifort verte. Dans les deux cas, les poissons étaient très frais le soir de notre visite (un dimanche tout bête). Que ce soit le thon rose ou celui à queue jaune, les œufs de saumon ou ceux de poisson volant (délicieux) retenus par une feuille d'algue, la pieuvre, le maquereau, le crabe cuit ou le calmar, le saumon du Pacifique ou les crevettes du Golfe (mexicain), le secret du *sushi* repose sur un équilibre parfait entre les textures des chairs de poisson et celle du riz vinaigré ni trop collant, ni trop peu. On peut en faire une entrée de quelques morceaux choisis ou se laisser tenter au menu principal par le *sushi de luxe* assorti.

L'entrée de *agedashi tofu* était tout à fait exquise; les morceaux de *tofu* frits dans une pâte légère étaient présentés dans une sauce *tempura* agrémentée de radis blanc et d'échalotes. La soupe de *miso shiru* avec les mêmes composantes de fève de soja est arrivée fumante dans son bol coiffé d'un couvercle. Les baguettes n'étant d'aucun secours dans ce cas précis, il faut se résoudre à boire ce savoureux bouillon à même le bol laqué.

Le *tempura* du *Mikado* était offert comme plat de résistance dans un assortiment de crevettes, de poivron, d'aubergine, de chou-fleur et de patate douce. Les éléments passés dans une pâte d'enrobage légère avant la friture offraient tout l'attrait croustillant des saisies à hautes températures sans résidus huileux. Le chef du *Mikado* est d'ailleurs passé maître dans l'art du *tempura,* qu'il revendique comme étant une de ses spécialités. J'oubliais presque de vous parler des *pickles* japonais, version Uranus de nos marinades québécoises. On les appelle *kono-mono* et les Japonais en sont très friands de l'autre côté du Canada. Bizarre n'est pas le mot!

Les desserts ne font partie des cartes nord-américaines que pour combler notre dent creuse (*sweet tooth*). Le parfait au thé vert goûtait l'œuf et la crème et la couleur attestait seule du dénominateur commun. Le thé vert, le vrai, livrait des parfums d'algue et convenait parfaitement au repas tout entier. La bière japonaise Kirin est aussi un compagnon idéal avec ce repas, à moins que le *saké* soit pour vous le passeport d'entrée en territoire asiatique.

Un repas complet pour deux personnes, avant bière, taxes et service, vous coûtera environ 60 $. Table d'hôte le midi de 7,95 $ à 13,95 $.

Note: on offre maintenant des desserts parfaitement «cochons» et chocolatés!

MIYAKO
1439, rue Amherst
Tél.: 521-5329
Métro Beaudry
Ouvert de 11 h à 14 h 30 et de 17 h 30 à 22 h;
fermé les samedi et dimanche midi.
Salons privés.

Telle une perle d'Orient dans un écrin de béton, le restaurant *Miyako* s'est choisi une niche étrange, rue Amherst. Et pourtant quelque chose me dit que la formule aura du succès dans ce coin perdu de la gastronomie rapide.

Une lanterne japonaise éclaire à demi la vitrine déjà embuée par le froid. L'intérieur chaleureux et paisible s'offre comme un baume aux gerçures psychologiques provoquées par un hiver naissant. Le rose des tables et le gris des banquettes, les lattes de bois naturel serties de papier de riz et les abat-jour ajourés ont tous été pensés et fabriqués par le propriétaire. Patience et longueur de temps…

Une serveuse en kimono, tellement mignonne que pour peu on l'encadrerait, trottine entre les tables avec son plateau chargé de notre entrée de *sushi*. Cinq morceaux composés de poissons crus (saumon, maquereau, rouget), d'une crevette et d'œufs de poissons reposent sur l'assiette de bois laqué.

Le poisson très frais adhérait mal à la petite boulette de riz vinaigré dont la texture était peut-être un peu ferme. L'art du *sushi* repose justement sur cet équilibre précaire entre la consistance du poisson cru et celle du riz cuit. Mises à part ces quelques nuances bien orientales, l'ensemble était succulent.

Le *tofu Agedashi* était servi chaud dans une sauce *tempura* bien parfumée. Les deux cubes de fromage de soja frits s'accompagnaient de petites algues très fines qui semblaient vivre encore dans le bol. La serveuse nippone n'avait pas l'air plus brave que nous devant ce spectacle de «rebirth». Il paraît, selon des sources bien informées (le chef), que les algues se laissaient bercer par la climatisation. Ah bon! C'est plus rassurant!

Classiques, le *saumon Teriyaki* et le *tempura* aux fruits de mer étaient servis avec du riz. Le filet de saumon, grillé à point, était présenté dans une assiette généreuse. Des champignons ainsi que des fèves de soja germées servaient de garnitures. Le goût légèrement carbonisé qui enveloppait le poisson très frais se jumelait fort bien à la sauce *teriyaki* un peu sucrée.

Le *tempura* aux fruits de mer portait mal son nom. On trouvait, dans cette assiette de fritures, quatre crevettes géantes, du poisson blanc, du saumon, de la pieuvre et des légumes divers. Les éléments étaient saisis à la perfection dans une pâte à frire aérienne, mais le poisson n'avait ni sa place, ni sa raison d'être dans cette assiette dédiée aux arômes puissants du fruit de mer. Choisissez le *tempura* aux crevettes, tout aussi satisfaisant.

Un thé vert venait clore ce repas pris sous le signe du poisson. Une envoûtante musique japonaise déchire l'ambiance encore timide du restaurant, des sons à la «Yoko Ono post-Lennon». En pédagogie, on appelle ça aller du connu vers l'inconnu!

Un repas pour deux vous coûtera environ 45 $ avant la bière Kirin, les taxes et le service. Table d'hôte de 9,50 $ à 13 $ le midi et de 13 $ à 27 $ le soir.

MOGOL
5868, rue Sherbrooke Ouest
Tél.: 481-1486
Métro Vendôme, bus 105
*Ouvert du lundi au samedi de 11 h 30 à 14 h 30 et de 17 h à 22 h 30,
le dimanche de 17 h à 23 h.
Terrasse.*

Rares sont les cuisines qui vous réservent autant de surprises que la cuisine indienne. Chaque bouchée devient une expérience en soit, multipliée à la puissance trois par le facteur piment frais ou séché, vert ou rouge. Entre deux gorgées de bière anglaise, les parfums des épices rares et chères se répandent sur le palais telle une route pavée de gourmandes intentions.

Pour ceux qui n'y verraient que du feu, sachez que les sensations fortes engendrées par cette cuisine sont tout sauf répétitives. Fidèles à l'esprit du *Kama Sutra,* les Indiens poussent le raffinement jusqu'à varier une activité somme toute répétitive et vitale, en l'épiçant juste ce qu'il faut pour nous donner envie d'y replonger de plus belle.

Mais comme dans toute chose, il y a l'acte et l'acte manqué! Tous les fruits défendus sont dans la nature mais ne se ressemblent malheureusement pas du point de vue qualitatif. *Mogol,* dans son écrin de brochetterie grecque, a de quoi surprendre, dérouter et séduire (dans un même élan) pour peu qu'on ait l'âme sensuelle et l'envie de convoiter une certaine différence culturelle.

Si vous parvenez à faire abstraction du service unilingue anglais, du décor méditerranéen et à vous concentrer avec suffisamment d'attention sur le contenu de votre assiette et sur la musique orientale, *Mogol* deviendra vôtre, c'est-à-dire l'un des meilleurs restaurants indiens en ville à inscrire à votre carnet d'adresses.

Le *papadam* arrive sur la table d'office dans cette maison. Avec la bière en fût, cette «croustille» à la farine de lentilles se grignote toute seule. Les entrées suivent, partagées entre les hors-d'œuvres et les soupes. Les pois chiches (*chana bhoona*) nous font la fête d'entrée de jeu, cuits à la perfection, encore fermes sous la dent, garnis d'oignons frits, parfumés de coriandre, de cumin, d'ail et de gingembre.

La *mulligatawny* fumante se présente avec une rondelle de citron au centre du bol. Ce bouillon de poulet épaissi à la purée de lentilles, parfumé au céleri et à la coriandre trahit une légère acidité et réconforte tout autant qu'il nourrit.

Les plats à la carte du *Mogol* sont répertoriés selon leur intensité respective. Du moins pimenté au plus puissant, il faut tout de même savoir que l'ajustement inévitable aux limites nord-américaines se ressent. Et si vous avez les papilles frileuses, ne craignez surtout pas de vous aventurer du côté des plats «moyens» ou «piquants», vous n'en serez toujours qu'aux premiers balbutiements du feu sacré.

Le poulet au beurre est un bel exemple de plat tout à fait inoffensif mais qui ne sacrifie en rien la saveur de l'exotisme. Le poulet cuit au four *tandoori* est ensuite délicatement arrosé de lait de coco, de beurre clarifié, de crème, mélange auquel on ajoute des raisins et des amandes. Ce poulet délectable, d'une douceur de péché capital séduira même les plus «revenus-de-tout».

Dans la catégorie «diable au corps», le cari de Ceylan change de thème selon le convive. Agneau, poulet, bœuf peuvent tous se prêter à l'expérience de cette sauce tomatée et fortement épicée aux piments verts frais, à la coriandre, à la cardamome, à la cannelle, au laurier, au cumin et adoucie au lait de coco. La chair particulièrement savoureuse de l'agneau se laisse envelopper par ces odorantes exhalaisons et en redemande presque.

Le pain *nan* cuit à même la paroi du four *tandoori,* à la mie sucrée et au parfum d'anis sert de support tant aux viandes qu'aux légumes dans cette aventure mystique. On en déchire de larges languettes encore fumantes que l'on trempe volontiers dans les sauces épaisses. Le *sag panir* fait partie des plats végétariens classiques de cette cuisine qui servent aussi d'accompagnement. Ce mélange d'épinards, d'oignons et de fromage cottage «maison», rehaussé d'une touche de cumin, de coriandre et de tomate a le désavantage d'être peut-être un peu trop gras. Des *pickles* à la mangue, au gingembre et citron vert et un *chutney* à la mangue épicé tiennent lieu de condiments tout au long du repas.

Attention ultime et délicate, on apporte à chaque table une bouteille d'eau Labrador (encore scellée) après le repas. Mais sachez que le feu s'éteint plus facilement avec les matières féculentes telles que le pain ou le riz, avec les produits lactés, tels que le yogourt ou le fromage cottage ou encore avec la bière en fût Double Diamond.

Les desserts habituels officient au menu mais il est bien optimiste de penser vous rendre jusque-là. En fait, reprenez plutôt une bière et un peu de pain *nan* (tendre comme du gâteau), vous aurez largement fait votre part.

Un repas pour deux personnes vous coûtera environ 30 $ avant bière, taxes et service.

LE PIMENT ROUGE
1170, rue Peel
Tél.: 866-7816
Métro Peel
Ouvert du lundi au jeudi de 11 h 30 à 23 h, le vendre-di de 11 h 30 à minuit, le samedi de 12 h à minuit et le dimanche de 12 h à 23 h.
Salons privés.

«Le ciel est un œuf, la terre en est le jaune». Ce proverbe chinois traduit bien l'humilité légendaire d'un peuple qui ne tente pas de se faire plus gros que le bœuf (ou l'œuf). Pourtant, la simple cuisine chinoise revêt parfois une allure impériale lorsqu'elle est adoptée par les Occidentaux. Décors soyeux, banquettes confortables, bouquets d'orchidées raffinés font alors partie d'une ambiance festive où se réconcilient les yeux et la bouche, l'apparat, le yin et le yang.

Empruntant au défunt hôtel *Windsor* ses plafonds hauts, ses lustres, ses moulures de plâtre dorées et ses immenses vitrines sur le carré Dominion, *Le Piment Rouge* est un endroit particulièrement agréable où s'arrêter le midi. Le service mené en français s'effectue avec rapidité, laissant peu de temps aux conversations de déraper hors des sentiers pavés des civilités. Vestons cravatés et tailleurs *Chanel* envahissent cet espace fait sur mesure à l'heure des règlements de compte et des marchés conclus.

D'ailleurs, si la nourriture devait influencer de quelque façon le cours de l'histoire, je choisirais *Le Piment Rouge* pour toute question litigieuse, affaire délicate, contrat important réclamant raffinement, doigté et célérité. La table d'hôte du midi donne un aperçu des spécialités de la maison et ne laisse personne sur sa faim. Les plats minceur ou épicés sont indiqués avec précision.

La soupe aigre-douce servie dans un petit bol réunit du tofu, des champignons chinois, des lanières de porc et des pousses de bambou dans un bouillon épaissi à la fécule de maïs. Le poivre éventé l'emporte sur l'aigreur du bouillon mais c'est le seul défaut de ce potage emflammant. Les boulettes de porc sauce aux arachides sont apportées avec le plat principal, histoire d'économiser du temps et des pas. Ces petits nids de pâtes farcis au porc

haché baignent dans une sauce aux arachides très pimentée et fort agréable au goût. Pour peu, on en ferait son repas.

La salade de bœuf piquante remplit heureusement
cet office. Les tranches de bœuf saignantes et froides reposent sur un mélange de laitue iceberg, de concombres,
de tomates passablement anémiques. Une vinaigrette à la
moutarde douce ajoute sa note exotique dans cette assiette
minceur à souhait. Des épices secrètes n'arrivent pas à in-
timider cette moutarde vindicative et légèrement sucrée
dans l'assaisonnement. Le riz blanc est facultatif avec cette
assiette complète en soi.

Les lanières de poulet à la moutarde sont tout miel.
Cette sauce franchement jaune, faite de moutarde douce
et de miel, enrobe tant les morceaux de poulet tendres
que les poivrons rouges, verts et les oignons. Un riz frit
garni d'œufs, de morceaux de jambon et de crevettes
(éparses) s'ajoute à ce plat délicat.

Accès de gourmandise, nous avons demandé à
goûter le plat d'épinards frits. Un délice pour l'œil, ces
feuilles d'épinards saisies dans l'huile sont légèrement
saupoudrées de sucre. Aux antipodes de la minceur, ces
«croustilles» laissent un arrière-goût trop huileux et puis-
samment sucré sur le palais.

Le repas se termine sur une note sobre avec les petits biscuits aux amandes maison de très bonne facture et
le thé chinois réconfortant et parfumé. Pas de petits pro-
verbes avec le dessert sinon cette pensée inspirée de mon
vis-à-vis: «Regarde la poutre dans ton œil plutôt que la
paille dans le mien.» De quoi méditer tout l'après-midi…

Un repas pour deux personnes vous coûtera environ 25 $ le midi et 65 $ le soir avant vin, taxes et service.
Table d'hôte le midi de 10 $ à 15 $. Carte des vins de 28 $ à
70 $.

LE NOUVEAU RAJPUT
830, boulevard Décarie
Ville Saint-Laurent
Tél.: 747-1544
Métro Côte-Vertu

Ouvert du lundi au vendredi de 11 h 30 à 14 h , du dimanche au mercredi de 17 h à 22 h et du jeudi au samedi de 17 h à 23 h.

Petit restaurant indien ouvert dans un quartier où les ethnies n'ont pas l'habitude d'accrocher leur enseigne, *Rajput* fait salle comble midi et soir (ou presque) et tant la cuisine que les prix expliquent cet achalandage de bon aloi. La cuisine y est originale, pas encore aseptisée et convaincante comme sait l'être la vraie cuisine indienne.

Les délicieux *papadum* sont servis en guise de hors-d'œuvre avec la bière. Ces immenses galettes frites à la farine de lentilles excitent les papilles sans pour autant couper l'appétit. Petite entrée tout à fait remarquable, le *jhinga poori* est une variante de la pizza, «asiatisée» dirons-nous. Le pain frit, plutôt feuilleté, se double d'une préparation de crevettes à la sauce tomatée et épicée au cumin, turmeric et graines de coriandre. Des feuilles de coriandre fraîche (le persil asiatique) décorent et parfument ce plat sympathique à manger avec les doigts.

Les *aloo chop* sont des beignets de pommes de terre en purée, frits et servis avec une sauce fruitée à base d'ananas et de graines de moutarde. L'oignon et le turmeric épicent la préparation interne et le tout, bien que relevant de la cuisine indienne, rappelle les croquettes de nos mères.

Parmi les plats, caris forts ou doux et *tandoori,* le *shakooti* en est un de l'ouest de l'Inde. Fait de poulet (on aurait pu choisir le bœuf ou l'agneau), ce cari plutôt relevé réunit l'oignon, l'ail, le gingembre, le piment et la noix de coco rôtie, ainsi que le piment dans une même préparation plus sèche qu'humide. Le pain *nan* (cuit contre les parois du four *tandoori)* est tout indiqué pour cette épreuve du feu. Ce pain légèrement sucré, chaud et moelleux sert de support et permet de manger même avec les mains.

Le *dhansak,* un cari fait de trois sortes de légumineuses, convient tout à fait au parfum prononcé de l'agneau. Des fèves *mung,* des lentilles rouges et des pois chiches réduits en purée font la fête aux épices et au lait de coco. Du riz *basmati* léger et savoureux à souhait complète le tout. Parmi les plats de légumes, l'aubergine aigre-douce n'a pas autant d'allant. Frite puis additionnée d'une sauce tomatée au chili vert, au jus de citron et au vinaigre, elle manque légèrement de nuances.

Arrosez ce repas de bière Tartan ou Double Diamond en fût et contentez-vous de deux *Gaviscon* ou d'une cuillerée de *Maalox* pour soigner vos brûlements d'estomac. La saison des mangues approche. En attendant, vaut mieux s'abstenir de consommer des mangues en boîte, une bien piètre réincarnation...

Un repas pour deux personnes vous coûtera environ 35 $ avant bière, taxes et service. Table d'hôte du midi de 4,50 $ à 6 $.

RESTAURANT GOLDEN
5210, boulevard Saint-Laurent
Tél.: 270-2561
Métro Laurier, bus 51 ou métro Saint-Laurent, bus 55
Ouvert de 11 h 30 à 14 h et de 17 h à 22 h 30
tous les jours;
fermé le dimanche midi.

Un petit restaurant qui ne payait pas de mine voilà quelques années s'est refait une beauté et une réputation du même coup. Pas plus large qu'un corridor, «sandwiché» entre *Le Lux* et *Kilo,* le *Restaurant Golden* (l'affiche bilingue fait des progrès…) offre une cuisine particulièrement bien tournée, sans tambour ni fla-fla. Une cuisine du sud de l'Inde épicée pour le nord de l'Amérique mais, une fois qu'on le sait, on ajuste ses latitudes.

L'entrée de foies de poulet *tandoori* était parfaite, tant en texture qu'en saveur. Les foies encore rosés étaient enrobés d'épices *tandoori* légèrement pimentées. La coriandre dominait sur son lit de riz *basmati.* Les *samosas* aux légumes étaient présentées avec la petite sauce au yogourt mentholée. Ces délicieuses fritures, sans résidus d'huile, renfermaient leur cari sec de légumes hivernaux.

La carte est fournie mais y priment plusieurs plats de Madras, tel ce cari de bœuf qu'on dit très épicé. Celui-ci l'était juste assez mais, amateurs d'incendies, spécifiez «très-très épicé». Le pain *nan* qui accompagnait ce cari généreux se jumelait particulièrement bien à la sauce. Le sucré de la mie et le piquant des épices de Madras se donnaient la main.

Le riz convient mieux à l'exquis poulet *Pasanda,* aigre-doux mais plutôt sucré, crémeux comme le yogourt, garni d'amandes blanchies et de raisins passés dans la sauce. Les morceaux de poulet tendres conservaient leur saveur dans cette sauce pour palais sensibles.

Le *bhaji* de légumes mélangés réunissait en un cari sec pommes de terre, pois verts, oignons et carottes. Du thé fortement épicé au clou de girofle fait office de dessert après ce repas copieux. À moins que vous ne préfériez les mangues en boîte Alfonso, le Del Monte des Indiens.

Un repas pour deux personnes coûte 30 $ avant bière en fût, taxes et service (fort rapide et gentil). Table d'hôte de 12,50 $ à 14,95 $.

ROYAL THAÏ

1124, rue Laurier Ouest
tél.: 495-2767
Métro Laurier, bus 51 ou métro Place-des-Arts,
bus 129

*Réservations recommandées pour le bar à sushi.
Ouvert du mardi au samedi de 17 h 30 à 23 h et le dimanche et lundi jusqu'à 22 h. Ouvert le midi du mardi au vendredi de 11 h 30 à 14 h 30.*

Allez savoir pourquoi, Didier éprouve toujours une certaine appréhension dans les restaurants exotiques. Il n'y supporte pas l'attente qu'il interprète comme un oubli, volontaire ou non. S'est-il mal fait comprendre? Hors la gastronomie française, mon libraire n'a de véritable estime que pour la cuisine asiatique. Peut-être parce qu'elle échappe aux comparaisons avec le pot-au-feu maternel. En «maudit français» qu'il sait être parfois, Didier adore soupeser, analyser, critiquer, chipoter et s'indigner, se piquer, expliquer et remettre le couvert. Ce que nous faisons ensemble à l'occasion.

Nous voilà installés côte à côte au bar à *sushi* du *Royal Thaï.* Personnellement, j'adore le spectacle qu'offre le *sushiman,* tripotant les morceaux de poisson avec dextérité, jouant du couteau avec habileté, ne laissant rien au hasard. Ce qui me fascine davantage encore que ces travaux manuels, c'est l'impassibilité avec laquelle le *sushiman* travaille et le silence qui règne derrière son comptoir. Sa méditation génère chez moi des envies claustrales.

Didier a déjà parcouru le menu et sa kyrielle de spécialités sino-thaï vaguement à la mode et pas tout à fait convaincantes. Il est amateur de cuisine thaïlandaise mais n'appriécie pas la bâtardisation du genre. Lors de notre dernier passage, nous avions goûté à la salade de papaye à la sauce de poisson, aux crevettes enrobées d'une crêpe de riz croustillante avec sauce aux prunes épicée et au poisson Royal Thaï fait d'une sauce piquante au lait de coco et basilic. Cette fois-ci, nous avons préféré tâter des poissons crus.

On nous remet une feuille imprimée sur laquelle nous cocherons les *sushis, sashimis,* rouleaux ou cornets préparés à la minute. Je ne laisse pas le temps à Didier d'y

aller de ses suggestions et d'en soupeser le pour et surtout le contre. Je choisis un plateau de *sushis* assortis
composé de crevettes, de pétoncles, de thon, de saumon,
d'œufs de poisson et d'un rouleau Royal Thaï. De la peau
de saumon cuite, du thon cru violacé, des œufs d'éperlan,
du concombre croquant, des bâtonnets de crabe sucrés et
du vert de laitue composent le rouleau entouré d'algues
nori. Sans compter la mayonnaise pour lier le tout!

«Encore un malheureux souvenir du passage des
Américains au Japon», ne peut s'empêcher de souligner
Didier.

Sous ma perruque noire un tantinet asiatique, j'ai
un peu chaud et Didier me les casse royalement avec son
aversion pour la mayonnaise. Nos virées au restaurant se
terminent généralement par une prise de bec où je lui
concède le dernier mot avec mauvaise grâce. Et nous re-
mettons ça au téléphone le samedi suivant lorsqu'il lui
prend de lire mes critiques.

Tout en nous brûlant les lèvres sur la tasse de *saké*
chaud, nous commandons d'autres rouleaux et des cornets avec du crabe à carapace molle et de la peau de saumon épicée. J'ai bien failli flancher pour ces rouleaux aux
œufs de poisson entourés d'algues *nori* et surmontés d'un
œuf de caille cru. Didier n'aurait pas dédaigné les oursins
mais il n'en reste plus.

Le plateau de *sushis* arrive et ne déçoit ni mon libraire tatillon, ni l'amateur de sensations fortes et de sensualité nippone que je suis. Soit, la mayonnaise tombe un
peu sur l'estomac dans la section rouleaux et cornets mais
les *sushis* sont irréprochables de fraîcheur. Le gingembre
mariné ravit, sans compter le *wasabi,* ce raifort vert qui
me monte au nez comme la moutarde pour Didier.

Le cornet de crabe à carapace molle est particulièrement intéressant côté texture mais au goût, Didier préfère
le «kamikaze» au thon épicé. Des restes de pâte à frire *tempura* croustillants, d'avocat, de concombre et de laitue
(sans compter la mayonnaise) composent également cette
innovation grasse et bien pimentée. Une petite lampée de
saké fait disparaître la sensation de brûlure. Didier n'arrive
pas à terminer le plateau, lui qui craignait d'en manquer
tout à l'heure. Pendant qu'il fume une *Dunhill,* j'admire le
décor trop rose à mon goût mais reposant à souhait.

Comme dessert, il n'y a que de la crème glacée à la
vanille avec un coulis de fèves rouges. Mauvaise combinaison, juge Didier. Un carré de chocolat noir l'aurait en-

tièrement satisfait. Quant à moi, je me contente d'un thé au goût de mélasse, histoire de favoriser la digestion. Didier s'absorbe dans ses ronds de fumée et songe peut-être à cette collection d'estampes japonaises qui accumule la poussière chez lui...

Un repas pour deux personnes coûtera environ 50 $ avant *saké,* taxes et service. Table d'hôte le midi de 8,25 $ à 10,25 $ et le soir de 20 $ à 25 $.

LE SHANGHAI

2028, rue Saint-Denis
Tél.: 982-6711
Métro Berri-UQAM

Ouvert du mardi au vendredi de 12 h à 14 h 30 et de 17 h à 22 h 30,
samedi et dimanche de 17 h à 22 h 30.
Terrasse et salons privés.

Il faut voir Luba la volubile trahir ses origines sino-russes avec des intonations et une gestuelle toute méditerranéenne. Vala, l'ombre chinoise de l'autre, assure les arrières, reconduit gentiment les clients à leur table, s'efface pour mieux réapparaître, renouvelle les attentions, tandis que Luba papillonne de table en table et veille au confort de ses oisillons tout au bonheur d'avoir réintégré le nid. Une affaire de famille que celle du *Shanghai* où même (et surtout, devrais-je dire) papa et maman sont mis à contribution en cuisine. De la terrasse à la salle du deuxième étage, la décoration intérieure a été retouchée. Une tapisserie ici, un rideau là, le mur de briques et les planchers de bois restés intacts donnent à l'ensemble un caractère chaleureux et sans prétention.

Les fameux rouleaux maison, minuscules petits rouleaux de porc et de vermicelles transparents aux champignons, frits, servis de pair avec des feuilles de Boston et de menthe fraîche, font une entrée en matière des plus rigolotes et savoureuses. On enroule laitue et menthe autour d'un rouleau encore tout chaud pour faire trempette dans la sauce de poisson au piment frais. On en fait une bouchée, deux tout au plus, tentés de nouveau par l'arrière-goût rafraîchissant de la menthe masquant celui de la friture.

Les toasts aux crevettes font également un choix des plus heureux. Une purée de crevettes tartinée sur du pain de mie et saupoudrée de graines de sésame, le tout passé à grande friture, résument cette petite entrée simple et oh! combien riche en textures.

Parmi les plats au chapitre des spécialités, le canard à la shangaienne est présenté rôti avec la peau, désossé, dans une petite sauce bien dégraissée parfumée aux cinq épices chinoises. La famille Tchon étant de

Shanghai (vous l'aurez compris), on vous servira en lieu et place du riz, des nouilles de riz sautées dans une goutte d'huile avec ce canard croustillant et juteux. Les crevettes aux trois légumes regroupent une douzaine de belles crevettes sautées rapidement, de même que des pois mange-tout, des pousses de bambou, du chou chinois et du gingembre. Un peu de piment ne ferait pas de tort à ce plat.

Quoi de mieux indiqué qu'un rosé pour arroser cette cuisine toute en subtilité et pauvre en graisses saturées. Vous pouvez vous la couler douce avec un Bouquet de Provence ou un Tavel mais je verrais très bien un rosé italien, le Vigneto Scalabrone 87 d'Antinori par exemple. Mais pour les italianités, c'est la porte à côté, à la *Sila*.

Pas un dessert, ni bananes flambées, ni *litchis* en boîte, ne peut rivaliser en saison avec les mangues fraîches disponibles partout pour moins d'un dollar l'unité. Elles vous sont présentées dans ce repaire de bon goût comme une fleur ouverte et de façon telle que vous n'aurez pas à vous salir les doigts. Pas de bordel sur la chemise ni dans la moustache: vous vous armez d'un couteau et d'une fourchette pour attaquer cette demi-mangue prometteuse, juteuse, mère de tous les vices asiatiques avec le «MSG». Mais ça c'est une autre histoire...

Un repas pour deux personnes vous coûtera environ 40 $ avant vin, taxes et service. Table d'hôte du midi de 7 $ à 10,50 $ et le soir de 13,95 $ à 16,95 $.

STASH CAFÉ
200, rue Saint-Paul Ouest
Tél.: 845-6611
Métro Place-d'Armes

Ouvert le lundi de 11 h à 22 h, du mardi au vendredi de 11 h à 23 h, le samedi de 13 h à 23 h et le dimanche de 13 h à 22 h.

Il fut une époque où un nuage gris, un vent frisquet, une humeur maussade ou simplement un besoin de routine me ramenaient invariablement chez *Stash* à l'heure du midi. Rares sont les restaurants où j'ai mes habitudes et celui-ci me convenait à merveille pour toutes sortes de raisons autres que pécuniaires et géographiques.

Encouragée par la photo de Jean-Paul II dans l'entrée ou la proximité de l'église Notre-Dame, je venais m'y recueillir comme une couventine à la chapelle. Assurée de retrouver chaque jour au menu un gros bol de soupe fumant, dans lequel avaient mijotés au moins trois des quatre groupes alimentaires, la cuisine polonaise m'était devenue sympathique par la force des choses. Et puis, pour ne rien vous cacher, je la trouve parfaitement adaptée à notre climat «tempéré», requinquante et soutenante sans être exagérément lourde, du moins si on sait se contenir.

Lorsqu'un incendie détruisit *Stash* en février 1992, c'est presqu'un pan de sécurité affective qui s'écroulait. Plus de soupe tonique, plus de pain de seigle empilé et beurré, plus de *pirojki,* plus de crêpes, plus de gâteaux sans farine, plus de bancs d'église sur lesquels se corder; c'en était terminé de cette atmosphère décatie, de ce mélange hétéroclite de touristes et de journalistes, de ce sombre décor devenu familier avec le temps.

J'avais mis une croix sur *Stash* (c'est Jean-Paul qui allait être content!) jusqu'à ce que j'apprenne sa réouverture imminente: même administration, mêmes bancs d'église, même caisse enregistreuse centenaire, même personnel (ou presque) à l'accent écorché. Mais le décor, lui, est rafraîchi: des teintes vives, des abat-jour d'après la guerre, un tapis neuf, des fenêtres immenses baignées par la lumière du jour. Pour ce qui est de la clientèle, rien n'a changé et depuis le premier jour d'ouverture, ça ne désemplit plus. Comme quoi les gens n'hésitent jamais à reprendre de bonnes habitudes.

Côté cuisine, on retrouve les spéciaux (ce midi-là des poivrons verts farcis au riz sur coulis de tomates), les fameuses soupes-repas comme cette succulente soupe à l'orge et au bœuf ou la traditionnelle *goulash* au paprika. Toute la kyrielle des spécialités polonaises fait également partie des options d'achat. Pour ma part, j'ai opté pour des *pierogi,* cliché éculé s'il en est mais toujours aussi délectable. Petits chaussons de pâte farcis de fromage ou de bœuf, on les accompagne d'oignons frits et de crème sure. L'inévitable choucroute bien croquante accompagne ces pâtes polonaises.

Quant aux *krokiety,* ces deux crêpes roulées et frites sont farcies à la viande et parfaitement assaisonnées à la marjolaine et aux oignons. On en mangerait davantage que les deux spécimens offerts sur l'assiette, aux côtés d'une petite salade verte à la vinaigrette crémeuse.

Les desserts méritent le détour et peuvent facilement être partagés. Je savoure particulièrement ces carrés aux fruits (pommes, pêches ou prunes) tout droit sortis du four et nappés de crème aigre vanillée... un péché qui vous met en ligne directe avec les anges cornus.

Désormais, je songerai aussi à faire une halte chez *Stash* par temps ensoleillé et quand le moral sera au beau fixe, pour y partager avec de purs étrangers le même banc d'église dur pour les fesses et la même cuisine douce pour l'âme.

Un repas du midi pour deux personnes vous coûtera environ 18 $ incluant la TPS, avant TVQ, vodka et service. Spéciaux du midi de 4,50 $ à 6,75 $. Table d'hôte le soir à 18,75 $ et à 22 $.

LE TAJ
2077, rue Stanley
Tél.: 845-9015
Métro Peel, sortie Stanley
Ouvert de 11 h à 23 h du lundi au vendredi;
de 17 h à 23 h le samedi;
le dimanche de 12 h à 14 h 30 et de 17 h à 22 h 30.
Stationnement gratuit le soir.

C'est en Angleterre, paraît-il, que l'on mange dans les meilleurs restaurants indiens au monde. Ces répliques luxueuses d'un palace de Bombay font appel à un décor sophistiqué où l'ivoire et la soie évoquent les barrissements de l'éléphant et la route des épices. *Le Taj,* rue Stanley, s'est inspiré de cette mise en scène très parfumée pour camper son restaurant indien en plein centre-ville: des murs sombres, des tissus tendus, des rappels folkloriques et une musique tout en flûte et en bourdonnements.

Au *Taj*, les fours *tandoori* (il y en a deux) sont exposés à la vue derrière les parois de verre d'un cagibi. Le cuisinier œuvre les mains nues exposées à la chaleur vive des fours. Comme un fakir sur ses charbons ardents, il maîtrise ses sueurs froides et désembroche, impassible, les cailles brûlantes qui sortent du gouffre de braise.

Mais avant les cailles, nous avons goûté l'assiette gastronomique, soit un assortiment de toutes les entrées de la carte: de délicieux *pakora*s frits, des *seekh kabab* à l'agneau arrosés d'une sauce au yogourt et à la menthe, des *samosas* aux légumes, toutes sortes de petites bouchées frites et cuites, bien apprêtées et sans excès d'huile.

Puis, les cailles *tandoori* aux épices de barbecue servies en trio avec un cari de légumes, des pommes de terre rissolées et du pain *nan*. Les cailles étaient tendres — avec un arrière-goût de cigarette indienne — et l'assiette copieuse, bien que ces bestioles-là soient d'apparence trompeuse.

Quelques plats végétariens garnissent la carte. Ainsi le *Taj-tahli* aux légumes se composait d'une purée de lentilles, de beignets frits aux poivrons, de riz *basmati* et d'un plat principal végétarien, au choix. Le *saag panir,* un mélange de fromage *cottage* ferme nappé d'une sauce aux épinards et aux épices moulues, compléta l'assiette. Le tout ne manquait pas d'audace mais, pour avoir déjà pu goûter le *saag panir* ailleurs, disons que celui-ci était honnête sans plus.

Les desserts indiens sont souvent très parfumés et lactés. *Le Taj* propose une crème glacée à la noix de coco, accompagnée de mangues (en boîte) qui, sans avoir l'authentique texture de la crème glacée ni le goût de la vraie mangue, se laissent déguster avec bonheur. Suivi d'un thé parfumé, ce repas confirme une règle: AILLEURS est vraiment le plus beau mot de la langue française.

Un repas pour deux personnes vous coûtera environ 45 $ avant bière, taxes et service. Table d'hôte de 15 $ à 25 $ le soir et à 7,95 $ le midi.

TCHANG KIANG

6066, rue Sherbrooke Ouest
Tél.: 487-7744 ou 7745
Métro Vendôme, bus 105

*Ouvert du lundi au vendredi de 11 h 30 à 14 h 30 et de
16 h 30 à 22 h 30,
le samedi de 16 h 30 à 22 h 30, le dimanche de 13 h à
22 h 30.
Possibilité de livraison.*

Petite, c'est chez *Tchang Kiang* que je m'initiais aux délices de Chine (toutes provinces confondues) avec un faible pour les mets pékinois. La salle de ce restaurant de quartier revêtait alors un costume strict et sobre faiblement éclairé par les lanternes chinoises. On a revu et enjolivé l'endroit au goût du jour, tissus clairs et reliefs de bois acajou donnant un joli coup d'œil.

Le service du *Tchang Kiang* n'a pas changé depuis toutes ces années et cette histoire de famille s'étend jusqu'à la clientèle dont on connaît les moindres habitudes, goûts et faiblesses. Monsieur Jacques vous replace en moins de deux, se souvient des noms, des préférences et dirige ce petit royaume avec beaucoup de doigté.

Le menu est fait d'habitudes lui aussi. Tenez, huit tables sur dix commandent les *kow Tien,* des petits *ravioli* (de type *Won Ton*) cuits à la vapeur puis grillés, farcis au porc et aux légumes et accompagnés d'une sauce soja aux échalotes légèrement piquante (du piment sur les tables peut d'ailleurs y être ajouté). Un délice à se partager à deux ou plus.

Le poulet impérial pimenté réunit les morceaux de poulet tendres avec les noix d'acajou, les pousses de bambou et les dés de poivrons dans une sauce légèrement pimentée aux fèves. Quant au bœuf à l'impériale, il n'a aucune parenté avec le plat précédent. Les languettes de bœuf s'entremêlent avec des carottes échevelées dans une sauce à la fois sucrée et pimentée. Ce plat succulent tranche avec l'impassibilité du riz blanc en guise de support.

Bien que le thé ou la bière soient tout indiqués, essayez un vin alsacien (riesling, pinot blanc, etc…) avec cette cuisine chargée d'épices et de parfums. Un mariage tout à fait agréable et rafraîchissant.

Un repas pour deux personnes vous coûtera environ 30 $ avant vin, taxes et service. Table d'hôte entre 6,50 $ et 10 $.

Chic-Choc

L'ALTRO
205, rue Viger Ouest
Tél.: 393-3456
Métro Champs-de-Mars
Ouvert de 11 h 30 à 15 h et de 17 h 30 à minuit,
samedi et dimanche de 17 h à minuit.

Vous ai-je déjà confié qu'une simple corbeille de pain en dit long sur le soin apporté dans un restaurant au menu, à la fraîcheur des ingrédients et à leur présentation? Neuf fois sur dix je peux, après une simple bouchée de pain, me livrer à des prédictions qui ne nécessitent ni boule de cristal ni jeu de tarot. Les faussaires sont rapidement démasqués et tant le contenant, le pain que le beurre me donnent une bonne idée de ce qui suivra. Le pain, ce n'est pas simplement un signe de bienvenue mais le mot de la fin.

À *L'Altro,* on soigne tellement le pain qu'il provient de trois boulangeries différentes. Celle du restaurant (le four à pizza) pour le petit pain blanc spiralé, le four Saint-Viateur pour le pain de mie farineux à l'italienne et le four plus modeste d'un particulier richissime, qui s'amuse à faire du pain de blé noir à la façon allemande dans le troisième des cas. On vous le présente lové dans une serviette de toile blanche sur une assiette tout aussi blanche.

Du pain comme celui-là et du vin comme on en suggère dans ce restaurant, ça ne demande presque plus rien sinon un peu de fromage. Et c'est précisément l'idée qu'a eue Moreno de Marchi, le propriétaire du restaurant *L'Altro* et de son bar à vins *Pane e Vino.* Au restaurant comme au bar, on fait affaire à un menu des plus hétéroclites composé tant de pizzas au four à bois, que de *sushi* (vous avez bien lu), que de grands classiques italiens comme le *risotto,* les escalopes de veau et les *pasta.*

On passe à travers le bar à vins du premier étage pour accéder à *L'Altro.* Étrange salle ouverte sur le palais des Congrès grâce à d'immenses baies vitrées. *L'Altro* a froid. Froid à cause du système de climatisation mal ajusté et froid en raison d'un décor de salle d'attente d'aérogare. Toute la soirée, j'ai eu l'impression d'attendre qu'on annonce mon vol. Ne manquait que les billets d'avion pour Rome. Mince consolation, l'Italie était au rendez-vous dans l'assiette... et le Japon aussi!

Un excellent *sushiman* prépare ses petits trésors de poisson cru au grand dam des serveurs italiens, tous plus empotés les uns que les autres dans leur accent japonais. Le *kashyu* (rouleau californien) est fait d'algues *nori,* de riz vinaigré, de thon cru mais aussi d'avocat, de laitue et d'œufs de lompe. On sert ce rouleau sectionné avec de la sauce soja, du gingembre mariné et du *wasabi* (le raifort japonais). Ces préliminaires nippons ont pour but, prétend Moreno de Marchi, de répondre à une demande des hommes d'affaires, nombreux dans les environs et très portés sur la chose!

D'esprit plus italien quand c'est la saison, les fleurs de courgettes frites *(fiori di zucchini)* sont farcies au mozzarella relevé à l'anchois avant d'être plongées dans la pâte à frire et l'huile. Cette huile se doit d'être bien chaude pour éviter que les petits beignets ne soient trop gras comme ils l'étaient. On trouve à *L'Altro* du *risotto* comme rarement on en déniche à Montréal. Ce plat généralement servi en entrée peut également combler les attentes d'un appétit végétarien. Le riz Arborio piémontais gavé de bouillon et de vin rouge se fait ici complice des asperges, du *raddichio,* du fromage parmesan et du beurre. Encore *al dente,* les grains de riz croquent légèrement sous la dent et font contraste avec le moelleux de la sauce.

Autre plat sans façon de ce restaurant plutôt veston-cravate, la pizza préparée par l'Italien de service, humblement, sans faire le guignol et lancer la pâte au plafond, en étirant sa petite boule avec les doigts. La pâte croustillante qui en résulte s'accomoderait des garnitures les plus simples tant elle est savoureuse. La pizza *Capriciosa* à la saucisse maison, aux tomates et au fromage dégage des parfums de four à bois qui lui vont à ravir.

La carte des vins de *L'Altro* a des airs de parenté avec celle du *Latini* (son petit cousin) et on y offre en plus des centaines de bouteilles italiennes répertoriées, une vingtaine de *vino* du pays au verre. Un Enofriulia 1989, sauvignon blanc italien, arrosait avec beaucoup de bonheur ce repas des moins classiques.

Les desserts ne sont pas de reste. La rosace à l'orange n'est «malheureusement qu'un gâteau à l'orange» (*dixit* mon invité) mais la simplicité de ce biscuit frais arrosé d'un sirop ne gâche rien. La tarte aux fruits des bois brille elle aussi par sa simplicité toute saisonnière. Sur une pâte biscuitée repose une crème pâtissière toute en légèreté et citronnée, surmontée de baies telles que framboises, mûres et bleuets, d'un peu de sucre à glacer et c'est tout.

Comme si ça ne suffisait pas, on peut passer à *L'Altro* pour rapporter des plats à la maison dans le plus pur style traiteur italo-nippon.

Un repas pour deux personnes vous coûtera environ 80 $ avant vin, taxes et service. Table d'hôte le midi de 13,50 $ à 21 $.

LE CAVEAU
2063, rue Victoria
Tél.: 844-1624
Métro Vendôme
*Ouvert du lundi au vendredi de 7 h 30 à 23 h,
samedi et dimanche de 17 h à 23 h.*

Autant je me méfie dans ma propre ville de ces restaurants à réputation, autant je rêve (quand je serai vieille, riche et percluse de rhumatismes) de faire à Paris le circuit des grandes maisons dont la renommée a traversé plus d'une fois l'Atlantique: visiter une fois les Drouant-Tour d'Argent-Grand Véfour-Maxim's et Lapérouse de ce monde.

À Montréal, *Le Caveau* fait partie de ces maisons où je n'avais encore jamais mis les pieds, effrayée d'y retrouver trop de clichés et pas suffisamment de substance. Pour tout vous dire, j'ai été agréablement surprise. Par l'ambiance feutrée tout d'abord, par ce décor bourgeois où les détails sont soignés mais ne font pas dans l'ostentation, par l'achalandage même le dimanche et par la sobriété de la carte.

Depuis 1965, *Le Caveau* occupe les murs d'une magnifique vieille maison du centre-ville mais le restaurant existe depuis 1949 et la maison depuis le début du siècle. Bien avant que les immenses tours ne se mettent à pousser tels des champignons et ne viennent lui porter ombrage, ce restaurant attirait déjà les hommes d'affaires de passage dans la métropole à la manière d'un club privé où les femmes seraient admises. On peut d'ailleurs y réserver des salons privés pour se retrouver tout à fait dans cette ambiance d'autrefois.

La cuisine y est classique comme on le dit d'une beauté (Catherine Deneuve) ou d'une chanson (*J'me voyais déjà* d'Aznavour). La table d'hôte propose quelques plats du jour mitonnés à la minute ou plus lentement. Rien n'y est démodé et surtout pas ce potage, une crème de légumes verts tout ce qu'il y a de savoureux et vitaminé en guise de préambule. La salade verte proposée manque peut-être un peu de folie et d'éléments colorés mais la vinaigrette bien moutardée fait pardonner bien des choses, même un manque d'originalité.

Le saumoneau (poisson du jour) est présenté grillé, légèrement trop cuit, dans un jus de cuisson (fumet, vin blanc en réduction) parfaitement «régime», au parfum de safran. Quelques moules nappées d'un sabayon doré complètent cette assiette fort joliment présentée. Sur une autre assiette, une pomme de terre vapeur, de la rata-touille encore ferme et une tomate provençale succulente complètent le tout et ajoutent la touche fraîcheur.

Côté pré, on a couplé le gigot d'agneau du Québec à des rognons du même animal. L'agneau saignant et re-composé sous forme de rôti, repose dans un fond très lé-ger et est décoré de zestes d'orange confits qui ajoutent une note distrayante à cet agneau de chez nous. Des têtes de champignons et de minuscules courgettes farcies dé-corent l'assiette. Les légumes d'accompagnement suivent sur une seconde assiette.

La corbeille à pain est garnie d'une baguette qui est passée au congélateur. Le beurre doux est de rigueur. La carte des vins recèle des crus alléchants que peu de gens ont les moyens de s'offrir. Quant à nous, un Picpoul de Pinet (29 $) a fort bien joué son rôle.

Les desserts maison se partageaient ce soir-là entre la crème caramel, le gâteau de type Boston et la tarte aux mandarines. Cette dernière est réussie et réunit tout ce qu'il faut de pâte sablée au beurre, de crème pâtissière, de fruits et de gelée pour ne pas en laisser un seul mor-ceau. Quant au gâteau, on jurerait qu'on a utilisé du savon à vaisselle au citron pour parfumer la crème pâtissière tant elle vous laisse un goût désagréable et amer dans la bouche. La couche de chocolat décorative n'en a que le nom et l'assiette est repartie quasi intacte vers la cuisine en attendant l'addition.

Un repas pour deux personnes coûte environ 50 $ avant vin, taxes et service.

Table d'hôte le midi de 11,75 $ à 25 $ et le soir de 14,75 $ à 27,50 $.

LE CERCLE

Hôtel Quatre Saisons
1050, rue Sherbrooke Ouest
Tél.: 284-1110
Métro Peel
Ouvert de 6 h 30 à 23 h tous les jours.
Salons privés.

Diète-yoyo, diète-miracle, diète-carême, pari perdu des bourrelets vengeurs, nous voilà aux prises avec l'impossible et interminable lutte aux calories; c'est l'insoluble quadrature du cercle.

Le restaurant *Le Cercle* de l'hôtel *Quatre Saisons* fait beaucoup pour plaire à une clientèle de plus en plus obsédée par la nutrition, le cholestérol, le sodium et les matières grasses tant honnies. On veut manger avec les yeux, revenir aux portions réconfortantes, ne rien sacrifier du goût et, telle une couventine rondelette, nier l'œuvre de chair (qui se fait parfois bonne chère)!

Avec un choix de plats alternatifs pas tristes du tout, ce restaurant haut de gamme du centre-ville s'est mis à l'heure internationale des clientèles «revenues-de-tout» et notamment du trio crème-beurre-vin, des viandes grasses, des pâtisseries lourdes. La légèreté déguisée, tel est le maître mot de cette nouvelle aventure tout autant issue du terroir californien que des laboratoires aseptisés des diététistes.

Le chef Gérard Beyer, tout alsacien qu'il soit, a très bien saisi la magie des arômes qui vient *jazzer* cette cuisine santé trop souvent synonyme de cure. Au menu, on a évité d'inscrire le nombre exact de calories, les traces de sodium et de cholestérol encore présentes dans l'assiette, histoire de ne pas donner une allure clinique à cette carte inspirante.

Les aiguillettes de bœuf en salade accompagnées de *relish* de fruits exotiques pourraient tenir lieu de repas. Ces tranches épaisses de filet, rosées et froides, ont tout à gagner de cet accompagnement de fruits tels les figues, la mangue et le melon légèrement cuits et relevés de jus de citron vert et de piment *jalapeño*. Une salade rehaussée d'une vinaigrette corsée à la moutarde et au vinaigre balsamique complète le tout.

En guise d'entrée ou de plat principal, les pâtes peuvent prétendre à la diète elle aussi. Tout est dans la sauce! Les *penne* avec *gambas* grillées sont nappés d'un concassé de tomates et d'aubergines, relevé au piment et aromatisé de basilic et de romarin. Deux grosses crevettes bien saisies garnissent aussi l'assiette en guise de décoration.

Du côté des plats de résistance, figure le filet de rouget grillé sur endives poêlées. Cette belle pièce de poisson maigre cuite à perfection repose sur les endives légèrement amères. Une *relish* de tomates vertes aux oignons rouges, aux piments *jalapeños* et à l'ail rehausse avec conviction la chair du poisson. Des carottes du printemps complètent en couleur ce plat délicieux et minceur à souhait.

Le suprême de volaille de grain grillé avec jus naturel aux tomates séchées et aux champignons *shitake* n'est pas de reste. Cette assiette des plus appétissantes réunit la volaille encore juteuse présentée avec soin et humidifiée d'un fond réduit lustré d'une noix de beurre (un petit écart!). Les champignons japonais et les tomates séchées à l'italienne confèrent à cette sauce davantage de caractère. Des pommes de terre grillées ainsi que des petits légumes sautés (au beurre…) s'ajoutent à cette volaille de grain de premier choix.

La corbeille de pain du *Cercle* fait honneur à la boulangerie. Pains divers, baguette brune ou blanche, pain aux noix grillé, biscottes juives, jumellent le beurre frais présenté avec soin. La carte des vins supervisée par Don Jean Léandri nous fait rêver à sa simple lecture. Ce sommelier hors pair, toujours habité par la même indéfectible passion du vin, sait conseiller et envoûter. Un verre de Sancerre La Bourgeoise (vins au verre de 4,50 $ à 7 $; bouteilles de 22 $ à 137 $) arrosait ce repas.

La carte des desserts du *Cercle* laisse à désirer tant par son contenu (des lieux communs comme le gâteau aux carottes n'y ont pas leur place) que par la réalisation bancale (un *tiramisu* sur coulis de fruits, vous dites?!). Histoire de garder la taille svelte et élancée comme Alain Stanké, rien de plus indiqué que les sorbets aux fruits de saison (fraises, cassis, mangue). Ils font un joli assortiment sur les tuiles aux amandes et la fraîcheur des fruits n'a d'égal que leur couleur pimpante.

Quant à l'éventail à la praline et chocolat, ce dessert trop riche, aux saveurs mal balancées, réunit crème et pralin soutenus de gélatine et supportés par des feuilles de chocolat mi-amer et un peu cireux. Le tout barbouille les papilles et laisse une impression désagréable. Heureusement, les mignardises pas du tout régime viennent racheter l'ensemble et terminent sur une note plutôt heureuse.

Dans ce décor pastel enveloppé par la musique classique, *Le Cercle* demeure un restaurant d'évasion qui ne prétend pas à la révolution gastronomique mais où on est assuré de goûter une cuisine savoureuse présentée et servie avec tous les soins qu'elle mérite.

Un repas pour deux personnes vous coûtera environ 75 $ avant vin, taxes et service. Table d'hôte de 9,50 $ à 16 $ le midi et 19,95 $ le soir (une aubaine).

CLAUDE POSTEL

443, rue Saint-Vincent
Tél.: 875-5067
Métro Champ-de-Mars
Ouvert de 11 h 30 à 14 h 30 du lundi au vendredi;
de 17 h 30 à 23 h tous les jours.
Salon privé.

S'afficher est une chose et afficher ses couleurs en est une autre. Dans le cas de *Claude Postel,* il y a des deux. La raison sociale de ce nouveau restaurant du Vieux-Montréal porte le nom de son chef propriétaire et affiche les armoiries fleurdelisées de la ville de Chartres où ce dernier a vu le jour.

L'édifice qui abrite ce havre de la bonne cuisine française classique mérite qu'on s'y arrête. D'abord, avant *Claude Postel,* s'y nichait le défunt *Petit Havre,* et bien avant ce fut *Le Devoir* qui y avait élu domicile. Mais «ce lieu de rendez-vous de la communauté francophone élégante», comme le souligne la plaque de bronze rivée à l'extérieur, a aussi accueilli Sarah Bernhardt sous son toit en 1880. Construit en 1861 par un certain Joseph Bilodeau, il portait le nom d'hôtel *Richelieu.*

Claude Postel, lui, est passé de la rue Saint-Sacrement où il dirigeait avec brio les cuisines du *Bonaparte* à la rue Saint-Vincent, toujours aussi fidèle à ses vieilles amours classées monuments historiques.

Assez parlé du bonhomme, parlons popote, bien que les deux soient indissociables. La carte courte met en valeur des produits de première main apprêtés sans chichi et présentés sans falbalas et avec à peine un petit air de trompette (Postel aime le jazz!). Quand le chef lui-même se mêle de vous décrire le menu comme il lui arrive de le faire, les plats se mettent à vivre sous vos yeux et les mots s'imprègnent de saveurs au fur et à mesure que la description avance. Les serveurs devraient tous faire des stages en cuisine, histoire de bien sentir leur marchandise et d'augmenter leur pouvoir de persuasion ou de dissuasion.

Côté persuasion, la terrine de jambon à la tourangelle nous fut vivement recommandée. La charcuterie étant (avec la pâtisserie) une spécialité indiscutable de *Postel*, il n'y avait pas grand risque à opter pour cette tranche de jambon marinée et cuite dans le vin de Touraine, agrémenté de pruneaux et de zestes d'orange. Complètement dégraissée, cette terrine sucrée-salée emprisonnait en son centre la compote de pruneaux et d'oranges. Une gelée délicate ornait le dessus de cette terrine que je ne saurais trop recommander. Par contre, l'assiette pré-arrangée (comme dans pré-arrangement...) sortait tout droit du réfrigérateur. Ce qui est excusable dans une cafétéria l'est moins dans un restaurant de ce calibre.

L'entrée de la table d'hôte (une aubaine que celle-ci) était une crème d'asperges décorée d'une touche de crème. Veloutée à souhait, cette crème manquait tout juste d'un peu d'assaisonnement. Le confit de canard cher à Postel fait les beaux soirs de la table d'hôte. Présentée très simplement, la cuisse de canard confite lentement et doucement était grasse et fondante. Le confit était déposé sur un lit de pommes de terre à la sarladaise (une spécialité du Périgord), c'est-à-dire des pommes de terre tranchées en minces rondelles et frites dans la graisse de canard. Délicieusement grasses et indigestes, ces pommes de terre faisaient vite regretter l'absence de légumes verts pour rétablir un certain équilibre dans cette assiette.

La carte présentait la bourride Hôtel Bilodeau, un plat des plus rares chez nos restaurateurs, plus férus de bouillabaisse ou de soupes de poissons additionnées de rouille au piment que de bourride (faite de lotte par définition et rehaussée d'aïloli). La bourride Bilodeau est plus proche de la soupe de poissons bien qu'on y trouve de la lotte, mais aussi du saumon et une queue de langoustine (qui fut omise pour cause de sévère allergie chez ma vis-à-vis). Les poissons cuits à la perfection dans cette soupe plutôt épaisse au bon goût d'huile d'olive, d'aromates, de tomates et d'ail étaient accompagnés de riz blanc et d'épinards.

La carte des vins est encore trop sommaire pour qu'un jugement soit rendu. Un Saint-Véran 1986 arrosait ce repas. Les prix de la carte des vins sont aussi dilués (22 $) que corsés (359 $). Le pain dans la corbeille se partageait entre les biscottes maison et la baguette à moitié fraîche de confection banale.

L'arrivée du chariot des desserts qui s'avance dans toute sa splendeur est un moment unique qui arrache des étincelles d'envie aux prunelles des convives. Malheureusement, il leur faut faire un choix entre une tarte aux framboises et bleuets, une autre au citron, une autre aux fraises, un gâteau au chocolat, des fruits de saison et tutti quanti. Des madeleines et des tuiles aux amandes maison sont déposées en sus, en guise de mignardises.

Pour ce qui est des gourmandises elles-mêmes, la tarte au citron prend pour support des amandes plutôt que du lait (ou de l'eau), ce qui enrichit sa texture d'autant. La tarte aux bleuets et aux framboises était garnie de crème montée sans œufs ni gélatine, très simplement et en respectant la délicatesse du fruit. Le gâteau au chocolat, lui, était un amalgame de génoise délicate et de mousse chocolatée sans excès. L'équilibre de ce gâteau tenait de la perfection, mais les amateurs de «noir» devront repasser. *Postel* devrait prévoir une assiette pour indécis, avec un peu de chacun de ses délirants desserts, pur beurre, purs fruits, pure folie...

Un repas pour deux personnes vous coûtera environ 75 $ avant vin, taxes et service. Table d'hôte de 11,95 $ à 19,95 $ le midi et de 19,95 $ à 26,95 $ le soir.

LES CONTINENTS
Hôtel Inter-Continental
369, rue Saint-Antoine Ouest
Tél.: 987-9900
Métro Square-Victoria
Ouvert tous les jours de 6 h à 22 h 30.
Salons privés.

Les chefs les plus avant-gardistes font désormais flèche de tout bois. Le retour au terroir tant annoncé cède le pas (du moins en Amérique du Nord) à une cuisine beaucoup plus ethnique, fluctuante comme l'économie mondiale. Un brin d'épices cajun, un peu de sauce aux arachides, deux ou trois algues japonaises et un filet de sirop d'érable résument les tendances. Ajoutez à cela une fraîcheur résolument californienne et vous aurez là un tremblement de cœur à portée de la main.

Le restaurant *Les Continents* de l'hôtel *Inter-Continental* est de cette école. Les éléments s'éclatent pour mieux s'unir dans la diversité. On retrouve sur ce menu luxueux une cuisine à l'opposée du cadre conservateur et victorien du restaurant. Heureusement, car nous aurions eu droit au *roastbeef* et au *Yorkshire pudding!*

Étonnamment ou non, la carte signée Jacky François respire la folie, ce qui n'empêche pas les gens d'affaires du midi de se précipiter sur le pain pita farci à la salade de thon et le club sandwich garni de croustilles maison. Allez comprendre!

Si un brin d'audace vous anime, essayez plutôt le *tempura* du marché en entrée. À la manière des Japonais, les morceaux de poisson (ce jour-là du saumon et de l'aiglefin) sont enrobés de pâte à frire légère et reposent dans une sauce caramélisée à l'aigre-doux au parfum de sauce aux prunes. Du fenouil frit (le feuillage et non le bulbe) s'ajoute à cette assiette tant d'un point de vue décoratif que gustatif. Le parfum anisé du feuillage vert apporte un contraste intéressant et rehausse celui du poisson frais.

La table d'hôte est beaucoup plus classique et conservatrice. On y propose ce bouquet de feuilles de chêne à la marinade de moules, d'une légèreté absolue mais aux parfums timides. La vinaigrette acidule un peu cet assortiment de végétaux et de moules marinées.

Sur cette même table d'hôte, le gigot d'agneau côtoie le bœuf bourguignon et le panaché de poisson au beurre blanc. Le gigot à la moutarde de Meaux est présenté en portion généreuse accompagné d'épinards au vert printanier, simplement tombés à la vapeur, de *polenta* et d'une purée de racines. Le jus de cuisson n'arrive toutefois pas à masquer les affiliations néo-zélandaises de la bête, moins savoureuse que notre agneau du Québec.

La carte propose plusieurs poissons frais apprêtés de différentes façons, soit cajun, pochés ou grillés. Plusieurs sauces ou huiles infusées s'offrent en guise de faire-valoir. La raie a l'habitude d'être pochée mais, saisie à la façon cajun, elle est tout aussi intéressante. On n'abuse pas dans cet établissement du *blackening,* procédé qui consiste à chauffer les poêlons à blanc et à saisir (jusqu'à les brûler) les aliments enrobés d'épices cajun. Une *relish* faite de pommes vertes, de poivrons et de raisins secs accompagne à merveille ce poisson coloré.

Les Continents offre une carte des vins (de 28 $ à 528 $) où les vins au verre abondent pour le plus grand bonheur des gens seuls ou peu portés sur les excès. Quant au pain dans la corbeille, je n'ai que des compliments à lui faire. Tant la baguette (avec une vraie croûte) que le pain aux noix ont en commun la fraîcheur et le goût du vrai.

Les desserts ne sont pas de reste dans cette maison et le baba au rhum reprend du service après avoir été boudé pendant plus de deux décennies dans nos restaurants. Ce petit exemplaire est imbibé d'un véritable sirop au rhum et son seul défaut tient à sa petite taille (mais il est vrai que vous conserverez vous aussi une petite taille). La crème brûlée est servie froide et nous prive d'un plaisir immense, celui de plonger la cuillère dans cette croûte caramélisée encore chaude et d'y aller débusquer le riche mélange de crème et d'œufs.

Un repas pour deux personnes vous coûtera environ 50 $ le midi et 70 $ le soir avant vin, taxes et service. Table d'hôte le midi à 25 $.

DA MARCELLO
825, rue Laurier Est
Tél.: 276-1580
Métro Laurier, sortie nord.
Ouvert du mardi au vendredi de 12 h à 14 h 30 et du
mardi au samedi de 18 h à 22 h.
Fermé le dimanche et lundi.

Sur l'un des murs du restaurant, Yves Montand nous fixe d'un œil coquin, à jamais immortalisé sur l'affiche du film *Garçon*. La signature du célèbre comédien apposée au bas de la photographie ajoute à la valeur de cette pièce de collection. Sur l'autre mur, lui fait face un compatriote italien disparu la même année. Marcello, de son petit nom, est aussi présent dans la mémoire des habitués du restaurant que l'air des *Roses de Picardie*.

Amoureux de Sienne dont il était natif, Marcello a fait beaucoup pour différencier la cuisine italienne (mieux connue ici sous le terme de *spaghetti meat ball)* de la vraie cuisine italienne. À son menu, les pâtes n'officiaient pas quotidiennement et les clichés étaient systématiquement bannis. À l'heure où le terroir n'était pas encore une mode, Marcello Banini restituait ses lettres de noblesse à la cuisine de sa grand-mère.

Aujourd'hui, Jean Fortin, un jeune chef de 29 ans, a repris les fourneaux, et la flamme avec. Dans cette minuscule cuisine où tout un chacun se pressait à l'heure de l'apéro, histoire d'aller humer la sauge, le basilic et l'ail, il règne encore le même souci de faire vrai et de faire «rital».

Le menu renouvelé quotidiennement et écrit en italien exige quelques explications. Murielle, la compagne de Marcello, place les points sur les «i» et s'assure de mettre ses ouailles en appétit. On cause *prosciutto* vieilli dans la cave, d'huile de truffes blanches rapportée du dernier voyage en Toscane, de vin importé par la patronne et de recette médiévale remise au goût du jour.

Fleuron de ce menu italo-siennois, le *risotto* est l'une des spécialités du chef qui a fait ses classes à Bologne. Facile à faire le *risotto* et pourtant, peu de restaurants l'offrent parce qu'il demande une vingtaine de minutes de cuisson et d'attention soutenue. Le riz *arborio* à grain court, mouillé au vin blanc et nourri au bouillon, reste *al dente.* Onctueux, grâce à cette méthode de cuisson lente et au fromage parmesan qu'on y ajoute, le *risotto* est aussi parfumé en raison des champignons *porcini* incorporés en fin de parcours. Un soupçon d'*olio santo* (l'huile sainte pimentée) et le tour est joué...

Une entrée légère que ces *bruschetta alla Toscana* faites de simples tranches de pain grillé arrosées d'huile d'olive vierge, parfumées à l'ail et surmontées de roquette bien fraîche. Des tranches de *prosciutto* de sanglier maison s'ajoutent à l'assiette et donnent du caractère à cette digne fille de l'Italie.

La *lombata di vitello,* imposante dans l'assiette et invitante par son fumet, est une côte de veau juteuse et tendre farcie d'un amalgame de fromage, de pain et de *porcini.* Déposée sur des feuilles de bette tombées, cette pièce de viande de la meilleure espèce côtoie des pommes de terre rouges saupoudrées de sel.

Le lapin a les mêmes qualités grâce à une cuisson qui n'assèche pas les chairs et infuse les parfums. Cette roulade désossée et farcie au fromage, à la *pancetta* et à la feuille de bette (on y ajoute aussi une goutte ou deux de cette huile de truffes blanches) aguiche l'œil et le palais. Même présentation rustique pour cette assiette à cent lieues d'être rustre.

Le plat de noix fait partie des habitudes dans cette maison et elles accompagnent fort bien la sélection de fromages italiens odoriférants. La carte des vins italiens ne laisse personne indifférent et les prix varient de 20 $ à 120 $. On pousse le souci du détail jusqu'à offrir plusieurs bouteilles de choix au verre. Un verre de Vernaccia de San Gimignano et une demi-bouteille de vin rouge de San Felice firent parfaitement l'affaire. Le pain est traité avec soin dans cette maison, à l'égal de tous les ingrédients de premier choix qu'on y utilise.

Au chapitre des desserts, un biscuit aux amandes garni de ganache au chocolat et de crème au beurre de noisettes termine sur une note riche mais «oh combien» savoureuse grâce au chocolat haut de gamme employé. D'excellente facture (bien que très riche), la glace maison au rhum et raisins est présentée avec l'instrument d'usage, la cueillère plate à *gelati.* Des biscuits aux amandes et à l'orange font plus que bonne figure dans cette assiette.

Et que dire enfin des souvenirs qu'on ramasse à la pelle dans ce petit local tout en longueur où l'atmosphère jaune ocre s'épaissit de rires et de confidences et où s'étire le soir en douceur. Dans la cuisine flotte une odeur de fruits mûrs, aoûtés, et en filigrane, le geste ample et gourmand de Marcello soulevant le couvercle d'un chaudron.

Un repas pour deux personnes vous coûtera environ 75 $ avant vin, taxes et service. Table d'hôte uniquement de 10,95 $ à 17,95 $ le midi et de 21,95 $ à 38,95 $ le soir (excluant le dessert). Spécial pâtes le mardi soir de 18,95 $ à 25,95 $.

IL MULINO
236, rue Saint-Zotique Est
Tél.: 273-5776
Métro Beaubien
Du lundi au vendredi de 12 h à 15 h,
du lundi au samedi de 17 h à 22 h,
fermé le dimanche.
Salons privés.

S'il me fallait emmener avec moi une cuisinière sur une île déserte, elle serait italienne et la *mamma* attitrée d'une branche d'arbre généalogique bien fournie. Femme forte aux bras puissants ayant bercé les uns et brassé les autres, femme d'instinct aux doigts de fée et au geste précis, femme de parole au langage fleuri, cette cuisinière m'engraisserait de ses pâtes quotidiennes arrosées de sauces longuement mijotées aux feux lents de l'amour maternel.

J'ai une amie sicilienne qui a cette générosité bien latine tant dans sa façon de vous recevoir que de vous laisser repartir. En guise de souvenir, Marie vous prépare toujours des petits plats pour rapporter à la maison. L'autre soir, je suis retournée chez moi avec sous le bras, un plat de *gnocchi* aux pommes de terre et un autre de chèvre et de boulettes de veau au *pecorino* de Sardaigne sauce tomate, restants d'un abondant et succulent repas arrosé au *vino novello*. Cette cuisine italienne-là, elle ne se retrouve nulle part ailleurs qu'à la maison. C'est la bouffe *casalinga*.

Du moins jusqu'à récemment, je le croyais. Il faut mettre les pieds chez *Il Mulino* au moins une fois pour connaître le caractère franchement «ethnique» de la Petite Italie. Ce petit restaurant où les habitués se bousculent midis et soirs trahit son indépendance farouche par mille et un détails. À moins de parler correctement l'italien ou d'être un résident du quartier, cent fois entrevu devant la porte du café *Italia,* vous risquez d'être traité au mieux en touriste et au pire en vague petit «senteux» en mal de sensations fortes. Un visiteur averti en vaut deux!

Le service est fait de façon fière, un rien provocante, presque cavalière et on ne se gêne pas pour vous mettre les points sur les «i» d'entrée de jeu: le patron est maître à bord (après la belle-mère) et le client bien chanceux d'être admis à sa table. Ça n'empêche pas ledit patron d'y aller d'une sérénade et de vous chanter l'amour comme on le voit faire dans tous les films de série «B» tournés dans les *trattoria* de la place Saint-Marc. Comme les pigeons sur ladite place, ça fait partie des clichés éculés, d'autant que le patron est portugais (marié à une Italienne, il va sans dire). D'ailleurs, saga italienne oblige, la belle-mère du patron sera omniprésente tout au long de ce repas, car elle met la main à la pâte et plus souvent qu'à son tour.

Le menu chez *Il Mulino* change tous les jours et cette simple feuille manuscrite n'est qu'un indice de ce que vous pouvez trouver en cuisine. En effet, il arrive que plusieurs plats manquent à l'appel. De toute façon, c'est Tony, le patron, qui finira par vous dire quoi prendre, et même ça vous n'êtes pas assurés de l'avoir! Pour le vin, même principe. Tony propose et dispose. À vous de ne pas savoir ce que vous voulez et de faire preuve de souplesse!

Aux tables voisines, l'ambiance est à la fête et les immenses plats de pâtes passent de main en main, généreux, invitants et présentés comme à la maison. Le mercredi et le jeudi sont placés sous le signe des *gnocchi* sauce tomate, *al pesto* ou au *gorgonzola*. J'ai choisi ceux aux tomates et les ai trouvés presque aussi réussis que ceux de Marie, c'est vous dire!

Mélange de farine, de pommes de terre, de fromage et de jaunes d'œufs, ces petites boules de pâtes pochées allient une texture tendre à une saveur prononcée. Le tour de main consiste à ne pas les rendre collants et trop lourds. La sauce aux tomates ajoute ici une acidité souhaitable et le parmesan râpé toute la force du revenez-y. Ma sicilienne amie y ajoute aussi des piments séchés, histoire de ne pas faire mentir ses origines bouillantes. On peut, comme chez *Il Mulino,* y administrer un peu de poivre noir tout droit sorti d'une poivrière à piles avec lampe de poche incluse dans le plus pur style mafiosi.

Les *antipasti* sont des plus colorés et variés dans ce restaurant. Rien à voir avec les bouts de saucisson secs habituels garnis des quelques olives de service. Des pleurotes et des poivrons grillés, de l'aubergine farcie au veau absolument délirante, de la truite fumée et... des olives font un joli et délicieux tableau.

Une heure et quelques verres de vin blanc plus tard, le rouget grillé devait nous arriver dans toute sa splendeur. On avait brûlé le premier car la belle-mère s'était absentée... Et quoi encore? Ce rouget légèrement trop cuit n'a d'autre atout que de goûter exactement ce qu'il doit goûter, c'est-à-dire le poisson frais. Garni d'un quartier de citron, de pommes de terre et de brocoli, c'est un plat de semaine sans fioritures. Pas de quoi écrire à sa *mamma*.

Par contre, les *involtini* de veau (j'avais commandé du veau *Piccolo Mondi* mais ça aurait retardé la commande...!) farcis aux épinards et au fromage mozzarella sont à se rouler sur la table. Une sauce crème parfumée à l'ail enveloppe ces trois roulades de veau généreuses et rondes de plaisirs dissimulés. Les mêmes pommes de terre et le brocoli jouent les trouble-fête.

De pain chez *Il Mulino,* point. De la pizza aux tomates joue parfaitement son rôle mais faites attention de ne pas en abuser car elle pourrait très bien tenir lieu de repas. Le vin, un Tenuta di Pomino 89 bien fruité, arrosait parfaitement ce repas. Notons que la cave se compose de quelques vins choisis par le patron et se détaillant entre 25 $ et 150 $.

Préférez les desserts maison aux glaces du commerce. Ce soir-là, plus de *tiramisu* au menu mais de la tarte aux pommes de la belle-mère comme j'en ai rarement goûté (sauf chez ma propre mère). Servie légèrement chaude, cette tarte sans cannelle et sans crème glacée fait plaisir à voir et à savourer. Une assiette de fruits de saison, magnifiquement présentée, se compose de kaki (sensuel), de figues de Barbarie (insipides), de poires, de raisins et de fraises (blanches). Des marrons chauds sont présentés en guise de mignardises. L'instant d'un éclair, on se croirait sur une *piazza* pleine de pigeons, un après-midi de novembre. *Castagna Calda, Castagna Calda...*

Un repas pour deux personnes vous coûtera environ 70 $ avant vin, taxes et service. Faites attention, l'addition gonfle très rapidement dans cette maison car tout est à la carte et on perd facilement le contrôle sur la commande.

LE LATINI

1130, rue Jeanne-Mance
Tél.: 861-3166
Métro Place-des-Arts ou métro Place-d'Armes
Ouvert de 11 h 30 à 15 h et de 17 h 30 à 23 h 45,
fermé samedi midi et le dimanche.
Terrasse et salons privés.

Le Latini fait partie de ces restaurants qui ont su s'en tenir à une seule et même vérité depuis l'ouverture. Mis à part le décor magnifiquement rafraîchi, la cuisine est restée tout aussi vraie, aussi italienne et le service bien latin. Sur cette terrasse couverte, on oublie presque l'environnement très urbain, le complexe Guy-Favreau voisin et le boulevard René-Lévesque. Ne reste que la fraîcheur du marbre, le romantisme des chaises de faux rotin, les plantes, les petites lampes à l'huile sur chaque table et leur éclairage diffus et le menu, bien sûr, séduisant de choses bonnes à entendre, parce qu'écrites en italien.

Dès l'entrée, *Le Latini* vous fait saliver avec un étalage d'*antipasti,* des plateaux de fruits frais, des casiers de sorbets colorés, une niche vitrée où se fabriquent les pâtes quotidiennement. D'ailleurs, ce restaurant réussit entre toutes choses à refléter l'esprit d'une cuisine faite pour vibrer avec la venue de la belle saison. Fraîcheur, couleurs, naturel réussissent mieux à la cuisine italienne que tous les déguisements au monde.

Parmi les *antipasti,* les légumes grillés rendent justice au jardin potager. Qu'on choisisse les pleurotes tout simplement ou encore le *grigliata all'Ortolano,* on retrouve l'essentiel du panier à provisions sur cette assiette: de fines tranches d'aubergines, de courgettes, de carottes, d'oignons, de poivrons jaunes et rouges, simplement arrosées d'huile d'olive et saupoudrées de basilic. Quelques tours de poivrière (sur chaque table) soldent cette assiette d'une exquise simplicité.

On peut d'ailleurs faire tout un repas par temps chaud de ces *antipasti* légers et colorés. Le *carpaccio* modifie un peu l'assiette traditionnelle mise au point par le *Harry's Bar* et réunit plusieurs tranches de filet mignon. Ces tranches fines (et non transparentes) ont été aplaties avec le plat du couteau. Enduit de basilic à l'huile et réveillé par le citron, le *carpaccio* se double d'une assiette de fromage *friulano* tranché mince, histoire d'apporter un pendant salé et de susciter une certaine soif du vin!

À la table d'hôte du *Latini,* les choix se bousculent et tant l'amateur de viandes, d'abats, de poissons ou de pâtes y trouve son compte. En entrée, les *gnocchi rosa al gorgonzola* offrent un joli coup d'œil. Colorés au jus de betterave, ces *gnocchi* aux pommes de terre tranchent avec la douceur de la sauce au fromage *gorgonzola* bien crémeuse. On en ferait volontiers un repas!

Suivent les ris de veau *romagnola,* d'une simplicité et d'une maîtrise à faire pleurer. L'équilibre des saveurs et des textures dans cette assiette frôle le génie et pourtant on n'y retrouve, hormis des ris parfaitement nettoyés, qu'un peu de crème, du vin blanc, de la tomate fraîche, des champignons et du basilic. *Basta!* Des pommes de terre sautées et des haricots verts composent la garniture. Mentionnons que la cuisson des ris est exemplaire.

Le pain dans cette corbeille prêche en faveur de la mère patrie et traduit l'amour du bon pain farineux comme l'aiment les Italiens. La carte des vins est un hymne à Bacchus et offre un choix rare de 858 crus différents répartis entre 42 000 bouteilles et presqu'exclusivement italiens. Vous avez ici l'une des caves les mieux garnies en ville et généreuse d'importations privées. Sa conception signée Jean Aubry permet également des dégustations privées dans une salle prévue à cet effet. Les amoureux du *vino* en perdront leur latin. Même le vin de table vénitien (rouge, blanc ou rosé) a plus de vertus que de vices, c'est tout dire!

Au chapitre des *dolce* (les douceurs), on retrouve plusieurs choix. Si, comme nous, vous préférez la fraîcheur, les sorbets constituent une excellente finale. On ne perd rien du fruit au profit du sucre dans cet assortiment kiwis, fraises et oranges. Si la crème ne vous indispose pas, le *gianduia,* un gâteau glacé au chocolat saura combler cette fin de repas. Gavée de pépites de chocolat fin et d'amandes grillées, cette pointe de glace crémeuse taillée dans le gras de la volupté fait partie des attractions du *Latini.* Des *biscotti* à l'orange et aux amandes de même que les traditionnels morceaux de nougat et de chocolat sont toujours offerts à l'heure de l'*espresso*. Récession ou pas, on sait vivre!

Un repas pour deux personnes vous coûtera environ 50 $ avant vin, taxes et service. Table d'hôte de 13,75 $ à 21 $ le midi et de 22 $ à 31 $ le soir.

MILOS

5357, avenue du Parc
Tél.: 272-3522
Métro Place-des-Arts, bus 80
*Ouvert du dimanche au vendredi de 12 h à 23 h 30,
samedi de 18 h à minuit.
Service de valet après 18 h 30.*

Il est des endroits en ce bas monde où l'on se berce davantage d'illusions que de pronostics de fin du monde, où ce sont les bouchons de champagne qui sautent et les cris joyeux qui déchirent le silence. L'autre soir, je mangeais le même pain grec que ces dîneurs bien nantis venus oublier les mauvaises nouvelles sur fond de récession économique, dans un restaurant de nature plébéienne mais qui n'en cultive que les apparences.

Dans ce décor de *psarotavernas* installé sur la place publique, on se plaît à revivre les temps forts d'une «Shirley Valentine» cherchant le pâtre grec, à imaginer un *ouzo* siroté lentement en admirant le soleil couchant malgré la tempête qui fait rage derrière les vitres fumées.

Le raffinement du décor n'a d'égal chez ce patriarche de la gent marine que la fraîcheur de ses poissons. Dans son linceul de glace, il y en a même un qui m'a tiré la langue pendant quelques heures, histoire de me narguer peut-être. Il n'est pas déplacé dans cette «taverne à poissons» de venir choisir sa proie parmi les espèces offertes et le plus souvent pêchées le matin même. Importés ici par camion ou par avion, ces poissons ont le teint frais, l'écaille luisante, l'œil vif et la chair ferme, plus qu'il n'en faut pour mordre à l'hameçon.

Sur le menu, les mêmes grands clichés de bord de mer, auxquels on ne désire même pas échapper, s'étalent malgré la fadeur des tomates et l'anémie de la salade. Le «spécial Milos» en est un qui transpire le soleil, la friture légère et l'ail. Aubergines et courgettes frites, de même que quelques morceaux de *saganaki* (un fromage de brebis frit), entourent une belle motte de *tzatziki* (yaourt au concombre et à l'ail). On fait trempette à qui mieux mieux et l'haleine en prend pour son rhume (l'ail a des effets purgatifs et répulsifs bien connus). La pâte à frire enrobant les uns et les autres légumes gagnerait des prix dans un

concours du Cercle des Fermières... ultra-fine et sans résidus graisseux!

La pièce maîtresse apparaîtra sur la table après un
temps fou. Cet omble de l'Arctique, proche de la truite
saumonée par la texture et la couleur de sa chair, est présenté dans le plus simple appareil, deux filets dodus grillés à perfection, ayant conservé en mémoire l'humidité
marine. Le poisson nappé d'une émulsion au jus de citron
et à l'huile d'olive vierge et de quelques câpres décora-
tives n'aurait pu être dans plus bel état. Et l'addition
risque de vous mettre dans tous les vôtres à 23 $ la livre,
arêtes et coûts de transport par avion inclus.

La salade grecque est de rigueur dans les *psarotavernas,* ne serait-ce que pour mettre un peu de chair autour de l'arête. Cette salade pour deux réunit les éléments
habituels, soit la salade (exclue en Grèce), les tomates, les
concombres, les piments marinés, le fromage feta,
quelques poivrons et les olives. De l'origan aussi pour le
parfum de là-bas...

Le pain grillé se présente en début de parcours
avec une assiettée d'huile d'olive dans laquelle on trempe
la mie sans arrière-pensée. Le vin grec (un Saint-Héléna)
arrose ce repas sans d'autres prétentions que de vous rafraîchir le gosier pour la modique somme de 23,50 $.

On ne peut dire autant de bien de l'assiette de
fruits (à 15 $) composée de deux poires, de kiwi, d'orange
et d'une pomme artistiquement découpée dans un verre
de vin de Samos... De l'arnaque pure et simple que cette
finale. Mais quand vous aurez visité ce qui tient lieu de toilettes à ce restaurant et aurez profité du service de «valet»
offert gratuitement pour stationner votre carosse, vous
aurez une meilleure idée de la répartition des coûts de
l'entreprise.

Comptez environ 90 $ pour deux personnes avant
vin, taxes et service.

SOCIÉTÉ CAFÉ

Hôtel Vogue
1415, rue de la Montagne
Tél.: 987-8168
Métro Peel, sortie Stanley
Tous les jours de 7 h à 23 h,
brunch du dimanche de 10 h 30 à 15 h.
Terrasse chauffée!

Rue de la Montagne, l'hôtel *Vogue* a fière allure, c'est indéniable. Pourtant, il n'aurait pu choisir pire moment pour naître, compte tenu du maigre pourcentage d'occupation hôtelière par les temps qui perdurent. Les Américains riches le préfèrent peut-être, pour des raisons qui m'échappent, à l'*Hôtel de la Montagne,* son vis-à-vis, son concurrent immédiat, son cauchemar quotidien dès le réveil. Si les hôtels pouvaient s'exprimer, ces deux-là se feraient assurément la gueule, des pieds de nez élégants et des crocs-en-jambe bien mérités. Bref, on est à couteaux tirés sur la chic rue du centre-ville et cette saine concurrence favorise évidemment le client qui, comme chacun sait, demeure le roi.

Le restaurant attitré de l'hôtel *Vogue,* après avoir connu des débuts difficiles, se fait maintenant une gloire de servir une cuisine eurasienne (terminologie floue s'il en est) dans un cadre des plus occidentalisés. Cette cuisine que les Américains qualifient eux-mêmes de californienne joue davantage sur les présentations que sur les mots et se livre à des mariages osés, voire choquants. Bien exécutée, cette tambouille mi-asiatique, mi-européenne peut se révéler un feu d'artifice, une véritable explosion de saveurs dans la bouche.

Dans un décor plutôt froid, aux lignes symétriques et aux tons de corail et de gris, la disposition des tables encercle un bar central où s'attardent les amateurs d'«heures joyeuses» et quelques voyageurs esseulés et décravatés. Des chandeliers sur les tables apportent une note plus chaude et vaguement ringarde. L'halogène perd au plus secret des confidences ses droits territoriaux.

La carte se compose à la fois d'un volet quotidien et d'un autre plus rigide. Pigées à même les inspirations de la journée, les deux entrées plutôt estivales sont présentées sur des assiettes tout droit sorties des jardins de Monet (incidemment je vous recommande *Les carnets de cuisine de Monet* aux éditions du Chêne: un pur délice). Le tartare aux deux saumons (cru et fumé) repose sur un lit de «bébés laitues», de feuilles de capucines au goût moutardé et de trévise rouge. Une vinaigrette légèrement acidulée assaisonne le tout et des tranches de citron vert décorent l'assiette.

En salade tiède, le jarret de veau confit puis fumé trouve ici de quoi batifoler avec les pousses de laitues naines, les raisins frais déglacés avec le vinaigre de xérès et l'échalote française, les pignons, les poivrons rouges et jaunes et les mêmes feuilles de capucines aux longues queues comme des spaghetti. Cette assiette équilibrée (acide, sucré, fumé, croquant, moelleux) fait plaisir tant à voir qu'à goûter.

À la carte, le cochonnet confit dans son jus nous offre un produit bien de chez nous mais qui élimine tous les défauts du cochonnet généralement sec et nerveux. On lui trouve ici une maturité, une tendreté, une douceur propre à la nature des confits. Le tout est rehaussé par une sauce au porto aigre-douce et à la pâte de tamarin pour la touche thaïlandaise. Des juliennes de navets et de betteraves ainsi qu'une purée de pommes de terre douce et des courgettes complètent l'assiette joliment dressée.

Quant au cari de pétoncles et de lotte aux fruits exotiques, il trahit un certain penchant qu'entretient le chef pour les mers du Sud. Sur un beurre blanc parfumé à la mangue et au cari, les pétoncles cuits (mais sans excès) doublent au fil d'arrivée les tranches de lotte légèrement salée. Une tulipe en pâte phyllo laisse s'échapper un concassé de mangues au gingembre, histoire de parfumer davantage cette assiette de la mer.

Au chapitre du pain, on retrouve un assortiment suffisamment important et de bonne qualité, mais le beurre avait souffert de la chaleur. La carte des vins s'est remplu-mée depuis l'ouverture et on y trouve certains vins comme ce Sauvignon californien de Robert Mondavi à un prix raisonnable.

Les desserts se méritent une carte à eux seuls. Les fruits sont exploités de mille et une façons, en sorbets, po-chés, en soupe. Nous leur avons préféré la crème brûlée classique, mélange suave de crème et d'œufs recouvert d'un caramel opaque et brûlant tout à fait réussi. L'assiette gourmande réunit quelques créations du chef pâtissier mais sans véritable unité. Ces *smorgasbords* sucrés mélangent tant les parfums que les coulis et détournent l'attention davantage qu'ils ne l'aiguisent. Un gâteau à la mousse de mangue et un autre aux deux chocolats, un peu chargés en gélatine, ainsi qu'un gâteau aux amandes se côtoient sur différents coulis de fruits frais.

Un repas du soir pour deux personnes vous coûtera environ 72 $ avant vin, taxes et service. Table d'hôte de 8 $ à 15 $ le midi. Carte des vins de 25 $ à 750 $. Vins au verre de 4,75 $ à 12 $.

Vaut le détour

BISTRO À CHAMPLAIN

75, chemin Masson
Sainte-Marguerite du Lac Masson
Tél.: (514) 228-4988

*Ouvert l'été du mercredi au samedi de 18 h à 22 h, le
dimanche de 12 h à 21 h, le lundi sur réservations de
groupes.
Ouvert le reste de l'année le vendredi et samedi de
18 h à 22 h, le dimanche de 12 h à 21 h et du lundi au
jeudi sur réservations.
Terrasse et salons privés.*

Rencontrer Champlain Charest, c'est se mesurer
au pire sybarite qui soit, c'est faire le plein de carburant
pour quelques jours et constater l'ampleur des passions
dévorantes, c'est se sentir tout à coup bien banal, grippe-
sous, presque belge devant ce personnage rouge vin. Pour
une bouteille de vin convoitée, Champlain Charest se livre
à mille bassesses, traverse l'océan, marchande, mise, joue
ses avoirs sans arrière-pensée. Pour ce collectionneur de
vins vieux, les raisins ne sont jamais trop verts...

Le *Bistro à Champlain* est né de ce besoin de partager une passion croissante mais sans débouché réel hors
les occasionnels dîners entre amis. Une façade pour abriter un vice sans limites et picoler sans remords, le *Bistro à
Champlain* est devenu presque malgré lui une des caves à
vins les plus en vue d'Amérique du Nord (gagnante de plusieurs prix), la plus complète au Canada et un des fleurons
du patrimoine québécois.

Réussir à s'attirer une clientèle de fins palais sur
les rives du lac Masson à Sainte-Marguerite-les-Bains est
en soit un exploit. L'ancien magasin général restauré avec
goût a conservé son cachet d'antan et les toiles et col-
lages du peintre Riopelle (grand ami du patron) ne font
qu'ajouter au plaisir des sens. La grande terrasse permet
l'été durant d'amorcer la dégustation de vins à l'extérieur
et une salle de réception attenante accueillera les noces
bruyantes tout au long de la belle saison.

Si, à ses débuts, l'établissement favorisait une cuisine bistrot, il s'est aujourd'hui ajusté et offre un meilleur
équilibre vins-mets. C'est une chose que de répertorier
dans un album 2 000 vins différents sur plus de 45 millésimes,

mais encore faut-il pouvoir les mettre en valeur de façon convenable. Aux amateurs de vins, les trouvailles uniques à faire dans cette cave n'ont pas de prix, aux timides explorateurs la possibilité de goûter plusieurs vins au verre fait de cette halte un aparté mémorable.

Le service entier, tout axé sur l'explication et la description des vins, permet de nombreux échanges pour peu qu'on soit réceptif et curieux. Le sommelier, Daniel Pelletier, partage sans snobisme ses connaissances et son amour du pinard. Quant au jeune serveur, trop de bonne volonté et de raideur contrecarrent l'effet recherché.

Le chef, Marc Beaudoin, s'est mis en tête d'élaborer une carte réduite (gage de fraîcheur) mais extrêmement alléchante. Le menu dégustation (48 $) de six services se couple facilement à la sélection de vins (31 $ ou 62 $) de cinq verres, soit l'équivalent d'une demi-bouteille.

À la carte, le baluchon de pétoncles à la fondue de tomates et poireaux offre un coup d'œil intéressant grâce à la pâte phyllo «chiffonnée». De nombreux pétoncles cuits à point et un effiloché de poireaux garnissent cette prison dorée. La sauce légère au vermouth et au jus de pétoncles, à peine crémée et safranée, offre un support délicat.

Le menu dégustation s'enorgueillit de trois entrées en commençant par l'agneau frais du Québec, fumé par la maison et flanqué d'une salade de lentilles rouges relevée timidement, ainsi que de petites boutures tendres de poiré et de feuilles de chêne. Le tout a belle allure et l'agneau bien gras traité de cette façon «fumeuse» supporte bien le pétillant de la Blanquette de Limoux, Sieur d'Arques.

Le consommé de canard et julienne de céleri-rave camoufle un œuf de caille poché tout à fait revigorant et beaucoup plus gastronomique que ces sorbets sucrés généralement servis en guise de trou normand. Suit l'assiette de saumon et pétoncles aux parfums d'orange, gingembre et muscat (un vin doux) coiffée de cheveux d'algues. Les consonances asiatiques de cette assiette n'excusent pas l'abus de cuisson du saumon poêlé à l'huile d'olive mais le Soave Classico Capitel Groce di Monte Forte 1986 comble à merveille cette lacune en ajoutant une touche boisée à la sauce déjà succulente.

La longe de daim aux baies de sureau de l'Isles-aux-Oyes vient asseoir cette montée chromatique. Ces baies de sureau minuscules, récoltées par le patron au gré de ses expéditions de chasse, ajoutent tout le fruit nécessaire au gibier pour être pleinement apprécié. Ce daim d'élevage n'a pas le panache de son *alter ego* sauvage mais il s'accomode parfaitement de cette sauce puissante (à base de xérès et de vin rouge), fruitée, poivrée, équilibrée. De la pure magie que ce Clos des Loyeres 1988, Domaine Vincent Girardin, encore violacé et plein de la vigueur des jeunes années prometteuses.

À la carte, le cochonnet rôti farci au foie gras et baigné dans une sauce courte au cidre et au miel, marie encore le fruit à la viande ainsi qu'une purée de pommes et oignons à l'orange tout à fait dosée pour rehausser la chair du cochonnet. Le foie gras encore cru dissimulé au centre peut surprendre mais sachez que le grand Gérard Vié (*Les Trois Arches* à Versailles) en a fait une de ses spécialités.

Vous rêvez d'arroser cela d'un verre de trois onces de Château Mouton-Rothschild 1983? Prévoyez les 20 $ nécessaires plus la TPS avant de vous emballer et faites suivre chaque recommandation du sommelier du mot «COMBIEN?», ça vous évitera un douloureux réveil au moment de l'addition.

Le fromage (ce biscuit de l'ivrogne) est choyé au *Bistro à Champlain* et on y retrouve les petits protégés au lait cru de Pierre-Yves Chaput. Le fromage Oka des pères trappistes du Manitoba relance le menu dégustation relevé par un Don Miguel Torres 1983, tout ce qu'il y a de boisé, d'affirmé et de convaincant. Le pain de facture *Cousin* brille par sa fadeur mais c'est probablement le plus grand problème des restaurants en région.

Les desserts apportent un bémol à ce repas tout en nuances. Le soufflé à l'érable et ses sorbets attire par sa joliesse mais ne remplit pas ses promesses, surtout avec le vin de dessert, un Barsac pour l'occasion. Le mélange de blanc d'œufs, d'érable, de fruits et de vin liquoreux choque tant le palais que la digestion. Quant à la marquise aux deux chocolats, son aspect friable gâche un peu du plaisir qui découle d'un chocolat de qualité. La crème anglaise est heureusement présente pour humidifier le tout.

Un repas pour deux personnes vous coûtera environ 90 $ avant vins, taxes et service. Table d'hôte à 19,95 $. Menu gastronomique à 48 $.

CAFÉ MASSAWIPPI

3050, rue Capelton
North Hatley
Tél.: (819) 842-4528

*Ouvert du lundi au samedi de 18 h à 22 h durant l'été,
du vendredi au dimanche de 18 h à 21 h à partir de la
Fête du Travail.*

Mon p'tit panier sous mon bras, je fréquente à nouveau le marché Jean-Talon. Je n'ai pas assez de deux mains pour cueillir à la fois les fraises prometteuses, les figues secrètes, le basilic odorant, les petits pois en cosse, les mangues immenses, les laitues terreuses, les oignons au blanc laiteux. Les habitués se promènent au gré des allées, le nez au vent, qui avec son cabas, qui avec son filet, qui avec sa poussette. Eric Luzy et Jacques Lapointe entassent, eux, les victuailles jusqu'au toit de leur bagnole et repartent chaque semaine en direction de North Hatley.

L'un cuisine, l'autre pas. L'un conduit, l'autre écosse les petits pois en attendant que se «débouchonne» l'échangeur Turcot. Les deux sont animés par la même passion de la restauration et de la cuisine italienne version *novelo*. Il faut les voir vanter leur *prosciutto* déniché je-ne-sais-où et «qui sent la rose», et ces olives au noir troublant, et ce basilic biologique, et ce veau acheté sur Saint-Laurent… ça ne finit plus. Ces deux-là ont soif d'innover dans une région touristique des plus coquettes, à quelques pas des rives du lac Massawippi.

Le *Café Massawippi* (ce mal nommé) est davantage un restaurant où les trouvailles faites au marché inspirent tant le chef que son acolyte dans la création de la table d'hôte, rédigée à la craie sur le tableau noir. Petit décor de chaumière, menus objets d'antiquaires, quelques tables rapprochées soldent une atmosphère douillette doublée d'un service familier.

Le *gaspacho* du jour rafraîchit les papilles et réunit avec bonheur les tomates, le concombre, le céleri, les poivrons rouges et verts, le basilic et le vinaigre de cidre (excellent contre la cellulite mesdames, *dixit* le Dr Lapointe). Bien relevé au piment, ce *gaspacho* laisse tout de même une pointe d'acidité marquée en bouche. Autre petite entrée tout à fait réussie: cette combinaison de poires et de betteraves rehaussées d'une vinaigrette crémeuse à l'estragon. Elle a tout pour plaire, tant l'œil que le palais.

Parmi les entrées (en supplément), les rillettes de gibier à plumes sont parfaites en texture et offrent tant la chair que la graisse (canard et faisan) ainsi que de savoureux éclats de poivre noir. Une compote d'oignons à l'anis ajoute sa note sucrée à cette terrine maison.

Autre prélude aux consonances italiennes, les figues et le *prosciutto,* d'une simplicité enfantine, simplement relevés d'une mignonnette de poivre noir. La douceur des figues alliée au *prosciutto* salé a de quoi réjouir et convient mieux que le cantaloup.

Les plats de résistance sont peu nombreux. Les cailles au poivre bien charnues et tendres, marinées puis grillées et arrosées de jus de citron ont bonne mine aux côtés de la purée de pois mange-tout, des carottes du jardin, des courgettes à la niçoise et de la semoule de blé aux amandes grillées. Les accompagnements sont soignés, arrosés d'un filet d'huile d'olive dans certains cas.

Quant au lapin aux arômes des boisés, il respire la sauge à pleines narines, le thym aussi et le laurier un peu. Un petit jus de cuisson fait de vin et d'un soupçon de crème mouille cette cuisse de lapin un peu coriace sous la fourchette mais succulente au goût. Les mêmes légumes ajoutent en couleur et varient les saveurs de cette assiette quasi automnale.

Le pain (*Cousin*) au blé entier bénéficie dans cette maison d'un traitement tout à fait méridional. On le sert tiède et accompagné d'huile d'olive rehaussée d'un peu de sel marin dans laquelle on fait «chichouille» (trempette). Un délice! Le vin ne vole pas la vedette à l'assiette et quelques bouteilles dénichées au gré des arrivages à Magog font les beaux jours de cette carte minimaliste. Un Vina del Sol de Miguel Torrès arrosait ce repas tiré d'une carte où les prix varient entre 18 $ et 40 $.

Les desserts confectionnés selon l'humeur du chef et exposés sur une desserte près de la cuisine sont servis à la température de la pièce, ce qui leur confère beaucoup de goût. Toutes simples, les fraises à la fleur d'oranger et à la menthe fraîche baignent dans leur jus naturel saupoudré de sucre. La tarte aux amandes, humide de fraîcheur, réunit les ingrédients d'un beurre d'amandes sur une croûte de tarte au beurre!

Même le café *espresso* a droit à des égards princiers, de petites tasses adorables, du sucre roux et... du lait mais vous en serez quitte pour un regard désapprobateur.

Un repas pour deux personnes vous coûtera environ 45 $ avant vin, taxes et service. Table d'hôte (avant le dessert) de 16 $ à 24 $.

LA CAMARINE
10947, boulevard Sainte-Anne
Beaupré
Tél.: (418) 827-5566
Ouvert de 18 h à 22 h; tous les jours.
Réservations recommandées.
Terrasse et salon privé.

À quelques kilomètres de la basilique, sur un chemin que les pèlerins fréquentent surtout l'été et les adeptes d'une autre religion munis de bâtons de skis l'hiver, *La Camarine* est apparue il y a quatre ans déjà. Québec a retrouvé son étoile polaire.

La camarine, ou «goule noire» au pays des Madelinots, est un petit fruit sauvage à pulpe pourpre. «Les habitants des îles en usaient autrefois pour fabriquer leur p'tit vin blanc», explique Francine Roy, chef de la *Table des Roy* pendant huit ans aux Îles-de-la-Madeleine. *La Camarine,* en souvenir de cette époque, est devenu son nouveau fief, non loin du circuit de l'après-ski.

Mais *La Camarine* est bien plus qu'une simple halte décontractée après une longue journée à trimer sur les pentes. Installé dans une vieille maison québécoise, ce restaurant, qu'on prétend le meilleur de Québec, s'est métamorphosé en auberge. Et c'est aussi le second souffle d'une chef chevronnée.

Les agapes auxquelles nous convie Francine Roy sont de taille. Sur le menu manuscrit, le choix se fait tantôt sage, tantôt provocant pour répondre à tous les goûts.

La salade de truite fumée aux asperges trahissait l'usage de cari tant dans la vinaigrette légère du mélange de laitues choisies que dans une gelée taillée en dés accompagnant la truite fumée. Celle-ci ajoutait son zeste de personnalité et les asperges leur croquant.

La mousse de foies de volailles et leur gésier confit était d'une légèreté peu commune, simplement déposée sur une assiette blanche. La large tranche de mousse ne surchargeait ni les papilles ni l'estomac en ce début de repas. Elle était présentée avec une confiture de carottes et un *chutney* de canneberges s'amusant du contraste salé-sucré.

Un velouté de tomates au thym frais entrecoupait tous les repas de la carte conçue comme une table d'hôte. Le velouté crémeux, sans note acide, embaumait le thym frais que Francine Roy cultive en pots.

Le foie de veau au gingembre et aux raisins était présenté en aiguillettes, cuit entier tel un rôti et découpé après cuisson afin de conserver les jus de viande ou d'abats. Celui-ci était bien rosé. Déglacée au vinaigre de framboises (maison), la sauce était faite d'un fond de veau et d'une infusion au gingembre confit aux racines résolument asiatiques.

Le blanc de poulet de grain au chou vert et au porto était cuit à la vapeur. La chair de cette poitrine restée humide reposait sur un émincé de chou vert aux lardons rappelant vaguement une perdrix au chou. S'ajoutait à ce souvenir familier une sauce au porto plutôt maigre, faite de fond de volaille. Des pâtes fraîches taillées à la main composaient le lit de l'assiette.

Les mêmes légumes sur une assiette adjacente s'ajoutaient à ces plats, soit un gratin dauphinois fait de céleri-rave, une purée de chou rouge et de poires et quelques légumes croquants et lustrés.

Le pain dans la corbeille se divisait en croûtons et en baguette fraîche (d'une envergure moyenne). Un Bourgogne Aligoté Louis Roche accompagnait ce repas. Il était tiré d'une cave modeste aux prix sobres.

Côté desserts, un classique de *La Camarine* depuis ses débuts remporte encore les faveurs du public. Le soufflé à l'érable, composé de blancs d'œufs et de sirop d'érable, dégage un parfum caramélisé et se laisse manger en un tournemain. Le fondant au chocolat amer, simplement composé de crème et de chocolat fin, avait la consistance d'une pâte de truffe servie sur crème anglaise au Grand-Marnier et aux zestes d'orange confits. Une finale intense et toute simple.

Le service était assuré par deux jeunes serveurs, l'un étant le fils de la maison. Si le costume n'est pas de rigueur pour les clients, il ne l'est pas non plus pour le personnel de service, mais la cuisine de Francine Roy mériterait sûrement un peu plus de décorum dans la mise.

Un repas pour deux personnes vous coûtera environ 90 $ avant vin, taxes et service. Pas de carte. Menu dégustation seulement à 34,95 $ et 49,95 $.

LE CHAMPAGNE
1000, du Rivage
St-Antoine-sur-Richelieu
Tél.: 787-2966

Ouvert du mardi au dimanche de 17 h 30 à 23 h 30,
fermé le lundi sauf durant la période des Fêtes.
Terrasse et salons privés.

Sur les berges du Richelieu, il y a un beau château matantirelirelire. Un château de style mauresque construit à la fin du siècle dernier. Au siècle dernier, St-Antoine-sur-Richelieu n'était qu'un petit village comme les autres avec ses notables et ses commerçants, ses petites gens et tout plein d'enfants.

Le Champagne a élu domicile dans cette magnifique demeure quasi princière, un joyau du Richelieu, plus modeste que le manoir *Rouville-Campbell* sur la même route mais avec plus de panache que les *Trois Tilleuls* à quelques kilomètres de là. Le soir, la maison toute entière illuminée est en liesse tel un vaisseau fantôme où valsent les revenants.

Les châtelains, Yves et Nicole Raymond, entretiennent une vraie basse-cour composée de canards colvert et de poules pondeuses. D'ailleurs, ils fournissent en œufs frais toutes les maisons des environs. Avec de tels voisins, on peut sans crainte mettre tous ses œufs dans le même panier ou du moins dans la même omelette.

Mais pas question d'omelettes au *Champagne*. Le menu est plutôt un condensé de plats fins réunis pour la meilleure des causes sur une carte courte et rassurante de simplicité. Un menu gastronomique tout de champagne arrosé est disponible à 105 $ la tête de pipe. Mais foin des attrape-touristes.

Le foie gras et sa brioche, tous deux maison, était présenté en deux tranches d'égale épaisseur accompagnées de pain brioché légèrement sec. Le foie gras macéré dans le cognac et le madère avait été cuit à toute vapeur, lui assurant un certain moelleux. Cette entrée valait son pesant d'or et aurait supporté un verre de sauternes qui l'aurait rehaussée.

Les champignons farcis Georges Blanc portaient le nom de ce grand chef qui a commis il y a déjà deux ans, le plus beau livre de cuisine qui soit: *La Nature dans l'Assiette* (Robert Laffont). Ces champignons sans prétention étaient farcis d'une duxelles (aux champignons) et baignaient dans un beurre blanc crémé et parfumé au cari. Les champignons à peine cuits se portaient à merveille dans cette assiette légère.

On nous fit languir entre les entrées et les plats principaux et à notre étonnement, les assiettes furent servies tièdes par un garçon ganté de blanc. La selle d'agneau était déposée en éventail au fond de l'assiette dans un jus d'agneau réduit et emprisonnant une mousse d'ail faite de gousses d'ail (mal dégermé) et de crème. Cette mousse trop salée convenait tout de même bien à l'agneau piqué d'ail et cuit rosé comme il se doit. Une assiette de légumes quelconques et trop cuits accompagnait cette assiette royale.

L'assiette de pétoncles et homard sauce champagne regroupait des pétoncles avec leur corail, des morceaux de homard, des moules et des champignons sur une sauce bien réduite, faite de jus de moules, de champagne, crémée et liée au jaune d'œuf. La sauce plaisante et de texture pur velours caressait le palais, mais ne cachait pas le vice de ces pétoncles avec corail qu'on ne se procure que congelés ici au Québec. Le goût iodé des pétoncles gâchait un peu la sauce.

Un demi Bordeaux Château Bodet La Justice et un demi Chablis Laroche arrosaient ce repas tirés d'une carte fort courte en demi-bouteilles. Le pain dans la corbeille était servi chaud et avait toutes les qualités du bon pain *Cousin*.

Les desserts se ressemblent tous au *Champagne*. On se croirait au palais des glaces. Trop estivals, ces desserts manquent d'originalité dans le cadre de cette maison historique. Nous avons plutôt opté pour le feuilleté à l'orange fait d'une pâte feuilletée absolument divine et aérienne, entrelardée de crème pâtissière au miel et de tranches d'orange trop neutres. Une crème anglaise au fond de l'assiette (j'espère que la prochaine décennie saura nous débarrasser de ce passe-partout déplorable) fort réussie et tirant sur le jaune rappelait la fraîcheur indéniable des œufs fermiers.

De la crème anglaise, on en trouve encore avec cette poire William des mieux fourrées qui soit: à la ganache au chocolat puis roulée dans la pistache et décorée de zestes d'orange confits.

L'infusion de tilleul est servie dans une mini-cafe-
tière Mélior et le champagne en flûtes. C'est d'un chic fou!
Les petits chocolats commerciaux présentés pour faire
passer l'addition gagneraient à être bannis.

Un repas pour deux personnes vous coûtera environ 100 $ avant champagne, taxes et service. Menu gastro-
nomique à 45 $. Brunch le dimanche à 28 $.

CHEZ NOESER
236, rue Champlain
St-Jean-sur-Richelieu
Tél.: 346-0811

Ouvert du mardi au dimanche de 18 h à 22 h,
brunch du dimanche de 11 h 30 à 14 h,
fermé le lundi.
Réservations de groupes le midi.
Terrasse et salons privés.

Qu'on s'en prenne à la charmante terrasse enjolivée de parasols aux couleurs tropicales ou qu'on préfère la fraîcheur de l'intérieur, *Chez Noeser,* le service est le même, sur nappes de tissus. Seules les «bibites» à blé d'Inde, plus voraces et tenaces que vous, pourraient vous faire fuir à l'intérieur rejoindre vos semblables. Mais le temps d'un kir maison baptisé au Grand Marnier et au muscat, la halte au grand air vaut toujours le coup.

Le patron (et chef cuisinier) vient lui-même proposer son menu dans cette maison où le service est entièrement assuré par le couple Noeser. La terrine de homard servie froide sur une sauce faite de yogourt et d'aneth se déguste facilement et prépare bien la suite. Cette entrée légère, cuite à la vapeur, couple le homard aux pétoncles, à la crème et aux œufs.

Le gâteau de cailles, une entrée chaude celle-là, est composé de chair de cailles ainsi que de foie gras de canard, le tout lié aux œufs et à la crème. Une sauce exquise faite de fond de cailles et de champignons tels morilles, mousserons et cèpes, donnent du caractère à ce plat plus automnal qu'estival, comme un présage dans l'assiette.

En dégustation, le faisan sauce aux poireaux est découpé en aiguillettes sur un fond crémeux à base de laitues, de poireaux et de fond de volaille. La chair plutôt fade du faisan d'élevage s'accomode bien de cette sauce presque sucrée de par les éléments qui la composent.

Suit l'agneau et sa sauce tomatée au basilic. Les tranches de filet rosées supportent un concassé de tomates fraîches parfumé au basilic et à l'ail mais légèrement trop salé. Un jus de cuisson léger apporte une humidité supplémentaire à cette assiette classique et réalisée selon les règles de l'art. Des petits légumes croquants complètent la présentation visuelle.

Quant au duo de poissons, saumon et flétan ce soir-là, il ne péchait pas par excès de fraîcheur, surtout dans le cas du flétan. Les deux poissons pochés mis en valeur par un beurre blanc à l'estragon se donnent la réplique, blanc sur rose. Des petits légumes jouent ici aussi le rôle de faire-valoir.

Une salade garnie de luzerne et de carottes râpées complète le menu dégustation avant de passer au dessert. Dans la corbeille de pain, une miche honorable à la croûte bien épaisse servie chaude, se double d'une barquette de beurre frais. La carte des vins ne fait pas d'excès et propose quelques bons crus qui ont déjà fait leurs preuves (de 28 $ à 120 $). Un Bourgogne blanc de Louis Latour arrosait ce repas.

Sur le versant dessert, deux choix seulement en ce retour de vacances: l'assiette de glaces ou le gâteau mousse de poires et chocolat (*Valrhona*). D'une fraîcheur irréprochable, les deux desserts séduisent tant par leur légèreté que par leurs saveurs prononcées. Glace à la pistache et sorbet à la framboise se fondent et confondent sur coulis de framboises. La génoise au chocolat entrelardée de mousse de poires *punchée* à la poire William repose sur un étang de crème anglaise.

Denis Noeser fait la preuve dans son petit établissement sans prétention qu'il vaut parfois la peine de quitter les sentiers battus. D'ailleurs, loin d'être uniquement concentrés au centre-ville de Montréal, les bons restaurants auraient plutôt tendance à s'en éloigner ces dernières années. À nous de suivre...

Un repas pour deux personnes vous coûtera environ 80 $ avant vin, taxes et service. Menu dégustation à 38 $ et 53 $ (de cinq à huit services).

LA CLOSERIE
966, boulevard Saint-Cyrille Ouest
Québec
Tél.: (418) 687-9975
*Ouvert du lundi au vendredi de 11 h 30 à 14 h et du
lundi au samedi de 18 h à 22 h.
Salons privés et terrasse.*

Régulièrement, ministres et sous-ministres délaissent le restaurant *Parlementaire* (qui pourrait les blâmer?) pour venir se réfugier chez Jacques Le Pluart, breton, chef et propriétaire de *La Closerie*. Le midi surtout, les comptes de dépenses vont bon train. Dans cette vieille maison «retapée», les différentes pièces favorisent une certaine intimité propice aux secrets d'État et le décor s'est fait assez timide pour céder toute la place à la cuisine. Le service est rapide et professionnel et on mettra beaucoup de soin à vous décrire chaque plat comme si c'était là votre dernier repas avant d'être condamné à retourner au *Parlementaire!*

Des petits croûtons garnis de mousse de foies de volaille tiennent lieu de hors-d'œuvre. Suivra ce buisson de coquillages au thym, une excellente combinaison de bigorneaux, pétoncles frais et moules arrosée de beurre parfumé au thym frais. Un peu gras somme toute. Le coffret d'escargots aux épinards et aux amandes est en fait une pâte à choux et fait appel, en plus des escargots, à une sauce aux échalotes, vin blanc et crème, tout à fait exquise mais un peu trop réduite.

Le homard et sa sauce au cresson font bonne figure et le coffre du homard tient lieu de décoration. La sauce elle-même réveillerait un mort et la julienne de légumes qui l'accompagne tempère un peu les ardeurs du cuisinier.

Le râble de lapin farci aux ris de veau et rôti au four pique la curiosité et flatte le palais du gourmet, d'autant que le fond de lapin allégé au vin blanc et crémé lui apporte tant douceur qu'onctuosité. Des petits légumes se joignent à l'ensemble.

Un Maître d'Estournel arrosait ce repas et était tiré d'une carte où les prix varient entre 20 $ à 400 $.

La carte des desserts propose un parfait glacé au citron sur coulis de groseilles tout à fait rafraîchissant et qui repose les papilles de tant de matières grasses. On ne peut dire autant de bien de la tarte au chocolat très dure servie avec une crème glacée à la menthe qui m'a laissée... de glace justement.

Un repas pour deux personnes vous coûtera environ 75 $ avant vin, taxes et service. Table d'hôte le midi de 11,75 $ à 20 $ et le soir de 24 $ à 36 $.

L'ÉCHAUDÉ
73, rue Sault-au-Matelot
Québec
Tél.: (418) 692-1299
Ouvert du lundi au vendredi de 11 h 30 à 14 h 30, le dimanche pour le brunch de 10 h 30 à 14 h 30 et tous les soirs de 18 h à 23 h.

Sur une petite rue non loin du Vieux Port de Québec, le bistrot *L'Échaudé* ne craint pas l'eau froide. Dans un décor rafraîchi (les murs sont d'un bourgogne brique des plus ravissants), ce rendez-vous tant de gens d'affaires que d'artistes est sympathique et décontracté. On y mange une cuisine à la mode affichant ses spéciaux sur le grand miroir central et on y pratique le coude à coude dans la plus joyeuse insouciance.

Le midi, seule la table d'hôte tient lieu de repas. Un œuf mayonnaise des plus sobres et un délicieux potage de légumes à l'arrière-goût d'oignons caramélisés s'offrent parfois en guise d'entrée. Suivent une salade tiède de caille (au singulier) et ses lardons, mettant en vedette une caille rôtie en crapaudine sur un lit de tendre laitue agrémentée de lardons et d'une vinaigrette. Le filet de truite à la crème d'épinards n'est pas de reste et affiche une fraîcheur de circonstance. De beaux légumes croquants et une purée de chou rouge au navet (ou l'inverse) entourent le poisson légèrement trop cuit mais il n'y a pas de quoi en faire un drame.

La carte des vins plutôt complète se situe dans une fourchette de 18,50 $ à 150 $ et les bières sont nombreuses, en fût ou en bouteille.

Les desserts ne sauraient être négligés, même le midi, dans cet établissement. Sur la même assiette, la tarte aux fraises et sa crème frangipane (aux amandes), la tarte au sucre calorifique et la tarte aux pommes (hors saison) font merveille.

Comptez environ 65 $ pour deux personnes avant vin, taxes et service. Table d'hôte le midi de 8,50 $ à 14,50 $ et le soir de 15 $ à 30 $.

LA GARONELLE

207, rue Saint-Jean
Québec
Tél.: (418) 524-8154

Ouvert du mardi au jeudi de 16 h à minuit,
vendredi et samedi de 11 h à minuit,
dimanche de 14 h à minuit.

J'ai connu Jean Garon à l'occasion d'une fin de semaine totalement chocolatée organisée par la chocolatière française *Valrhona* cet automne. Trois jours de *delirium tremens* et une crise de foie carabinée en surprime! Parmi les créations les plus «intenses» de ce championnat amical, le «Cercle noir» de *La Garonelle* de Québec. Jean Garon ne jure que par le chocolat, y puise sa raison d'exister («et d'emmerder son prochain» dirait-il!). Ce diable d'homme fait fondre presque trois tonnes de chocolat *Valrhona* par année dans son laboratoire de la rue Saint-Jean et tant ses bonbons que ses desserts valent le détour (et de très loin).

En pièces détachées ou en gâteaux complets, y céder, c'est y replonger de plus belle. Le *guanaja* plaira aux véritables «accrocs» de chocolat noir, 70 % de cacao assuré! Une mousse au chocolat noir, légère et amère juste à point surmonte un biscuit au chocolat et aux amandes légèrement *punché* au Cointreau. Le tout est enrobé d'une fine couche de «couverture». Si ce n'était pas assez, un petit carré de chocolat *guanaja* accompagne le tout. Divin avec le thé russe!

Le délice aux trois chocolats fait partie des *best-sellers* du salon de thé. Trois épaisseurs de ganache au chocolat blanc, brun et noir se superposent, entrelardées de génoise à peine humectée de kirsch. Garon réussit même à nous servir ses desserts sans crème anglaise, comme quoi le chocolat se suffit bien à lui-même. Autre création de la maison d'une finesse rare, le chocolat-noisette fait de mousse au chocolat et noisettes, de griottes sur biscuit aux noisettes et saupoudré de cacao noir. Bref, c'est ce qu'on appelle des plaisirs riches en... rebondissements!

Comptez entre 4 $ et 5,50 $ la portion de gâteau et 8,25 $ le 100 grammes de confiserie au chocolat sans compter le kilo de trop sur le pèse-personne le lundi matin.

LAURIE RAPHAËL
17, rue Sault-au-Matelot
Québec
Tél.: (418) 692-4555
Ouvert du lundi au vendredi de 7 h 30 à 14 h et de
18 h à 22 h 30. Samedi et dimanche, brunch
de 9 h à 15 h.

Sur la rue Sault-au-Matelot, les touristes vont, viennent, peinards. Les chances sont bonnes pour que la plupart d'entre eux effleurent des yeux la devanture sobre du *Laurie Raphaël* sans se douter qu'ils pourraient découvrir ici des spécimens uniques de cuisine régionale. Pas la cuisine de camps de bûcherons assaisonnée au sirop d'érable fleurdelisé, ni celle millésimée par Serge Bruyère. Non. Un cuisine régionale composée de produits locaux, biologiques ou chimiques, apprêtés à la mode nord-américaine.

Daniel Vézina a frayé sur les chemins californiens à la recherche de l'inspiration divine. Il a également travaillé sous les bons offices de maître Bruyère avant de se lancer dans une aventure qui lui collait davantage à la peau. Son petit restaurant aux tables rapprochées lui permet toutes les audaces en cuisine et chaque assiette est passée au crible de son œil vigilant. Le souci du détail est important et chaque mot de la carte trahit cet état d'esprit.

En sirotant le kir maison au mousseux et griottes, on a tout le temps de se mettre en appétit et de trancher entre la *foccacia* au canard fumé et asperges et le *carpaccio* de champignons *porto bella*. D'influences italiennes, ces deux assiettes mettent en valeur l'huile d'olive plutôt que le beurre, la diète méditerranéenne plutôt que continentale. La *foccacia* met en évidence les lamelles de canard fumé, les tomates séchées et les asperges *al dente*. Le pain employé est peut-être légèrement trop omniprésent et du fromage *taleggio* fondu (et sans goût) en recouvre la surface. Une vinaigrette au vinaigre balsamique et à l'huile d'olive vierge vient rehausser cette pizza chic.

Le *carpaccio* est fait de têtes de champignons californiens au goût subtil accompagnées d'un aïoli au romarin, de fenouil mariné et de lamelles de parmesan. Un peu d'huile d'olive rehausse le tout et laisse une impression de légèreté. Il va sans dire qu'il faut apprécier les champignons! Ces entrées sont entrecoupées d'un potage aux topinambours (aussi appelés artichauts de Jérusalem), ce légume originaire d'Amérique du Nord et rapporté en France par Samuel de Champlain. Cette crème douce et verte rappelle effectivement l'artichaut et la pomme de terre. Une salade de mesclun irréprochable fait également office d'entrée maison, simplement arrosée d'une vinaigrette au vinaigre balsamique, à la moutarde et à l'huile d'olive.

Touristique mais toujours aussi apprécié, le homard au fenouil est exécuté avec brio et beaucoup de justesse. La chair de homard décortiquée repose sur une sauce au jus de fenouil, au vin blanc, au Pernod et à l'huile extra-vierge. Un salpicon de tomates, de bulbe de fenouil et de maïs s'ajoute à cette sauce tout ce qu'il y a de digeste. Une timbale au bulbe de fenouil complète cet ensemble et on nous épargne les inévitables légumes assortis dans un esprit tout à fait italien.

La pintade au chou frisé et oignons perlés est tendrissime et cuite à perfection. Saisie puis passée lentement au four, la chair de cette volaille est demeurée juteuse. Le tout baigne dans une sauce claire faite de jus de pintade, de vinaigre au miel et citron et d'une mirepoix (légumes en dés). Le sauté de légumes à base de chou est de nature très asiatique. Des croustilles d'*edo,* une racine japonaise, décorent l'assiette.

Vous êtes toujours là? Quant à moi, j'ai du mal à suivre mon invité qui s'empiffre des fromages de Jean-Marc Chaput. Du roquefort Papillon Noir, du Langres qui pue de la gueule, et du Saint-Maure font l'essentiel de cette assiette à laquelle s'ajoutent les noisettes grillées. Le pain dans la corbeille est très moyen... mais ça, c'est un problème répandu à Québec. Daniel Vézina songe même à faire cuire son propre pain, c'est vous dire!

La carte des vins est inspirante et diversifiée. De nombreux vins sont également offerts au verre, ce qui n'est pas pour nuire à une telle table. Malheureusement, je ne vous recommande en rien le Chardonnay Coastal Ridge (pourtant délicieux dans sa version Cabernet Sauvignon) car il manque nettement d'équilibre.

Les desserts sont confectionnés sur les lieux et le chef n'en est pas peu fier. Je m'enorgueillirais moi aussi de cette terrine glacée au chocolat blanc et noir faite de mousse aux chocolats et de biscuit aux noisettes. Une crème glacée aux bananes nous change de l'éternelle crème anglaise. Pour le régime, il faudra repasser ou alors préférer sagement la soupe de fraises au Crémant de pommes du Minot, un cidre québécois de renom. Au centre de cette succulente préparation aux fraises et kiwis, une boule de sorbet à la noix de coco nous laisse sur une note de velours. Des tuiles aux amandes et des copeaux de fruits séchés, bananes ou pommes, décorent l'assiette en nous faisant oublier le manque à gagner côté calories vides...

Un repas pour deux personnes vous coûtera environ 60 $ avant vin, taxes et service.

LA MAISON DE CHAVIGNOL
3, avenue des Terrasses
Sainte-Rose
Tél.: 628-0161
Ouvert du mardi au samedi de 17 h 30 à 22 h,
fermé dimanche et lundi.
Salons privés.

Bruno Manlhiot fait partie de cette minorité de cuisiniers à connaître le chemin qui mène droit au plaisir, et sa table mérite d'accueillir tous les amoureux de la chère de passage à Sainte-Rose, à Laval.

Depuis qu'il existe, ce petit restaurant n'a pas fait de vagues, s'acharnant plutôt à se faire connaître des Lavallois. Mais aujourd'hui, alors que les compétiteurs s'arrachent la clientèle, on doit s'y prendre longtemps à l'avance pour réserver à *La Maison de Chavignol.*

Malgré un décor qui n'est pas tout à fait à la hauteur de cette expérience hors du commun, malgré les tables trop rapprochées pour prétendre à l'intimité, malgré l'éclairage déficient (mais on a tout de même droit au romantisme des chandelles), on retourne à *La Maison de Chavignol* un peu comme on retourne avec bonheur à ses amours de jeunesse.

La plupart des attablés choisissent soit le menu dégustation (48 $), soit le menu gastronomique (58 $) pour contenter leur soif d'aventure. Au gré des envies dans ce menu dégustation, la crème de cèpes au romarin ou le velouté de poireaux au poisson blanc. La crème de cèpes frais (importés d'Europe chaque semaine s'il vous plaît!) était un peu fade et le romarin trop timide mais la consistance parfaite. Quant au velouté de poireaux agrémenté de morceaux de bar noir, il était légèrement crémé et goûtait davantage la pomme de terre que le poireau.

La vapeur allait être renversée en cuisine et cette amorce un peu réservée n'être plus qu'un accroc de parcours. La fricassée de grenouilles fraîches, pommes de terre tièdes et pointes d'asperges était une entrée tout aussi attrayante visuellement que gustativement. Lovées au centre d'une feuille de trévise, les petites cuisses de grenouilles tendres étaient simplement rehaussées d'une vinaigrette à base d'huile parfumée aux herbes et de vinaigre vieux. Des asperges *al dente,* une brunoise de piment et d'échalotes sur pommes de terre tièdes et un œillet de poète (comestible) complétaient cette assiette toute en finesse.

L'entrée de suprême de cailles en soufflé de foie gras frais et son coulis de morilles n'était pas banale. La chair de caille désossée farcie d'un appareil à soufflé au foie gras (coiffant la volaille tout simplement) était déposée sur un fond de cailles aux morilles fort bien réduit, crémé et un peu trop salé. Ce plat inventif allait droit au cœur.

Une compote de pommes vertes glacée au calvados hors d'âge marquait un temps d'arrêt dans ce repas. Différente du traditionnel sorbet trop sucré, cette compote faite de chair de pomme râpée et simplement glacée était véritablement et abondamment arrosée de calvados pour créer l'effet recherché du trou normand.

Suivait le baron de lièvre sauvage (il est rarement domestiqué d'ailleurs!) en parmentier de noisettes fondantes. Plat complexe où les multiples paliers de saveurs se juxtaposaient, ce civet haut de gamme réunissait le filet de lièvre farci d'un mélange parmentier aux noisettes. La sauce fine faite de fumet de lièvre, de vin rouge et de porto relevait à la perfection la chair prononcée du lièvre. Une pensée, fleur aussi poétique que savoureuse coiffait le plat. Une assiette de légumes comprenait du riz sauvage éclaté à point, des asperges et des poivrons rouges.

Les mêmes légumes d'accompagnement prévalaient pour l'aumônière de saumon frais au confit de langoustes. Extrêmement travaillé, ce plat se développait en plusieurs étapes. Les langoustes confites dans le beurre clarifié puis mises à refroidir servaient de farce à l'aumônière de saumon cuite au four dans du sancerre. Du caviar *beluga* la décorait. Des pétoncles de baies fraîches farcies d'un sauté de pétoncles au beurre blanc complétaient l'assiette de leurs jolies écailles striées. Quant au beurre de crustacés légèrement tomaté, il était simplement monté au beurre.

La maison affectionne le sancerre et moi aussi. Un Sancerre La Bourgeoise arrosait ce repas tiré d'une carte où les prix fluctuent entre 28 $ et 195 $. Le pain était servi avec des pincettes à la pièce plutôt qu'en corbeille, formule qui manque de générosité et de chaleur.

Une salade panachée faite de mâches, d'endives rouges et de laitues tendres couplées à un croûton enduit de fromage de chèvre ajoutait un peu de fraîcheur à ce repas. Une vinaigrette émulsionnée nappait un coin de l'assiette.

Les desserts ne sont pas de reste chez Bruno et Josée Manlhiot. L'assiette de dégustation est faite de mille et une bouchées sucrées, chacune déposée sur son coulis. Sorbet aux mandarines, tarte fromage-cassis, Joconde à l'*espresso*-amaretto et petit gâteau aux fruits se donnaient la réplique sur coulis de framboises, sauce au chocolat et crème anglaise. Même refrain avec l'assiette «chocolat» faite de glace coco-cacao, de gâteau chocolat et mandarine et de Joconde à la texture légère. Des fruits frais et des feuilles de menthe ajoutaient de l'esprit et une touche de couleur à ce dernier service.

Deux truffes esseulées soldaient l'expérience... vraiment trop peu pour vivre uniquement de ganache au chocolat et d'eau fraîche.

Un repas pour deux personnes coûte environ 100 $ avant vin, taxes et service. Menu terroir à 42 $, menu dégustation à 48 $, menu gastronomique à 58 $ et menu sélection à 64 $.

LE MARIE-CLARISSE

12, rue Petit-Champlain
Québec
Tél.: (418) 692-0857

Ouvert du lundi au vendredi de 11 h 30 à 14 h 30,
du lundi au samedi de 18 h à 22 h 30,
fermé le dimanche.
Terrasse.

À Québec, tant les Japonais que les Américains et les Ontariens affluent malgré la canicule, la récession, la TPS et la TVQ. On reconnaît les uns à leurs caméras vidéo, les autres à leurs bermudas bien remplis, les derniers à un je-ne-sais-quoi de propret et de *boy-scout*. Tous visitent la vieille capitale avec ce même élan, prêts à lui accorder Dionysos sans confession. L'estomac dans les talons (ou l'inverse), ils s'installent rompus de fatigue aux terrasses de la Grande-Allée, espérant faire là un repas mémorable tout en écrivant une carte postale à maman.

Les touristes infidèles butinent et chaque jour se familiarisent davantage avec la cuisine française *made in Québec city*. Qu'elle soit plus ou moins authentique, mal présentée ou mal servie semble revêtir autant d'importance à leurs yeux que la dernière remontée du funiculaire.

À deux pas dudit funiculaire, menant des hauteurs du *Château Frontenac* à la basse-ville, *Le Marie-Clarisse* poursuit un parcours sans faille malgré l'abondante clientèle touristique. Comme autrefois, l'accent est mis sur le poisson, les prises du jour, apprêtées de façon classique ou avec un accent plus novateur. Une table d'hôte inscrite sur un grand tableau noir tient lieu de menu et on y puise au gré de son appétit ou de son inspiration.

Cette nage de moules au coulis de crustacés témoigne d'un penchant pour l'école classique, avec ce coulis légèrement crémé et relevé au cari. Les moules décortiquées et disposées en cercle tout autour de l'assiette font trempette dans le coulis de crustacés chaud qui se mange presque comme une bisque. Le tartare de truite aux fines herbes, quant à lui, met en vedette la chair du poisson cru, rosée à souhait malgré l'ajout de moutarde et d'huile d'olive. Un œillet comestible complète le coup d'œil.

Les entrées sont entrecoupées par un potage Crécy à la carotte additionné d'orange, servi glacé et très chargé en crème. Une salade de verdures mixtes peut également combler cette pause de façon plus légère.

Les poissons bénéficient au *Marie-Clarisse* de soins exemplaires et d'une cuisson appropriée. Un véritable amateur pourra peut-être préférer des cuissons plus courtes mais il suffirait de le mentionner. La raie, poisson méconnu au Québec et que nos pêcheurs gaspésiens persistent à rejeter à la mer, est offerte ici dans une sauce au miel et aux avelines (noisettes). Cette combinaison inusitée met en valeur la chair blanche et striée de la raie présentée ici sans son cartilage. La sauce riche, faite d'un caramel aux avelines hachées dans un fond de volaille auquel on ajoute beurre et crème, a toutes les qualités, y compris celle d'être très calorifique.

Le saumon au concombre et à la vanille affiche les mêmes excès, bien qu'on ait ajouté une purée de concombres au beurre vanillé. Cette sauce grasse couplée au poisson gras finit par charger les papilles d'autant que la vanille est par trop insistante.

La corbeille de pain, comme à peu près partout dans cette ville, met en évidence une baguette de boulangerie industrielle sèche et sans goût. La carte des vins, construite pour appâter le touriste (un collage d'étiquettes) offre un Saint-Joseph de Delas convenable.

La chaleur en cuisine est une chose souhaitable mais la pâtisserie peut en souffrir. Une partie des desserts a dû être commandée ailleurs ce jour-là. Le gâteau *Sacher* porte mal son nom et regroupe une couche de mousse gélatineuse au chocolat blanc, sur une génoise au chocolat imbibée d'un sirop de framboises. La tarte Tatin, faite sur place, est servie sur crème anglaise et le caramel domine largement sur le goût de pomme.

Un repas pour deux personnes vous coûtera environ 55 $ avant vin, taxes et service. Table d'hôte le midi de 7,75 $ à 13,50 $ et le soir de 20,75 $ à 28,75 $.

LE MELROSE
1648, chemin Saint-Louis
Québec
Tél.: (418) 681-7752
Ouvert du mardi au vendredi de 11 h 30 à 14 h,
du mardi au dimanche de 18 h à 22 h 30,
fermé le lundi.
Salons privés.

À l'écart des devantures flamboyantes de la Grande-Allée, égaré sur le chemin Saint-Louis, un petit restaurant tapi dans l'ombre s'attire depuis quelques années la bourgeoisie bien «pansante» de la ville de Québec. *Le Melrose* tient son pari initial et offre une cuisine du marché tout à fait honorable. Le chef Mario Martel propose un menu gastronomique d'un excellent rapport qualité-prix (43,95 $) ainsi qu'une table d'hôte concise et respectable. Parti courir les honneurs au Luxembourg, le soir de notre passage c'est Gaston Couillard, le second, qui le remplaçait.

Cette maison table tout autant sur le travail en salle qu'en cuisine et on sent une rare harmonie entre ces deux espaces, habituellement aux antipodes sur le plan idéologique. La cuisine s'essoufle un peu et ne réussit pas toujours à fournir à la demande, ce qui explique certaines lenteurs du service. C'est également le prix à payer quand on parle de cuisine minute et de petites brigades.

L'impression intimiste qui se dégage de ces salons aux divisions naturelles, les petits rideaux de dentelles aux fenêtres, les boiseries à l'ancienne, forment un tout synonyme de confort «pépère». À Québec, l'hiver ne s'est pas fait prier pour s'engouffrer sous les manteaux d'un seul coup. Et dans les cheminées brûle déjà le feu ardent et sec de la résignation.

Festif, le menu gastronomique aux accents de gibier s'amorce par une terrine de foie gras et de foie de caille aux petites compotes. Cette riche tranche de foie gras parfumée au porto et liée au beurre est assaisonnée de quelques lamelles de truffes. Un coulis aux marrons apporte une note sucrée à l'ensemble, de même que ces confitures de poires et de carottes. À mon avis, un bon verre de sauternes convient beaucoup mieux que toutes ces jolies décorations trop sucrées.

Le coup d'œil est aussi réussi pour ce fondant de foies blonds de la table d'hôte. Plus moelleux car sans beurre, plus près de la mousse que de la terrine, ce fondant met en valeur les foies de volaille aux parfums prononcés. Les mêmes accompagnements prévalent.

La crème de pétoncles au safran et ciboulette laisse échapper un parfum tout à fait inspirant. Ce fumet de poisson réduit à souhait et crémé juste ce qu'il faut supporte de gros morceaux de pétoncles cuits à point. Le safran entêté persiste en bouche tel un vin rare.

Suit (toujours au menu gastro) le feuilleté de ris de veau aux asperges et endives, petite entrée faite pour plaire, alliant la pâte feuilletée aux ris de veau tendres, dans une sauce trop lourde faite de fond de veau crémé. Quelques asperges et endives effilochées parsèment cette sauce par ailleurs fort savoureuse. Une salade aux couleurs variées, trop chargée en vinaigrette moutardée, sonne la mi-temps à la table d'hôte.

Le granité aux groseilles et griottines joue les trous normands. Contrairement à tous ces «sorbets» lourdement sucrés, celui-ci n'a rien perdu de sa vocation et laisse en bouche une agréable impression aigrelette. Mais je persiste à penser que cette mode en est une qui devrait tomber. En France, on nous sert désormais le consommé, beaucoup plus efficace pour nettoyer le palais et faciliter la digestion.

Les médaillons de wapiti et les aiguillettes de faisan à la moutarde d'herbes font d'une pierre à fusil deux coups, jouant le petit et le gros gibier sur une même assiette. Sur un fond de veau poivré et rehaussé de moutarde de Meaux, ces médaillons trop tendres, bardés de lard, n'ont pas le véritable goût de chair sauvage mais assurent la part d'exotisme dans le menu. Pour plusieurs, ce sont malheureusement deux qualités! Les aiguillettes farcies d'une mousseline de volaille, de ris de veau et de morilles accusent une finesse ensorceleuse. Des petits légumes tels que maïs miniatures, brocolis, gratin dauphinois et purée de carottes ajoutent une touche de couleur dans l'assiette.

À la table d'hôte, un «accord des eaux à l'orange et poivre noir» s'affiche dans une terminologie alambiquée digne des meilleures années de la nouvelle cuisine. Du doré, de l'espadon et quelques belles crevettes s'accordent dans un fumet monté au beurre blanc et à l'orange. La cuisson exemplaire de ces poissons et fruits de mer réconcilierait n'importe qui avec la chair marine.

Par contre, ce plateau de fromages insignifiants ne fait pas honneur à la qualité de la table. Du port-salut et du *cambozola* n'ont pas leur place après un tel dîner. Vivement qu'un Pierre-Yves Chaput (vous trouverez ses petits protégés à l'*Épicerie européenne,* rue Saint-Jean) nous fasse l'honneur de ses fromages fermiers au lait cru.

La qualité du pain est à l'égal des fromages: une baguette de banlieue. Quant à la carte des vins, soignée, alléchante, on y trouve autant le grand cru assassin à décanter que le petit vin sans façon mais servi avec style (de 24,95 $ à 189 $). Un demi Côte de Nuits et un demi Montagny de la maison Latour arrosaient ce repas.

Dernière escale et non la moindre: les douceurs. Celles-ci, confectionnées à l'extérieur des murs du restaurant, sont présentées avec force coulis et fioritures. Le gâteau à l'érable amalgame une mousse à l'érable un peu trop sucrée et un gâteau aux noix sur coulis de groseilles. Quant à la mousseline de chocolat et pralin au caramel d'amandes grillées, tant les textures que les saveurs assurent l'équilibre. Bien que le chocolat ne soit pas assez intense, le centre au pralin et l'ajout de ce caramel aux amandes en guise de coulis sont d'un égal bonheur.

Un repas pour deux personnes vous coûtera environ 70 $ avant vin, taxes et service. Table d'hôte de 29,95 $ à 33,95 $ et menu gastronomique à 39,95 $.

LE MITOYEN
652, Place publique
Sainte-Dorothée, Laval
Tél.: 689-2977

Ouvert du mardi au dimanche de 18 h à minuit,
brunch le dimanche de 11 h à 15 h,
ouvert le midi sur réservations de groupes.
Fermé le lundi.
Salons privés et terrasse.

Est-ce la patine inévitable que confère l'habitude ou bel et bien un recul dans l'audace gustative? Même au *Mitoyen,* la carte évolue en sagesse et en compromis. On n'y retrouve plus ce saumon à la rhubarbe (fort plaisant d'ailleurs) mais les aiguillettes de canard aux poires ont tenu le coup, devenues aussi classiques que leurs consœurs baptisées au chic Grand Marnier dans certains établissements.

Le Mitoyen s'est en quelque sorte installé sur une réputation qu'il défend sans bouleverser davantage les attentes d'une clientèle séduite lentement mais sûrement. D'aucuns ne patientent pas toujours jusqu'à la fête des Mères ou au prochain anniversaire de mariage pour aller se délecter du côté de Sainte-Dorothée. Certains y prennent leurs aises plusieurs fois par semaine et d'autres, loin d'être émus par le décor ou la compagnie, s'y livrent à des exercices de «masturbation intellectuelle» en public. Comme ce convive souffrant d'inspiration précoce, l'autre soir, et préférant son cahier d'écriture à la conversation de sa douce moitié. Charmant vis-à-vis!

Les petites salles qui composent *Le Mitoyen* sont réunies entre elles par la cuisine, d'où s'échappent des plats tels que le foie de pintade à l'aigre-doux ou la salade tiède au filet de veau en entrée. Cette salade mi-chaude, mi-froide était composée de laitues tendres, de mâches, de morceaux de concombre et d'avocat. Le filet de veau rosé et saisi à chaud reposait sur cette salade à peine rehaussée d'une vinaigrette à l'estragon et aux herbes salées adoucie au yogourt. Le vin n'entrait pas en conflit avec ce plat harmonieux baptisé au vinaigre d'estragon.

Le foie de pintade à l'aigre-doux mariait le vinaigre de xérès au fond de pintade sucré au miel. Une julienne de légumes préalablement marinés dans une solution aigre-douce accompagnait les trois foies poêlés et servis rosés. La sauce montée au beurre aurait mérité une cuillère à sauce, faute de quoi le pain fit office de trempette. Ce n'est pas poli (au nom de quoi, je m'le demande) mais faute d'instruments adéquats...

Une attente relativement longue séparait ces deux plats de la feuillantine de cailles aux baies de genièvre, accompagnée de légumes trop croquants pour être véritablement digestes. La pâte feuilletée et dorée emprisonnait les deux cailles désossées, farcies d'un mélange de canard, jambon, lardons hachés, d'une brunoise aux légumes et de lentilles. Un fond de cailles, aux baies de genièvre et à la gelée de pommettes, monté au beurre, nappait le «cul» de l'assiette. Le tout renouait avec la cuisine paysanne que ne déteste pas Richard Bastien, le chef proprio de service. Une cuisine rustique avec des accessoires de chez *Cartier* que celle-ci.

Les ris de veau et crevettes au vermouth, un mariage terrestre et marin, jouaient sur la corde raide et l'équilibre n'était pas atteint. Les crevettes roses et tendres s'accomodaient mieux de cette sauce tomatée au vermouth, relevée au beurre de homard, que les ris de veau. Ceux-ci ressortaient fades et pâteux, un brin trop cuits, de cette expérience. Même si le *surf and turf* a ses adeptes, cette version correcte gagnerait à être corrigée.

Des pépins techniques (un bris de frigo) nous ont fait préférer le vin rouge au blanc. Un cru bourgeois La Tour de By arrosait ce repas sans accroc majeur tiré d'une carte où les prix varient entre 25 $ et 135 $. On apporte le petit pain chaud en début de repas et un exemplaire à la fois. Après tout, on ne s'offre pas *Le Mitoyen* pour voir le fond de la corbeille à pain.

Le service, soit dit en passant, était assuré par une jeune femme dont l'amour et le talent pour ce métier sont indéniables. Empathique sans être obséquieuse, observatrice sans s'imposer, cette personne est une ambassadrice stylée (mais sans froideur) dont tout chef désireux de se prolonger en salle devrait se doter.

Toute en volupté, cette mousse chocolat et noix clôturait le périple de façon heureuse. À base de crème Chantilly, de blancs d'œufs montés, de purée de noisettes, de chocolat, de noisettes et d'abricots macérés dans le rhum, cette mousse était décorée d'une sauce au chocolat.

Le tout, malgré la richesse des ingrédients, ne lassait pas le palais.

Les profiteroles au chocolat, un classique revenu à la mode, étaient farcies d'une glace à la vanille troublée par une panne de circuit. Les cristaux gênaient la texture lisse de la glace. La pâte à choux était fraîche et la sauce au chocolat manquait de substance.

Le décor angélique et vieillot du *Mitoyen* a peu changé depuis le début des années 80 mais une nouvelle salle s'est ajoutée l'an dernier. Une salle privée dont l'atmosphère rappelle celle des salles à manger d'hôtels cossus mais dénués de personnalité. Je préfère encore manger près du feu ou sous les combles.

Un repas pour deux personnes vous coûtera environ 80 $ avant vin, taxes et service. Table d'hôte à 25 $, menu dégustation à 52 $.

PAPARAZZI

1365, avenue Maguire
Sillery, Québec
Tél.: (418) 683-8111

Ouvert du dimanche au mercredi de 11 h 30 à 23 h et
du jeudi au samedi de 11 h 30 à minuit.
Terrasse.

*P*aparazzi donne dans la cuisine italienne du sud mais en réalité on y retrouve surtout la cuisine branchée des *trattorias* du nord et du sud, de l'est et de l'ouest. Le décor est très joli, méditerranéen, et on se sent l'envie d'y prolonger la soirée. Des chanteurs italos (Tino Rossi et consort), tous plus musclés en voix les uns que les autres, forment une trame sonore tout à fait indiquée. Au centre, une plate-forme surélevée réunit quelques banquettes confortables avec vue plongeante sur les cuisines «nickelées».

Sur chaque table, le pain de seigle et l'huile d'olive (ajoutez-y du sel) remplacent la baguette et le beurre doux. L'huile pourrait être de meilleure qualité pour réussir vraiment son effet. Les légumes grillés sont tout ce qu'il y a de saison avec le bulbe de fenouil, L'ASPERGE! (elle était bien seule), l'oignon rouge et l'aubergine. On ne peut dire autant de bien du mozzarella enveloppé d'une feuille de laitue et grillé.

Côté résistance, les assiettes sont tout simplement énormes et les portions très généreuses. L'*osso bucco* a bien des qualités, de la moelle dans le jarret et de la chair autour, ainsi qu'une julienne de légumes *al dente* qui le rehausse. Les spaghetti du jour, au homard et asperges, ne sont pas assez salés mais le goût y est et on réussit à trouver quelques morceaux du crustacé. Bref, c'est le bonheur.

S'il vous reste un petit creux pour le dessert, malheur à vous. Les *dolce* font partie de cette catégorie pour lesquelles je ne perds pas de temps à me bousiller le foie. Ça demeure tout de même une *trattoria* agréable où flâner en dehors des grands circuits touristiques.

Comptez environ 40 $ pour deux personnes avant vin, taxes et service.

PAT-RÉTRO
1983, rue Saint-Michel (angle McGuire)
Sillery, Québec
Tél.: (418) 681-8536
Ouvert de 10 h à 23 h,
samedi et dimanche de 10 h à minuit.
Terrasse.

Voir à la page 83 dans la section «Gougounes friendly».

LE POÈTE
20, rue Prince-Arthur
Saint-Lambert
Tél.: 672-5549

Ouvert du mardi au samedi de 18 h à 22 h,
fermé dimanche et lundi.
Terrasse.

Les résidents de la rive sud ont longtemps eu la réputation de «regarder passer la parade». En matière de restauration surtout, il fallait, pour être bien servi, retraverser le pont en sens inverse ou se faire une raison et aller rejoindre les familles unies profitant des spéciaux sur le boulevard Taschereau.

À Saint-Lambert, *Le Poète* niche dans une vieille maison de la rue Prince-Arthur et coule des jours tranquilles à l'ombre des immenses feuillus, non loin des pistes cyclables. De la terrasse on jette un regard paisible sur les habitudes douillettes du voisinage.

Ce poète de quartier ne fait ni dans la prose au long cours ni dans les paraboles gastronomiques alambiquées. Sa carte est composée d'une simple table d'hôte de même que d'un menu dégustation. On appelle ici un escargot par son nom. Pour la poudre de perlimpinpin, les courbettes, les accents pointus et l'addition assassine, il faudra repasser. Claude Ferran (en salle) et Thérèse Desroche (aux fourneaux) ont donné un ton tout à fait modeste et accueillant à l'endroit.

La salade d'endives et poireaux offre deux légumes, l'un cru, l'autre cuit, nappés d'une vinaigrette douce, proche parente de la mayonnaise. L'arrière-goût sucré des poireaux et l'amertume des endives se jumellent à merveille. Autre entrée au menu, le feuilleté d'escargots aux champignons présente un classique allégé. Déposés sur un feuilleté chaud, les escargots et les champignons font la paire, simplement soutenus par une sauce à l'échalote, au vin blanc, légèrement crémée.

Un potage de brocolis, entrecoupe le repas ce soir-là. Potage maison dans lequel on retrouve toutes les qualités de la préparation maison. Décoré de lanières de poivrons rouges, ce potage a de la personnalité. Tout comme en a la dorade rose aux endives, un plat réussi, convenant bien à cette amorce d'été. Cuite à point, cette dorade repose sur un lit d'endives pochées, nappées d'une sauce au vin blanc crémée. Simple, savoureux et généreux, voilà pour ce plat également garni de petits légumes saisonniers.

L'assiette d'été prend des allures différentes selon les semaines et ce qu'offre le marché. Cette semaine du homard, la semaine prochaine du saumon mariné à l'aneth et parfois aussi des poissons fumés comme du saumon bien gras et du hareng un peu agressif. Les deux poissons sont servis de pair avec laitue, endives, tomates, huile d'olive et citron.

La corbeille de pain est garnie d'une baguette de confection moyenne. Un Bourgogne Aligoté Prince Philippe arrosait ce repas tiré d'une carte où les prix varient entre 20 $ et 45 $.

Les desserts confectionnés sur place nous changent des pâtisseries de commerce toujours décevantes. Le pavé aux poires est une finale intelligente, toute en légèreté. Biscuit, poires et crème Chiboust (crème pâtissière allégée) se superposent sur un coulis de framboises. Le gâteau mousse au chocolat bien crémeux est devenu un classique, dont même les meilleures maisons abusent. Celui-ci est servi de concert avec une sauce au chocolat d'excellente qualité.

Un repas pour deux personnes vous coûtera environ 30 $ avant vin, taxes et service. Table d'hôte de 15 $ à 17 $. Menu dégustation à 27 $.

LE SAINT-AMOUR

48, rue Sainte-Ursule
Québec
Tél.: (418) 694-0667

Ouvert du mardi au vendredi de 11 h 30 à 14 h 30,
tous les soirs de 18 h à 23 h.
Terrasse et salons privés.
Service de valet.

Sur la petite rue Sainte-Ursule, cette maison à la façade de pierre cache l'une des meilleures tables de la ville de Québec. *Le Saint-Amour* niche là depuis plus d'une dizaine d'années et s'est acquis une clientèle d'amants de la chère. La chère très chère, il est vrai, mais oh! combien exquise et «jouissive». De celle qui vous ramollit l'âme et vous ressaisit les papilles.

On ne saurait rester insensible à ce cadre vieillot et charmant non plus qu'à cette terrasse touffue et ombragée, où l'on s'abandonne mollement aux coussins des chaises de rotin, peu importe la saison. Chandelles, nappes roses, opéra, tout y est pour se colleter à nouveau avec la séduction, mère de tous les péchés. Œil pour œil, dent pour dent, telle est la loi des amants…

La table d'hôte propose une crème de légumes verts composée d'asperges, de poireaux, de courgettes, de céleris, d'oignons et de pommes de terre. Le goût fin et l'ajout de crème prépare le terrain sans assommer la digestion. L'entrée de chartreuse d'escargots et sa salade met en vedette les escargots mais de façon très complexe et légèrement alambiquée. La chartreuse est composée d'escargots dissimulés dans un coffre de mousseline de volaille, entouré de chou et d'une crêpe aux fines herbes joliment striée de purée de tomates. La sauce, à base de fonds de volaille, de tomates, de crème et de fines herbes, telles la ciboulette, le persil et l'estragon, donne du tonus aux escargots supplémentaires disséminés dans l'assiette. La petite salade, bien que jolie, est superflue dans cette composition.

Après ces préliminaires réussis, on assiste à une montée chromatique avec l'arrivée des plats de résistance. Le panaché de poissons composé de doré et de truite joue sur deux tableaux. Le filet de doré est simplement déposé sur une sauce (au fumet de poisson) crémée et parfumée

de cari et de safran au jaune invitant. La cuisson du poisson est parfaite de même que cette sauce onctueuse faite
pour lui. Quant à la truite rose, on la retrouve enveloppée
dans une ballottine au chou de Savoie. L'intérieur est composé d'une mousse à la truite et aux champignons et le
tout est déposé sur une sauce aux pleurotes. Tout simplement exquis.

Même réalisation sans fausse note pour ces ris de
veau sur lit d'épinards accompagnés de langoustines. Le
secret des ris tient au fait qu'ils sont longuement dégorgés
avant d'être blanchis puis saisis et caramélisés. Déposés
sur ces épinards simplement tombés et relevés par ce
fond de veau au porto, les ris et les langoustines juteuses
font bon ménage.

Le pain dans la corbeille est odieux comme partout
ailleurs dans cette ville où il ne semble pas exister une
boulangerie digne de ce nom. La carte des vins est complète et bien détaillée. Un château de Beauregard-Ducourt
arrosait honorablement ce repas. Le service, soit dit en
passant, est fait avec professionnalisme et le serveur (cuisinier à ses heures) semblait tout connaître des secrets
d'alcôve...

Le dessert a droit à sa carte tout aussi complète
que la précédente et à laquelle s'ajoutent les vins de dessert. Le chocolat mérite tous les égards dûs à son rang. On
le retrouve d'ailleurs en quatre versions différentes sur
l'assiette gourmande. Un étang de crème anglaise en guise
de support, ces îlots de volupté vous en mettent plein les
papilles. Le dôme de pamplemousse rose au chocolat
blanc remporte la palme des créations pour sa finesse et
son originalité. Le mélange voluptueux de mousse au chocolat blanc, de mousse au pamplemousse rose sur biscuit
au chocolat noir et sous une fine couche durcie de chocolat blanc (projeté au fusil à peinture) laisse pantois.

Le croquant de poires surmonté d'une mousse au
chocolat noir bien crémeuse allie la finesse de la poire à
l'intensité du chocolat et au caramel. Le marronnier est
présenté comme une marquise mais une génoise aux noisettes (légèrement rances) fait office de gaine et une
mousse au chocolat et crème de marrons niche au centre.
Le dernier mais non le moindre, ce gâteau aux trois chocolats superpose trois ganaches (blanche, brune et cacao)
sur une génoise. Riche? Certes, mais ne faites pas l'erreur
de partager cette assiette... même avec un amant.

Un repas pour deux personnes vous coûtera environ 88 $ avant vin, taxes et service. Table d'hôte le midi de
9,50 $ à 15 $ et le soir de 25 $ à 28 $. Carte des vins de 23 $
à 750 $ et belle sélection de vins au verre.

LA SERRE DE SERGE BRUYÈRE
1200, rue Saint-Jean
Québec
Tél.: (418) 694-0618
Ouvert tous les jours de 11 h 30 à 22 h 30.

On connaissait la grande table de Serge Bruyère où s'empressent les riches touristes japonais. Mais on nous cachait la serre dissimulée dans le souterrain, anonyme et réservée aux initiés. Petit restaurant coquet, salon de thé à ses heures, cette serre douillette et recroquevillée sur elle-même a un menu qui lorgne sur les cuisines du grand Bruyère. Si, de sa grande table du deuxième étage, vous êtes invariablement déçus, essayez plutôt cette petite serre sans prétention où vous risquez de faire quelques découvertes au parfum du jour, signées par les sous-fifres de la maison.

Ce fondant de foies de volaille, en mousse légère, avec sa petite sauce au concombre rafraîchissante et sa compote de carottes sucrées est tout aussi réussie en matière de goût que séduisante. Cette composition froide peut tenir lieu de repas léger accompagné d'une petite salade.

La *moussaka* nous revient en force sur ce menu, apprêtée avec un brin d'imagination et deux doigts de finesse. L'agneau haché s'accouple ici aux traditionnelles aubergines mais aussi à des pommes de terre en escalope et à des tranches de courgettes. Un soupçon de fromage gratiné recouvre cette *moussaka* au léger parfum de cannelle. Un coulis de tomates nappe le fond de l'assiette et des légumes tels qu'endives braisées et purée de betteraves ainsi qu'un riz aux amandes s'ajoutent à l'assiette déjà bien généreuse.

La truite sauce au poivre vert est présentée telle quelle, de la tête à la queue, cuite au four et accompagnée dans une saucière d'un beurre blanc au poivre, riche en matières grasses et léger en aromates. La truite cuite à point se double des mêmes accompagnements de légumes dans l'assiette.

La carte des vins, réduite, fait dans les clichés plutôt que dans les découvertes entre 18 $ et 28 $.

Par contre, les desserts valent un arrêt et peut-être même deux. Le choix est vaste, les présentations attrayantes et les produits d'une fraîcheur indiscutable. Tant cette tarte à la framboise sur pâte briochée, gavée de crème pâtissière et recouverte de framboises fraîches lustrées à la gelée de fruits, que ce gâteau à la mousse au chocolat, riche, intense et crémeux se méritent des éloges. Ce que je plains cette tablée voisine de bambins allemands auxquels une colonelle maternelle avait prescrit un régime sans sucre! Les privations engendrent les psychanalyses...

Un repas pour deux personnes le midi vous coûtera environ 25 $ avant vin, taxes et service. Table d'hôte toute la journée de 8,50 $.

INDEX

INDEX GÉOGRAPHIQUE

INDEX DES RESTAURANTS PAR SPÉCIALITÉS

TABLE DES MATIÈRES